DOLINA TĘCZY

Lucy Maud Montgomery

DOLINA TĘCZY

Przełożyła
Janina Zawisza-Krasucka

WYDAWNICTWO
LITERACKIE

Tytuł oryginału
Rainbow Valley

Wydanie pierwsze w tej edycji

Wydawnictwo Literackie Sp. z o.o., 2007
ul. Długa 1, 31-147 Kraków
bezpłatna linia telefoniczna: 0 800 42 10 40
księgarnia internetowa: www.wydawnictwoliterackie.pl
e-mail: ksiegarnia@wydawnictwoliterackie.pl
fax: (+48-12) 430 00 96
tel.: (+48-12) 619 27 70

ISBN 978-83-08-03950-2 oprawa broszurowa
ISBN 978-83-08-03951-9 oprawa twarda

Pamięci Goldwina Lappa, Roberta Brookesa i Morleya Shiera, którzy ponieśli najwyższą ofiarę, aby szczęśliwe doliny ich ojczystej ziemi nadal świętymi były i nie zostały wydane na pastwę najeźdźcy.

(przeł. Agnieszka Kuc)

Wysoko szybują młodzieńcze myśli,
niezwykle wysoko.

Longfellow

(przeł. Agnieszka Kuc)

Z POWROTEM W DOMU

Był przezroczysty, tchnący świeżą zielenią wieczór majowy, a Przystań Czterech Wiatrów, ozłocona ostatnimi promieniami zachodzącego słońca, zdawała się przeglądać w spokojnej tafli morza. Fale morskie łagodnie pieściły piaszczysty brzeg, rubaszny podmuch wiatru wznosił kurzawę czerwonego pyłu wzdłuż drogi, którą szła panna Kornelia w kierunku wsi Glen St. Mary. Panna Kornelia była już właściwie panią Marshallową Elliott, i to od lat trzynastu, lecz wszyscy z przyzwyczajenia nazywali ją panną Kornelią. To dawne imię zbyt drogie było dla starych przyjaciół. Porzuciła je tylko wzgardliwie Zuzanna Baker, siwowłosa, zaufana służąca rodziny Blythe'ów na Złotym Brzegu, usiłująca przy każdej okazji nazywać pannę Kornelię „panią Marshallową Elliott", z drwiącym uśmieszkiem, jakby mówiła: „Chciało się być «panią», niech i tak będzie, mnie to wcale nie obchodzi".

Panna Kornelia szła do Złotego Brzegu, aby przywitać państwa Blythe'ów, którzy wrócili właśnie z Europy. Przebywali poza domem trzy miesiące, wyjechawszy jeszcze w lutym na kongres medyczny do Londynu, a podczas ich nieobecności w Glen zaszło tyle różnych zdarzeń, o których panna Kornelia pragnęła z nimi pogadać. Przede wszystkim przybyła na plebanię nowa rodzina. I to jaka rodzina! Panna Kornelia kilka razy potrząsnęła głową, idąc pośpiesznie naprzód.

Zuzanna Baker i dawna Ania Shirley widziały ją z daleka z obszernej werandy w Złotym Brzegu, gdzie siedziały upojone czarem majowego wieczoru, wsłuchane w zawodzenie koników polnych w trawie i zapatrzone w rozkwitające już kępki złotogłowów tuż pod ścianą werandy.

Ania siedziała na stopniach, opasawszy ramionami kolana, i spoglądała w mroczną przestrzeń, ciągle jeszcze dziewczęca i pełna radości życia. Spojrzenie prześlicznych szarozielonych oczu poszybowało ku drodze prowadzącej do przystani, a był w nim, jak zwykle, wyraz młodzieńczego rozmarzenia. Tuż za nią spoczywała w hamaku Rilla Blythe, tłuściutkie sześcioletnie stworzonko, najmłodsza pociecha mieszkańców Złotego Brzegu. Maleńka miała wijące się rudawe włosy i figlarne oczy przymknięte teraz rozkosznie, bo właśnie spała smacznie.

Shirley, „mały Murzynek", jak go w rodzinie nazywano, leżał uśpiony w objęciach Zuzanny. Miał ciemne włosy, ciemne oczy i śniadą cerę o zaróżowionych policzkach, a Zuzanna darzyła go specjalną miłością. Po jego urodzeniu Ania przez dłuższy czas chorowała, więc Zuzanna matkowała dziecku z namiętną czułością, jakiej nie zaznało żadne z dzieci, choć wszystkie były jej drogie. Doktor Blythe niejednokrotnie o tej miłości mówił z uśmiechem, lecz to, co on mówił, dla Zuzanny nie miało znaczenia.

— Dałam Shirleyowi prawie tyle z siebie, co i pani, droga pani doktorowo — mawiała Zuzanna. — Nic dziwnego, że uważam go za swoje własne dziecko.

Istotnie, Shirley zawsze biegł do Zuzanny, gdy pragnął pieszczoty, i zawsze najchętniej zasypiał pod ochroną jej macierzyńskich ramion. Zuzanna częstokroć karciła dzieci Blythe'ów, gdy zasługiwały na to, nie karała tylko nigdy Shirleya i nawet matce na to nie pozwalała. Gdy raz jeden doktor Blythe chciał uderzyć syna, Zuzanna w dość ostry sposób wyraziła swe oburzenie.

— Mężczyzna potrafiłby nawet skarcić anioła, droga pani doktorowo — oznajmiła Ani z goryczą, i biedny doktor przez kilka tygodni unikał srogiego wzroku przywiązanej piastunki.

Podczas nieobecności państwa Blythe'ów Zuzanna zabrała małego Shirleya do swego brata i miała go wyłącznie dla siebie przez trzy miesiące, podczas gdy reszta dzieci przebywała w Avonlea. Mimo to jednak z przyjemnością Zuzanna wróciła do Złotego Brzegu i z jeszcze większą radością powitała gromadę swych wychowanków. Złoty Brzeg był jej światem, państwem, w którym wszechwładnie królowała. Nawet Ania rzadko kiedy sprzeciwiała się wypowiedziom Zuzanny, ku wielkiej niechęci pani Małgorzaty Linde z Zielonego Wzgórza, która podczas swej wizyty w Czterech Wiatrach z przekąsem zaznaczyła, że Zuzannie daje się zbyt wiele swobody.

— Kornelia Bryant biegnie tu drogą od przystani — zauważyła Zuzanna. — Musi wyładować z siebie wszystkie plotki, które nazbierała przez trzy miesiące.

— Spodziewam się — przyznała Ania, ściskając dłońmi kolana. — Umieram już z tęsknoty za wszelkimi plotkami z Glen St. Mary, Zuzanno. Panna Kornelia na pewno opowie mi o wszystkim, co się tu działo, kto się urodził, kto ożenił, kto upił, kto umarł, kto wyjechał, kto przybył, komu zdechła krowa i która panna znalazła adoratora. Szalenie miło być znowu w domu wśród mieszkańców Glen. Tak bym chciała wszystko o nich wiedzieć. Bardzo jestem ciekawa, którego ze swych dwu adoratorów wybrała wreszcie na męża Millicent Drew. Muszę ci wyznać, Zuzanno, że pasjami lubię słuchać plotek o miłości.

— Zupełnie zrozumiałe, droga pani doktorowo — przyznała Zuzanna — każda szanująca się kobieta uwielbia te plotki. Sama się bardzo interesuję wyborem Millicent Drew. Co prawda nigdy nie miałam adoratora, ale już nie zwracam na to uwagi, bo nawet do staropanieństwa można się przyzwyczaić. Kiedy mowa o plotkach, chciałam pani powiedzieć, że podobno biedna pani Harrisonowa Miller w zeszłym tygodniu usiłowała odebrać sobie życie.

— Ach, Zuzanno!

— Niech się pani uspokoi, droga pani doktorowo. Nie udał jej się ten zamiar. Ale wcale się pani Miller nie dziwię, bo ma naprawdę strasznego męża. Tylko głupio z jej strony, że chciała mu dać wolność, żeby mógł poślubić inną kobietę. Gdybym była na jej miejscu, droga pani doktorowo, wzięłabym się tak do dzieła, że on sam by się powiesił. Nie znaczy to, że pochwalam takie czyny, droga pani doktorowo.

— A co się stało Millerowi? — zapytała Ania niecierpliwie. — On naprawdę może każdego doprowadzić do ostateczności.

— Tak, niektórzy nazywają to manią religijną, inni znów podszeptem czarta. Przepraszam za wyrażenie, droga pani doktorowo. W każdym razie nikt nie rozumie zwariowanego Harrisona. Bywają dni, kiedy rzuca się na każdego, bo ma wrażenie, że skazany jest na wieczną pokutę. Kiedy indziej znów twierdzi, że gwiżdże na wszystko i idzie się upić. Ja uważam, że jest niespełna rozumu, jak zresztą wszyscy Millerowie. Jego dziadek kiedyś postradał zmysły, wszędzie widział wielkie czarne pająki. Mam nadzieję, że nie zwariuję, droga pani doktorowo, i chyba naprawdę nigdy się to nie stanie, bo nie jest to w zwyczaju Bakerów. Ale gdyby już tak kiedyś zrządziła Opatrzność, mam nadzieję, że nie będę widziała pająków, ponieważ nienawidzę tego paskudztwa. A co do pani Millerowej, to sama nie wiem, czy należy się nad nią litować. Mówią nawet, że wyszła za Harrisona tylko dlatego, aby zrobić na złość Ryszardowi Taylorowi, co wydaje mi się szczególnym powodem do zamążpójścia. Nie jestem jednak sędzią w sprawach małżeńskich, droga pani doktorowo. A otóż i Kornelia Bryant wchodzi do bramy. Zaniosę „małego Murzynka" do łóżeczka i wezmę się do szydełkowania.

PLOTECZKI

— A gdzie reszta dzieci? — zapytała panna Kornelia po pierwszych powitaniach, z jej strony bardzo serdecznych, ze strony Ani impulsywnych, a godnych ze strony Zuzanny.

— Shirley już w łóżeczku, a Kuba, Walter i bliźnięta jak zwykle pobiegły do swej ukochanej Doliny Tęczy — odparła Ania. — Dopiero po południu wróciły do domu i nie mogły się doczekać kolacji, bo chciały jak najprędzej tam biec. Zakątek ten ukochały ponad wszystko w życiu. Nawet cudne klony nie mogą rywalizować z doliną.

— Wydaje mi się, że zanadto ją kochają — powiedziała Zuzanna ponuro. — Kuba oświadczył kiedyś, że po śmierci wolałby pójść do Doliny Tęczy niż do nieba, a nie sądzę, żeby to była właściwa uwaga.

— Dobrze spędzili czas w Avonlea? — zagadnęła panna Kornelia.

— Nadzwyczajnie. Maryla strasznie ich rozpieszczała, szczególnie Kubę, który jest jej oczkiem w głowie.

— Panna Cuthbert musi być już bardzo stara — zauważyła panna Kornelia, wyciągając z torebki robótkę i zabierając się do szydełkowania. W tym jednym zgadzały się z Zuzanną. Panna Kornelia utrzymywała, że kobieta powinna mieć zawsze czymś zajęte ręce i wtedy dopiero ma przewagę nad inną, która rzadko kiedy coś robi.

— Maryla skończyła osiemdziesiąt pięć lat — szepnęła Ania z westchnieniem. — Włosy ma już zupełnie bielutkie. Dziwne się wyda, jeżeli powiem, że wzrok ma teraz lepszy, niż gdy miała sześćdziesiąt lat.

— Jestem ogromnie zadowolona, kochanie, że wreszcie wróciliście. Byłam taka osamotniona. Ale wierz mi, Aniu, nie próżnowaliśmy tu w Glen. Jeszcze żadna wiosna nie była tak emocjonująca jak w tym roku, gdy zaczęto mówić o sprawach kościelnych. Mamy wreszcie pastora, Aniu.

— Wielebny John Knox Meredith, droga pani doktorowo — wtrąciła Zuzanna, postanawiając nie dopuścić do tego, aby panna Kornelia opowiedziała wszystkie nowinki.

— Sympatyczny? — spytała Ania zaciekawiona.

Panna Kornelia westchnęła, a Zuzanna mruknęła coś niechętnie.

— Tak, mimo wszystko dość sympatyczny — rzekła panna Kornelia. — Sympatyczny, wykształcony i bardzo pobożny. Ale wyobraź sobie, Aniu, że nie ma ani odrobiny rozumu.

— Więc dlaczego otrzymał parafię?

— Nie ulega wątpliwości, że to najlepszy kaznodzieja, jakiego dotychczas mieliśmy w Glen St. Mary — odparła z powagą panna Kornelia. — Pewno dlatego, że jest taki nieobecny, jakby spadł z księżyca, nie otrzymał nigdy większej parafii. Ale wierz mi, jego kazanie było cudowne. Każdy był zachwycony pastorem.

— Jest bardzo urodziwy, droga pani doktorowo, a muszę przyznać, że lubię przystojnych mężczyzn na ambonie — przerwała Zuzanna, uważając moment za odpowiedni, by się wtrącić.

— Cała parafia długo się przedtem zastanawiała — mówiła dalej panna Kornelia — a na pastora Mereditha zdecydowaliśmy się wszyscy od razu. Jego poprzednikom każdy z nas miał coś do zarzucenia. Nawet pan Folsom nie wszystkim się podobał. Był doskonałym kaznodzieją, ale wygląd miał straszny. Nie dbał zupełnie o swoją powierzchowność. Miał zbyt czarne włosy i za gładko wygoloną twarz.

— Wyglądał zupełnie jak wylizany kot, droga pani doktorowo — odezwała się znowu Zuzanna. — Nie mogłam znieść tego człowieka, gdy się co niedzielę ukazywał na ambonie.

— Potem przyszedł pan Rogers, a ten to już był zupełnie jak ciepłe kluski, ani zły, ani dobry — podjęła panna Kornelia. — Gdyby nawet potrafił wygłaszać kazania jak Piotr Apostoł, to i tak nie byłoby z tego żadnego pożytku. Pamiętam, że pewnej niedzieli do kościoła wpadła owca Caleba Ramsaya i zaczęła beczeć właśnie w chwili, kiedy pastor rozpoczął nabożeństwo. Wszyscy wybuchnęli śmiechem, a biedny Rogers nie wiedział, gdzie się podziać. Niektórzy twierdzili, że przecież jest bardzo wykształcony. Potrafi czytać Nowy Testament aż w pięciu językach.

— Nie znaczy to, żeby się prędzej od innych dostał do nieba — wtrąciła Zuzanna.

— Wielu z nas nie lubiło jego wymowy — rzekła panna Kornelia, ignorując uwagę Zuzanny. — Mówił zbyt dobitnie, a znów pan Amet wcale nie był kaznodzieją. Najtragiczniej wypadał, gdy czytał Biblię. Zawsze musiał zająknąć się na zdaniu: „Przeklinam cię, Meroz".

— Potem, tknięty jakąś nagłą myślą, zamykał Biblię i wykrzykiwał jeszcze głośniej: „Przeklinam cię, Meroz!". Biedna dusza Meroza musiała się tego dnia czuć jeszcze gorzej po takim przekleństwie — dorzuciła Zuzanna.

— Duchowny, który stara się o objęcie parafii, nie powinien żałować trudu, aby wyszukać jak najodpowiedniejszy fragment Pisma — podniosłym głosem oświadczyła panna

Kornelia. — Myślę, że pan Pierson otrzymałby tę posadę, gdyby tylko wybrał bardziej stosowny tekst. Kiedy jednak oznajmił: „Podnoszę swój wzrok ku wzgórzom" — z miejsca był na straconej pozycji. Wszyscy zaczęli się pod nosem uśmiechać, jako że obie panny ze Wzgórza, z Harbour Head, słynęły z tego, iż próbowały usidlić każdego nieżonatego pastora, który pojawił się w Glen na przestrzeni ostatnich piętnastu lat. Pan Newman z kolei ma zbyt liczną rodzinę.

— Zatrzymał się u mojego szwagra, Jakuba Clowa — powiedziała Zuzanna. — „Ile ma pan dzieci?" — zapytałam. — „Dziewięciu chłopaków, no i każdy z nich ma siostrę" — odparł. — „Osiemnaścioro! — wykrzyknęłam. — Mój Boże, to ci dopiero rodzina!", wtedy on zaczął się strasznie śmiać, tyle że ja zupełnie nie rozumiem, z jakiego powodu, kochana pani doktorowo, no i jestem przekonana, że osiemnaścioro dzieci nie pomieści się na żadnej plebanii.

— Ależ on ma tylko dziesięcioro dzieci, Zuzanno — cierpliwie, aczkolwiek z pewną dozą politowania wyjaśniła jej panna Kornelia. — A dziesięcioro przykładnie zachowujących się dzieci z pewnością nie przysporzyłoby naszej wspólnocie więcej problemów niż ta czwórka, która mieszka na plebanii obecnie. Oczywiście nie chcę przez to powiedzieć, droga Aniu, że te dzieciaki są złe. Lubię je, wszyscy je lubią. Ich nie można nie lubić. Byłyby naprawdę wspaniałe, gdyby miały kogoś, kto zadbałby o ich dobre maniery i nauczył odpowiedniego zachowania. Dla przykładu — ich nauczyciel twierdzi, że w szkole sprawują się wzorowo. Dopiero w domu wyrastają im rogi.

— A jaka jest pani Meredith? — zagadnęła Ania.

— Nie ma pani Meredith i to jest właśnie najgorsze. Pan Meredith to wdowiec. Żona umarła mu cztery lata temu. Gdybyśmy wiedzieli o tym, na pewno nie zostałby naszym proboszczem, bo wdowiec dla parafii jest jeszcze gorszy niż kawaler. Ale słyszeliśmy, jak mówił o swych dzieciach, byliśmy więc pewni, że ma również i żonę. Dopiero po przyjeździe okazało się, że jest z nimi tylko stara ciotka Marta, jak ją nazywają. Podobno to kuzynka matki pastora i zajmuje się jego dziećmi. Ma już siedemdziesiąt pięć lat, niedowidzi i jest głucha jak pień.

— A przy tym strasznie marna z niej gospodyni.

— Najgorsza, jaką sobie można wyobrazić na plebanii — wtrąciła z goryczą panna Kornelia. — Pastor nie chce przyjąć nikogo do pomocy w domu, bo twierdzi, że uraziłoby to ciotkę Martę. Wierz mi, Aniu, stan naszej plebanii jest tragiczny. Wszystko pokryte grubą warstwą kurzu i nic nie leży na swoim miejscu. A myśmy sobie nowego pastora tak pięknie wyobrażali.

— Więc ma czworo dzieci? — zapytała Ania, przejęta macierzyńskim uczuciem.

— Tak, jedno niewiele większe od drugiego. Najstarszy jest Gerald, ma dwanaście lat i wszyscy nazywają go Jerry. Całkiem rozsądny chłopak. Flora ma lat jedenaście, straszny z niej urwis, ale przyznać trzeba, że śliczna jak obrazek.

— Ma twarz aniołka, lecz psoci, gdzie tylko może, droga pani doktorowo — oburzyła się Zuzanna. — Któregoś wieczoru byłam na plebanii z panią Jamesową Millison. Przyniosła pastorowi mendel jajek i bańkę mleka, maleńką bańkę, droga pani doktorowo. Flora przyjęła to od niej i miała zanieść jajka do piwnicy. Na ostatnim stopniu schodów potknęła się i wysypała wszystko na ziemię. Może pani sobie wyobrazić dalszy ciąg, droga pani doktorowo. Ale mała nie zmartwiła się tym zupełnie, tylko wybuchnęła głośnym śmiechem. „Nie wiem, dlaczego jestem taka niezdara" — rzekła. Pani Jamesowa Millison wpadła w złość. Zapowiedziała, że nigdy już nic nie przyniesie na plebanię, skoro jej podarunki mają być tak nie szanowane.

— Maria Millison nie jest znowu taka hojna; jeżeli zaniosła jajka i mleko, to tylko z prostej ciekawości — fuknęła panna Kornelia. — Ale biedna Flora zawsze wpada w tarapaty. Jest strasznie roztrzepana i impulsywna.

— Trochę podobna do mnie. Zaczynam lubić tę małą Florę — zdecydowała Ania z uśmiechem.

— I ja lubię dzieci pełne życia, droga pani doktorowo — przyznała Zuzanna.

— Z tą małą jest coś nie w porządku — zauważyła panna Kornelia. — Zawsze się uśmiecha i mimo woli każdego zmusza do śmiechu. Nawet w kościele nie potrafi zachować powagi. Trzecia z rzędu, Una, ma dziesięć lat i jest szalenie milutka, choć nieładna. Później idzie Tomasz Carlyle, najmłodszy, niedawno skończył dziewięć lat. Nazywają go Karolek; ma dziwną manię zbierania wszelkiego robactwa i żab i przynoszenia ich do domu.

— Najgorsze to, że dzieci na plebanii nie są nigdy porządnie ubrane — westchnęła panna Kornelia. — Nawet w porze pierwszych śniegów chodzą boso do szkoły. A wierz mi, Aniu, że to nie jest stosowne dla dzieci pastora, zwłaszcza jeżeli córeczka pastora metodystów nosi zawsze takie śliczne trzewiczki. Poza tym nie podoba mi się, że głównym miejscem ich zabaw jest cmentarz metodystów.

— Cmentarz leży tuż przy plebanii — zauważyła Ania. — Zawsze uważałam, będąc dzieckiem, że na cmentarzu można się najlepiej bawić.

— O, nie, pani tak myśleć nie mogła, droga pani doktorowo — oburzyła się Zuzanna, usiłując jak zawsze bronić Ani nawet przed nią samą. — Już jako dziecko musiała pani mieć więcej rozsądku i manier.

— To po co zbudowali plebanię przy samym cmentarzu? — spytała Ania. — Podwórze mają tak małe, że dzieci z konieczności muszą wychodzić na cmentarz.

— Właśnie to był największy błąd — przyznała panna Kornelia. — Ale tym sposobem budowa plebanii mniej kosztowała. Jednak dotychczas żadnemu z dzieci na plebanii nie wpadło na myśl przebywać całymi dniami na cmentarzu. Pan Meredith również swoim małym nie powinien na to pozwolić, ale on ciągle siedzi zagrzebany w książkach, gdy tylko jest w domu. Wiecznie czyta i czyta albo spaceruje po gabinecie, jakby w jakimś transie. Dziwię się, że pamięta o swych niedzielnych obowiązkach w kościele. Dwa razy za to zapomniał przyjść na zebranie i dopiero ktoś musiał pójść po niego na plebanię. A najzabawniejsza historia zdarzyła się, gdy zapomniał o ślubie Fanny Cooper. Dopiero zatelefonowano po niego i przybiegł w pośpiechu w rannych pantoflach. Metodyści pękali ze śmiechu. Na szczęście nie mogą krytykować jego kazań. Ten człowiek żyje dopiero wtedy, gdy się znajdzie na ambonie, a pastor metodystów podobno zupełnie nie jest kaznodzieją. Ja, chwała Bogu, nigdy go nie słyszałam.

Od chwili swego ślubu panna Kornelia żywiła mniejszą pogardę dla mężczyzn, ale ciągle jeszcze lekceważyła metodystów. Zuzanna uśmiechnęła się chytrze.

— Powiadają, pani Elliott, że metodyści i prezbiterianie zamierzają się połączyć.

— Mam nadzieję, że będę już wtedy w grobie — odcięła się panna Kornelia. — Nigdy nie miałam zaufania do metodystów, a pan Meredith również doszedł do wniosku, że lepiej się trzymać od nich z daleka. Co prawda, mógłby być dla nich mniej uprzejmy. Niepotrzebnie znalazł się na srebrnym weselu Jakuba Drew i przez to potem miał wiele nieprzyjemności.

— A o co chodziło?

— Pani Drew prosiła go, aby pokroił gęś, bo Jakub Drew nigdy sobie nie mógł z tym dać rady. Pan Meredith zabrał się do dzieła z zapałem i jednym niefortunnym ruchem zrzucił kawałek tłustej gęsiny na kolana pani Reese, która przy nim siedziała. Nie zmieszał się wcale, tylko rzekł sennym głosem: „Pani Reese, zechce pani łaskawie położyć to udko z powrotem na talerzu?". Pani Reese z pozornym spokojem spełniła prośbę, ale musiała być wściekła, bo miała na sobie nowiutką jedwabną suknię. Najgorsze to, że przecież ona jest metodystką. Jednak całe szczęście, że ci wszyscy, którym Meredithowie się narazili, należą do metodystów — ciągnęła panna Kornelia. — Dwa tygodnie temu najstarszy syn pastora, Jerry, przyszedł na nabożeństwo metodystów i usiadłszy obok starego Williama Marsha, zapytał: „Czy pan się dzisiaj lepiej czuje?". Biedny Jerry chciał być uprzejmy, lecz Marsh wziął to za impertynencję i wpadł w złość. Właściwie nie wiadomo, po co Jerry w ogóle zjawił się w kościele metodystów. Te dzieci z plebanii robią, co chcą.

— Mam nadzieję, że nie zdążyły jeszcze obrazić pani Aleksandrowej Davis z portu — uśmiechnęła się Zuzanna. — To bardzo drażliwa kobieta, choć udaje wielką damę. Słyszałam, jak mówiła, że dzieci pastora nie mają ani odrobiny wychowania.

— Coraz bardziej upewniam się w mniemaniu, że Meredithowie należą do ludzi z rodu Józefa — zadecydowała Ania.

— Właściwie tak — przyznała panna Kornelia. — I to jeszcze bardziej utrudnia sytuację. W każdym razie, skoro już są u nas, powinniśmy się starać, aby ich za wszelką cenę odciągnąć od metodystów. No, ale muszę już biec do domu. Tylko patrzeć, jak wróci Marshall i z niecierpliwością będzie czekał na kolację. Jak każdy mężczyzna. Przykro mi, że nie widziałam dzieci. A gdzie doktor?

— Wyjechał do portu. W ciągu tych trzech dni, od kiedy jesteśmy w domu, nie miał ani chwili czasu, nawet na zjedzenie obiadu.

— Nic dziwnego. Od sześciu tygodni wszyscy chorzy z niecierpliwością oczekiwali jego powrotu i mieli zupełną słuszność. Lekarz portowy po poślubieniu córki przedsiębiorcy pogrzebowego w Lowbridge zupełnie stracił ich zaufanie. Sam sobie winien. Musisz przyjść, Aniu, z doktorem do nas i opowiedzieć o swej podróży. Przypuszczam, że przywieźliście mnóstwo nowych wrażeń.

— Istotnie — przyznała Ania. — Marzenia długich lat ziściły się nareszcie. Europa to prawdziwy kraj czarów. Jednak z wielką satysfakcją wróciliśmy do starych kątów — Kanada jest najwspanialszym zakątkiem na świecie, panno Kornelio.

— Nigdy o tym nie wątpiłam — rzekła panna Kornelia z powagą.

— Stara Wyspa Księcia Edwarda najmilszym cichym ustroniem, a Przystań Czterech Wiatrów najcudniejszą miejscowością na Wyspie — śmiała się Ania, spoglądając z zachwytem na cudowny zachód słońca ponad przystanią i klonami w dolinie. Pokiwała do nich przyjaźnie. — Nawet w Europie nie zdarzyło mi się widzieć cudowniejszego krajobrazu, panno Kornelio. Musi już pani iść, naprawdę? Dzieci będą niepocieszone, że pani nie zaczekała.

— Mam nadzieję, że wkrótce mnie odwiedzą. Powiedz im, że zawsze mam dla nich przygotowane świeże pączki.

— Mówiły o tym przy kolacji. Na pewno rychło ujrzy je pani u siebie, bo przecież niedługo będą musiały wrócić do szkoły. Bliźnięta rozpoczną też wkrótce lekcje muzyki.

— Przypuszczam, że nie u żony pastora metodystów? — zapytała panna Kornelia z niepokojem.

— Nie, chcę, żeby się uczyły u Rosemary West. Wczoraj wieczorem byłam nawet u niej i omówiłam wszystko. Szalenie miła dziewczyna.

— Doskonale się trzyma, choć nie jest już taka młoda, jak była kiedyś.

— Moim zdaniem jest czarująca. Nigdy nie znałam jej bliżej, jak pani wiadomo. Mieszkają z siostrą dość daleko i zazwyczaj widywałam ją tylko w kościele.

— Ludzie zawsze ją lubili, chociaż jej nie rozumieją — powiedziała panna Kornelia nieświadoma hołdu, jaki złożyła wdziękowi Rosemary. — Ellen przeważnie ją tyranizowała, mimo że pod innymi względami rozpieszcza ją. Rosemary była kiedyś zaręczona z młodym Marcinem Crawfordem. Okręt jego rozbił się na Wyspach Magdaleny i cała załoga utonęła. Rosemary była młodziutką dziewczyną — miała zaledwie siedemnaście lat. Ale nigdy już nie była taka jak przedtem. Ona i Ellen bardzo się kochały i nie rozstały się od śmierci matki, rzadko chodzą do kościoła w Lowbridge i wydaje mi się, że Ellen nie lubi chodzić do kościoła prezbiteriańskiego zbyt często. U metodystów nie zjawia się nigdy, co bardzo przemawia na jej korzyść. Westowie zawsze należeli do kościoła anglikańskiego. Rosemary i Ellen powodzi się bardzo dobrze i Rosemary zupełnie nie potrzebuje dawać lekcji muzyki. Robi to, bo lubi to zajęcie. Nie wiem, czy ci wiadomo, że panny West są spokrewnione z Leslie. Czy Fordowie tego lata przyjadą do portu?

— Nie. Wybierają się do Japonii, gdzie zamierzają zostać cały rok. Ostatnia powieść Owena została przetłumaczona na język japoński. Po raz pierwszy kochany, stary Wymarzony Domek będzie świecił latem pustkami.

— Myślę, że Owen Ford mógłby z równym powodzeniem pracować w Kanadzie i nie męczyć swej biednej żony oraz dzieci uciążliwą podróżą do Japonii — mruknęła panna Kornelia. — *Księga życia* była jedną z najbardziej udanych jego prac, a przecież napisał ją w Czterech Wiatrach.

— To kapitan Jakub dostarczył mu materiału, jak pani wiadomo. Zbierał go podczas swych długich podróży. Według mnie każda książka Owena jest doskonała.

— Wcale nie przeczę. Prawie wszystkie czytałam, chociaż uważam, Aniu, że czytanie książek to niepotrzebne marnowanie czasu. Muszę napisać do Forda, jak się zapatruje na tę podróż do Japonii. Widocznie chce, żeby jego dzieci stały się poganami.

Z tymi słowami, pełnymi niechęci, panna Kornelia wyszła. Zuzanna układała Rillę do łóżeczka, a Ania usiadła znowu na schodkach werandy pod baldachimem granatowego nieba wysrebrzonego gwiazdami i zatonęła jak zwykle w marzeniach, rozkoszując się swym szczęściem, które w pełni poznała dopiero od chwili, gdy zamieszkała w Przystani Czterech Wiatrów.

DZIECI ZE ZŁOTEGO BRZEGU

Podczas dnia dzieci Blythe'ów najchętniej bawiły się w lasku klonowym pomiędzy Złotym Brzegiem a sadzawką Glen St. Mary, lecz wieczorami ulubionym miejscem ich zabaw była mała dolinka. W wyobraźni dzieciaków tchnęła ona romantycznym czarem. Wiara ta pochodziła od owej chwili, kiedy któreś z dzieci, spoglądając z okna facjatki w Złotym Brzegu, po przebrzmiałej niedawno letniej burzy ujrzało nad doliną wielobarwną tęczę zakreśloną wysokim łukiem.

— Nazwijmy ją Doliną Tęczy — zaproponował wówczas Walter, i od tej pory nazwa ta się utrzymała.

Poza dolinką niejednokrotnie szalał wiatr, lecz w samym jej wnętrzu było zazwyczaj spokojnie. Przecinały ją wąskie ścieżki, pokryte wilgotnym mchem. W porze wiosennej miejsce to, porośnięte gdzieniegdzie drzewkami dzikiej czereśni, lśniło bielą żywego kwiecia. Przez sam środek dolinki przebiegał wartki strumyk, wiodący swój początek od wsi Glen. Domy wiejskie były stąd dość oddalone, tylko na północnej krawędzi doliny tuliła się mała, opuszczona zagroda, nazywana powszechnie domostwem starego Baileya. Stało ono puste od wielu lat i obrośnięte było ze wszystkich stron wysoką trawą, a tylko poza niziutkim parkanem znajdował się ogródek, w którym dzieci ze Złotego Brzegu zrywały wczesną wiosną fiołki i stokrotki, a latem wonne lilie, przekwitające dopiero jesienią. W znacznej części ogródek zarośnięty był rozgałęzionymi krzewami kminu, który w blasku księżyca połyskiwał srebrzystym odcieniem.

Bardziej na południe ulokowała się tuż nad krawędzią doliny sadzawka, okolona z jednej strony laskiem klonowym, którego górne konary spoglądały wyniośle na wieś Glen i na przystań. Dolina Tęczy sprawiała wrażenie odosobnionego zakątka, mimo bliskości wsi, i właśnie to odosobnienie wywierało specjalny urok na wrażliwe wyobraźnie dzieci ze Złotego Brzegu.

Pełno było w dolinie miłych zakamarków, które malcy tak dobrze znali. Szczególnie jedno ustronie posiadało czar przemożny i tam najchętniej się zbierano po zachodzie słońca. Było to miejsce porośnięte młodymi jodłami, których korzenie sięgały prawie do samego brzegu wartkiego strumyka. Tuż nad strumykiem rosła srebrna brzoza — młodziutkie, nieprawdopodobnie smukłe drzewko — nazwane przez Waltera Białą Damą. W pobliżu — Leśni Kochankowie, jak Walter ochrzcił kępę złożoną z dwóch jodeł i klonu, zrośniętych niemal razem. Kuba zawiesił w tym miejscu małe dzwonki, które otrzymał w podarunku od kowala z Glen, i każdy, kto chciał odwiedzić Leśnych Kochanków, musiał uprzednio w owe dzwoneczki zadzwonić.

— Jak to dobrze, że już wreszcie wróciliśmy! — zauważyła Nan. — Tych wszystkich zakątków w Avonlea nie można porównać z naszą Doliną Tęczy.

Mimo to dzieci ogromnie lubiły Avonlea i każde odwiedziny na Zielonym Wzgórzu dawały im nowe emocje. Ciotka Maryla była dla nich bardzo dobra, jak również pani Małgorzata Linde, która większą część wolnego czasu poświęcała tkaniu wełnianych kołder, myśląc o tym dniu, kiedy córki Ani trzeba będzie wyposażyć. Poza tym byli tam mili towarzysze zabaw, a mianowicie dzieci „wuja" Tadzia i dzieci „ciotki" Diany. Młodzi obywatele ze Złotego Brzegu znali wszystkie ukochane miejsca związane ze wspomnieniami dziecięcych lat ich matki, a więc Aleję Zakochanych, okrytą purpurowym kwieciem polnych różyczek, Źródło Nimf i Jezioro Lśniących Wód. Bliźniaczki mieszkały w pokoju na facjatce, który kiedyś zajmowała ich matka, a ciotka Maryla zazwyczaj zaglądała do nich wśród nocy, czy aby śpią spokojnie. Dzieci wiedziały jednak dobrze, że ulubieńcem ciotki Maryli jest Kuba.

W tej chwili chłopiec zajęty był smażeniem małych pstrągów, które właśnie złowił w sadzawce. Piec, na którym przyrządzał ową ucztę, składał się z kilku czerwonych cegieł i rozpalonego wewnątrz ogniska. Pstrągi smażyły się na starej żelaznej patelni, a jedynym narzędziem kulinarnym był widelec o jednym zębie. Mimo to wszystkie dzieci zazwyczaj zasiadały do takiej uczty z nadzwyczajnym apetytem.

Kuba był jedynym dzieckiem, które przyszło na świat w Wymarzonym Domku. Reszta urodziła się już w Złotym Brzegu. Kuba miał falujące, rudawe włosy jak jego matka, czarne, żywe oczy jak ojciec, prosty nosek matki i uśmiech ojca. On jeden z całej rodziny miał małe uszy, którymi zawsze zachwycała się Zuzanna. Jednak Kuba toczył stale spór z Zuzanną, bo ta do dzisiaj nie przestawała go nazywać Kubusiem, choć miał już lat trzynaście. Matka zrozumiała tę niedorzeczność prędzej.

— Ja już nie jestem mały, mamusiu — rozpłakał się serdecznie w swoje ósme urodziny. — Jestem już strasznie duży.

Ania westchnęła i zaśmiała się. Od tej pory nigdy już w jego obecności nie nazwała go Kubusiem.

Chłopiec był stateczny i godny zaufania. Nigdy nie łamał danego słowa. Ponieważ nie posiadał daru wymowy, nauczyciele nie wyróżniali go w klasie, lecz uważany był za dobrego ucznia. Nie potrafił przyjmować nic ze ślepą wiarą — zazwyczaj musiał poznać prawdę i wtedy dopiero wyrabiał sobie własne zdanie o danej rzeczy. Pewnego razu Zuzanna powiedziała, że jeżeli dotknie językiem lodowatego żelaza, to cała skóra z języka mu zejdzie. Kuba musiał to zrobić, aby się przekonać, czy to istotnie prawda. Oczywiście eksperyment ten przypłacił kilkudniowym dotkliwym bólem. Potrafił wszystko poświęcić dla wiedzy. Dzięki bacznym obserwacjom i wielu eksperymentom nauczył się dużo i stał się dla rodzeństwa autorytetem, wprawiając je niejednokrotnie w podziw. Wiedział na przykład, kiedy dojrzewają gruszki, kiedy fiołki rozkwitają i ile błękitnych jajek złożyła raszka w swym gniazdku na najwyższym klonie. Umiał wróżyć z płatków stokrotki, ssać miód z czerwonej koniczyny i na brzegu sadzawki wykopywać najrozmaitsze gatunki robaków, podczas gdy Zuzanna umierała ze strachu, że są one jadowite. Wiedział, gdzie można nazbierać najpiękniejszej żywicy z pnia jodły, w którym miejscu rosną największe orzechy i gdzie najłatwiej nałapać pstrągów. Umiał naśladować głosy dzikich ptaków i zwierząt i znał nazwy wszystkich kwiatów kwitnących od wiosny do jesieni.

Walter Blythe siedział pod konarami Białej Damy z tomem poezji na kolanach, ale książki nie czytał. Wzrok miał utkwiony w szmaragdowych konarach wysokich drzew nad sadzawką, to znów przenosił go na postrzępione obłoki, które gnały niby stado spłoszonych owiec. Walter miał oczy naprawdę prześliczne; kryły się w nich radość i smutek, śmiech i oddanie, i to wszystko, co malowało się w oczach całych pokoleń jego przodków, dawno już zgasłych i dawno zapomnianych. Był on zupełnie inny, niepodobny do nikogo z krewnych. Twarzyczkę miał najładniejszą spośród gromadki młodych Blythe'ów, a czarne, gładkie włosy podkreślały delikatne rysy. Posiadał wybujałą wyobraźnię swej matki i namiętne umiłowanie piękna. Mróz podczas zimy, obietnice wiosny, tęczowe sny lata i swoisty urok jesieni oddziaływały bardzo na jego wrażliwą duszę.

Tam gdzie Kuba był pierwszy, Walter przeważnie się nie wyróżniał. Nazywano go w szkole „dziewczynką" i „maminsynkiem", bo nie lubił bójek, nie rwał się do sportu, przedkładając ponad wszystko książki, a specjalnie poezję. Walter otaczał czcią poetów i od chwili gdy się tylko nauczył czytać, niemal całą swą mądrość czerpał z ich dzieł. Muzyka poezji wnikała do jego wrażliwej duszy i rodziła w niej dziecięce ambicje. Marzył o tym, aby kiedyś sam mógł zostać poetą. Przecież wszystko jest możliwe. Wuj Paweł, nazywany tak przez wszystkich, mieszkający obecnie w Stanach Zjednoczonych, był bożyszczem Waltera. Uczęszczał on niegdyś do szkoły miejscowej w Avonlea, a teraz wszyscy czytali jego poezję. Lecz uczniowie z Glen nie znali marzeń Waltera i prawdopodobnie wcale by ich nie obchodziły. Mimo niewyrobionych mięśni Walter cieszył się poważaniem swych kolegów ze względu na to, że tak świetnie „opowiadał książki". Nikt w szkole w Glen St. Mary nie mógł się z nim równać. Potrafi mówić jak „kaznodzieja" — twierdzili chłopcy i dlatego też zostawiano go w spokoju, zaniechawszy wszelkich kpinek, którymi dokuczano innym kolegom, separującym się od towarzystwa.

Dziesięcioletnie bliźniaczki ze Złotego Brzegu były całkiem różne.

Ania, zwana przez wszystkich Nan, była wesolutką, uroczą istotką, o ślicznej twarzyczce, aksamitnych, orzechowych oczach i jedwabistych, ciemnobrązowych włosach. Figurkę także miała zgrabniutką ku wielkiemu zadowoleniu matki.

— Taka jestem szczęśliwa, że mam córeczkę, która może ubierać się na czerwono — zwykła mawiać z radością pani Blythe.

Diana Blythe, zwana Di, była bardzo podobna do matki ze swymi szarozielonymi oczami i złocistymi włosami. Prawdopodobnie dlatego też była ulubienicą ojca. Specjalnym uczuciem również darzył ją Walter — Di była jedyną osobą, której czytał napisane przez siebie wiersze i zwierzał się ze swych marzeń, jedyną, która wiedziała, że Walter pracuje teraz nad wspaniałym eposem. Di potrafiła utrzymać tajemnicę i nawet Nan nigdy o tym ani słówka nie pisnęła.

— Prędko będzie ta ryba gotowa, Kuba? — zapytała Nan, pociągając noskiem. — Tak ładnie pachnie, że umieram z głodu.

— Już prawie gotowa — odparł Kuba z powagą. — Naszykuj tymczasem chleb i talerze. Walter, zbudź się!

— Jak ślicznie dzisiaj świecą gwiazdy — wyszeptał sennie Walter. Nie znaczyło to, że nie miał apetytu na smażoną rybę, ale był już taki, iż strawę duchową przedkładał ponad zwykły pokarm. — Jasny anioł przechodził dzisiaj przez świat, zagadując czule do kwiatów. Widziałem jego błękitne skrzydła nad pagórkiem na skraju lasu.

— Aniołowie zazwyczaj mają skrzydła białe, o ile mi wiadomo — orzekła Nan.

— Anioł kwiatów ma inne. Są one jasnobłękitne i na tle czystego nieba wcale ich nie widać. Och, jak chciałbym mieć skrzydła! Musi być strasznie przyjemnie móc fruwać po świecie.

— Czasami można fruwać w marzeniach — wtrąciła Di.

— W marzeniach nigdy tego nie potrafię — rzekł Walter. — Lecz często mi się śni, że odrywam się nagle od ziemi i pędzę gdzieś ponad drzewami. Strasznie jest wtedy przyjemnie i zwykle w takich chwilach myślę: „To nie jest sen, to rzeczywistość”, a potem, gdy się budzę, robi mi się bardzo smutno.

— Nan, prędzej! — zawołał Kuba rozkazującym tonem.

Nan przygotowywała tak zwany stół bankietowy, przy którym już niejednokrotnie zasiadano do uczty w Dolinie Tęczy. Stół ten był właściwie deską ułożoną na dwóch omszałych kamieniach. Parę arkuszy białego papieru imitowało serwetę, a kilka wyszczerbionych talerzy, które Zuzanna wyrzuciła na śmietnik, zastępowało nakrycia. Z małego pudełka ukrytego pod drzewem Nan wyjęła chleb i sól. W pobliskim strumyku nie brakło wody do picia, zresztą wszyscy uczestnicy tej zaimprowizowanej wieczerzy byli młodzi i mieli świetne apetyty, dzięki czemu oczywiście potrawy przyrządzane przez Kubę wydawały się o wiele smaczniejsze. Takiej uczty na pewno pozazdrościłby każdy, gdyby mógł choć z daleka popatrzeć na rozradowane twarze naszej gromadki.

— Siadajcie — zapraszała Nan, gdy Kuba ustawił na środku stołu smakowicie dymiącą patelnię. — Kuba, dzisiaj na ciebie kolej odmówienia modlitwy.

— Moja droga, ja już zrobiłem, co do mnie należało, usmażyłem pstrągi — zaprotestował chłopiec, który nie cierpiał się modlić. — Niech Walter mnie zastąpi. On lubi tego rodzaju zajęcie. Tylko prędko, Walter, umieram z głodu.

Lecz Walter nie zdążył powiedzieć ani słowa, bo oto nagle Di przerwała ciszę oczekiwania:

— Któż tam idzie od strony plebanii?

DZIECI Z PLEBANII

Podobno ciotka Marta była bardzo marną gospodynią, a wielebny John Knox Meredith uważany był za człowieka roztargnionego i patrzącego na wszystko z pobłażliwym uśmiechem. Jednakże przyznać należy, że w tym całym rozgardiaszu panującym na plebanii było coś niezwykle miłego, coś nie pozbawionego ciepła. Nawet najbardziej krytyczne mieszkanki Glen to odczuwały i wydawały przez to sąd mniej srogi. Może atmosferę tę stwarzało samo wnętrze obszernych pokojów plebanii, okolonej gęstymi drzewkami akacji, a może przyczyniał się do tego ów piękny widok na malowniczą przystań, roztaczający się z frontowych okien budynku. Dziwne jednak, że owa atmosfera ciepła rozgościła się dopiero na plebanii od chwili, kiedy zamieszkał tam pastor Meredith ze swą rodziną. Tak, stanowczo była to zasługa obecnych mieszkańców. W głuchych dotychczas pokojach rozbrzmiewał coraz częściej wesoły śmiech, od którego trzęsły się ściany, i ponure sprzęty nabierały życia. Wszystkie drzwi stały zazwyczaj otworem, tak jakby wewnętrzne życie plebanii i świat zewnętrzny podawały sobie przyjaźnie dłonie. Na plebanii Glen St. Mary panowała atmosfera miłości.

Na ogół parafianie twierdzili, że pastor Meredith psuje swe dzieci. Zasadniczo mieli rację, bo w stosunku do swej dziatwy nie umiał utrzymać autorytetu. „Nie mają matki, biedactwa" — szeptał niejednokrotnie do siebie samego z westchnieniem, gdy któreś z dzieci okazało nieposłuszeństwo. Ale w istocie pastor Meredith nie znał dokładnie swych dzieci. Sam był marzycielem. Okna jego gabinetu wychodziły na cmentarz, ale gdy całymi godzinami przechadzał się tam i z powrotem w głębokim zamyśleniu o nieśmiertelności duszy, nie zdawał sobie sprawy, że Jerry i Karolek bawili się w najlepsze u stóp nagrobków zmarłych metodystów. Od czasu do czasu przychodziło mu tylko na myśl, że dzieci nie mają już zapewnionej takiej opieki, jak za życia żony, i niejasno sobie uświadamiał, że dom i potrawy były inne pod rządami ciotki Marty aniżeli Cecylii. Poza tym całe niemal życie pastora Mereditha koncentrowało się w świecie książek, więc chociaż nie zawsze miał oczyszczone buty i ubranie, i kumoszki w Glen, sądząc z jego bladej twarzy i szczupłych rąk, uznały, że nie dojada, to jednak nie czuł się nieszczęśliwy.

Jeżeli jakikolwiek cmentarz można nazwać wesołym, to takim musiał być właśnie cmentarz metodystów w Glen St. Mary. Nowy cmentarz, po drugiej stronie kościoła, zachował dotychczas swą powagę i smutek, lecz stary, gdzie rozgościła się już tylko szczodra dłoń natury, stał się zakątkiem ustronnym i miłym dla oka.

Z trzech stron otaczał go wysoki mur z białego kamienia i rząd gęstych świerków, które wydawały balsamiczną woń. Kamienne ogrodzenie, wzniesione prawdopodobnie przez pierwszych mieszkańców Glen, pamiętać musiało najdawniejsze czasy i porośnięte było mchem, spośród którego gdzieniegdzie wyłaniały się wstydliwe fiołki wiosną, a jesienią pyszne liliowe astry.

Od wschodniej strony nie było ogrodzenia ani wału, a cmentarz przeistaczał się tam w świerkowy zagajnik i ginął w pobliskim gęstym lesie. Z dala dochodził tu szum fal morskich, połączony z melodyjnym szmerem jodłowych gałęzi, a wiosną rozlegały się śpiewy ptaków z gniazd uwitych na wierzchołkach wysokich drzew okalających obydwa kościoły. Śpiewy te mówiły raczej o życiu niż o śmierci. Nic więc dziwnego, że dzieci pastora Mereditha tak bardzo lubiły stary cmentarz.

Wysokopienne bluszcze, srebrne jodły i kępki pachnącej mięty okalały stare mogiły. Przy grobli od strony lasu było kilkanaście krzewów dzikich malin, a wśród tej powodzi zieleni całe mnóstwo nagrobków, wysokich pomników i płyt kamiennych z zatartymi napisami. Jeden z największych i najbrzydszych pomników na cmentarzu był poświęcony pamięci niejakiego Aleksandra Davisa, który urodził się metodystą i zakochał w prezbiteriance z klanu Douglasów. Oczywiście żona przeciągnęła go na stronę kościoła prezbiteriańskiego i pozostał prezbiterianinem aż do śmierci. Lecz gdy umarł, nie pozwoliła go pochować samotnie na cmentarzu prezbiteriańskim tuż nad przystanią. Wszyscy jego krewni spoczywali u metodystów, więc i Aleksander Davis powrócił na łono dawnego kościoła, a żona sprawiła mu pomnik tak wspaniały, jakiego na cmentarzu metodystów jeszcze nie było. Dzieci pastora Mereditha nie lubiły tego pomnika, chociaż same nie wiedziały dlaczego, ale za to kochały stare ogrodzenie kamienne okalające mogiły i porośnięte trawą. Tutaj przebywały najchętniej. Jerry co prawda nie mógł nigdy usiedzieć na miejscu i urządzał do spółki z Karolem ciągłe gonitwy. Una szyła suknię dla lalki, Flora, wyciągnąwszy się wygodnie, zanurzała nagie stopy w wilgotnej trawie.

Jerry miał czarne włosy, takie jak ojciec, i takie jak on czarne oczy, lecz nie było w nich tyle rozmarzenia. Flora, młodsza nieco od niego, bujnie i beztrosko obnosiła swą urodę, uwydatniającą się coraz bardziej z każdym rokiem. Miała piękne piwne oczy, ciemne, wijące się włosy i rumiane policzki. Może zbyt często się śmiała ku zgorszeniu członków parafii swego ojca i ku największemu oburzeniu pani Taylor, która pochowała już kilku mężów.

Gdy pani Taylor spojrzała kiedyś niechętnie na uśmiechniętą Florę stojącą u wejścia do kościoła, mała roześmiała się jeszcze głośniej i rzekła z powagą:

— Świat nie jest przybytkiem płaczu, pani Taylor. Jest on królestwem wesołości i śmiechu.

Marzycielska Una rzadko okazywała radość. Jej długie, ciemne włosy, splecione w dwa warkocze, nie wiły się tak jak niesforne loki starszej siostry, a podłużne, ciemnobłękitne oczy tchnęły jakimś wyrazem nieznanego smutku. Zgrabnie wykrojone usta przykrywały wstydliwie rząd białych zębów i od czasu do czasu rozchylały się w bladym uśmiechu. Wszyscy twierdzili, że Una jest stateczniejsza od Flory i posiada ten prawdziwy czar dziewczęcy. Była bardziej niż Flora wrażliwa na opinię publiczną i gnębiły ją wyrzuty sumienia, że w ich domu nie wszystko jest tak jak trzeba. Usiłowała zaprowadzić jakiś ład, lecz sama nie wiedziała, w jaki sposób się do tego zabrać. Od czasu do czasu odkurzała meble, czyściła ojcu ubranie, lecz i to nie dawało jej zadowolenia.

Karolek miał jasne, błękitne oczy o śmiałym i otwartym spojrzeniu, podobne do oczu zmarłej matki, i takie jak ona ciemnoblond włosy o złocistym połysku. Nade wszystko lubił kolekcjonować rozmaite żyjątka i owady, toteż Una niechętnie siadała przy nim, bo nigdy nie była pewna, czy z kieszeni brata nie wysunie się w pewnej chwili jakieś obrzydliwe stworzenie. Nawet Jerry nie chciał spać razem z Karolem, bo pewnego razu brat zabrał z sobą do łóżka schwytanego węża. Rad nierad, Karol musiał spać w swym starym łóżeczku, które było dlań już za krótkie i za wąskie, lecz nikt mu nie zabraniał przechowywać w nim zbiorów z całego dnia. Całe szczęście, że ciotka Marta, mając już bardzo słaby wzrok, nigdy nie widziała, co się w owym łóżeczku dzieje. Mimo tych wszystkich wad sympatyczna była ta gromadka pastora i Cecylia Meredith musiała bardzo cierpieć, gdy przyszła chwila, w której zmuszona była swe dzieci opuścić.

— Jacy dobrzy musieli być ci wszyscy ludzie, którzy są tu pochowani — szepnęła Una, odczytując półgłosem zatarte już nieco napisy na nagrobkach. — Na całym cmentarzu, zdaje się, nie ma ani jednego złego człowieka. Metodyści muszą być lepsi od prezbiterian.

— A może metodyści złych ludzi grzebią tak jak koty? — zauważył Karol. — Może ich wcale nie chowają na cmentarzu?

— Głupstwa pleciesz — oburzyła się Flora. — Ludzie spoczywający tutaj nie są wcale lepsi od innych, Uno. Ale jak ktoś umiera, nie wolno o nim mówić źle, choćby był najgorszy, bo gotów jeszcze wrócić i zemścić się. Ciotka Marta mówiła mi o tym kiedyś. Pytałam potem ojca, czy to prawda, a on popatrzył na mnie, jakbym była przezroczysta, i wyszeptał: „Prawda? Prawda? Co jest prawdą, o Panie?". Domyśliłam się, że to widocznie musi być prawdą.

— Ciekaw jestem, czy Aleksander Davis mściłby się na mnie, gdybym na przykład cisnął kamieniem w tę urnę na samym szczycie jego pomnika — zauważył Jerry.

— Pani Davis by się zemściła — zaśmiała się Flora. — Ona zawsze węszy w kościele jak kot czatujący na myszy. W zeszłą niedzielę zrobiłam śmieszną minę do jej siostrzeńca, a on odpowiedział mi taką samą miną. Żebyście wtedy widzieli jej wzrok. Po prostu chciała mnie zadusić oczami. Pani Elliott twierdzi, że nie powinniśmy obrażać pani Davis, bo to niegrzecznie.

— Słyszałem, że Kuba Blythe pokazał jej język pewnego razu, a ona od tego czasu nigdy już nie korzysta z usług doktora. Nawet nie wezwała go przed śmiercią swego męża — szepnął Jerry w zamyśleniu. — Jestem ciekaw, jacy właściwie są ci Blythe'owie.

— Lubię na nich patrzeć — rzekła Flora — szczególnie lubię spojrzenie Kuby.

Było to tego samego wieczoru, kiedy dzieci Blythe'ów przyrządzały sobie ową wspaniałą ucztę.

— Powiadają w szkole, że Walter to baba — zaoponował Jerry.

— Ja tam nie wierzę — rzekła Una, która uważała Waltera za bardzo ładnego chłopca.

— Ale pisze wiersze. W zeszłym roku dostał nagrodę za wypracowanie. Mówił mi o tym Bertie Szekspir Drew. Matka Bertiego myślała, że on tę nagrodę dostanie, chociażby ze względu na swe cudowne imię, lecz Bertie przyznał, że z imieniem czy bez nie posiada absolutnie talentu pisarskiego.

— Myślę, że zapoznamy się z nimi, jak zaczniemy chodzić do szkoły — wtrąciła Flora. — Dziewczynki muszą być bardzo miłe, chociaż ja osobiście nie lubię dziewczynek, są takie ograniczone, ale te bliźniaczki Blythe'ów wyglądają bardzo sympatycznie. Sądziłam zawsze, że bliźnięta muszą być do siebie podobne, a tymczasem one są zupełnie inne. Uważam, że ta z rudymi włosami jest ładniejsza.

— Strasznie lubię patrzeć na ich matkę — szepnęła Una z westchnieniem. Una zazdrościła wszystkim dzieciom, które posiadały matki. Sama miała zaledwie sześć lat, jak pani Meredith umarła, lecz pozostało jej po matce cenne wspomnienie, które przechowywała w swym sercu jak relikwię, wspomnienie wieczornych pieszczot i porannych figli, kochających oczu, czułego głosu i najsłodszego, najweselszego śmiechu.

— Mówią, że ona nie jest taka jak wszyscy — zauważył Jerry.

— Pani Elliott twierdzi, że to pewno dlatego, że właściwie pani Blythe jeszcze nie urosła — dorzuciła Flora.

— Przecież jest wyższa od pani Elliott.

— Tak, tak, ale w środku... Pani Elliott mówi, że w środku to pani Blythe została dotychczas małą dziewczynką.

— Co to tak pachnie? — przerwał nagle Karolek, rozdymając nozdrza.

Teraz już wszyscy poczuli ten zapach, smakowity, płynący od strony lasku za plebanią.

— Ten zapach mi przypomniał, że jestem głodny — rzekł Jerry.

— Mamy na kolację tylko chleb, melasę i „to" z obiadu — rzekła płaczliwie Una.

Ciotka Marta zazwyczaj na początku tygodnia gotowała całą ćwiartkę baraniny i codziennie dawała ją dzieciom na obiad i na kolację. Flora nazwała tę potrawę krótkim określeniem „to" i od tego czasu nikt na plebanii innej nazwy nie znał.

— Chodźmy zobaczyć, co to takiego — zaproponował Jerry.

Wszyscy zerwali się na równe nogi i poczęli przeskakiwać przez mogiły i ścieżki niby zręczne, rozweselone małpki, biegnące na żer. W kilka minut potem zadyszani stanęli w sanktuarium Doliny Tęczy, gdzie Blythe'owie zasiadali właśnie do swej wspaniałej uczty.

Cała czwórka zatrzymała się wstydliwie na uboczu. Una nawet w głębi serduszka pragnęła, aby tamci ich nie zauważyli, lecz Di Blythe miała prawdziwie kobiecą intuicję i od razu podeszła do gości z przyjaznym uśmiechem.

— Domyślam się, kim jesteście — rzekła. — Jesteście z plebanii, prawda?

Flora skinęła głową, ukazując dołeczki w uśmiechu.

— Poczuliśmy zapach smażonych pstrągów i chcieliśmy się przekonać, skąd ta woń doleciała.

— Musicie usiąść i pomóc nam spałaszować ten przysmak — rzekła Di.

— Ale na pewno nie macie tak dużo, żeby i dla nas starczyło — zauważył Jerry, spoglądając zgłodniałym wzrokiem na dymiącą patelnię.

— Mamy masę, aż trzy sztuki — odparł Kuba. — Siadajcie.

Dalsze ceremonie były już zbyteczne. Wszyscy zasiedli na porośniętych mchem kamieniach. Uczta była wesoła i trwała długo. Nan i Di na pewno umarłyby z przerażenia, gdyby wiedziały to, co Flora i Una, że Karolek przyniósł w kieszeni dwie młode myszki. Na szczęście nie dowiedziały się o tym nigdy, toteż zajadały pstrągi z apetytem. Kiedy ludzie mogą się zżyć prędzej, jak nie przy jedzeniu? Gdy ostatni pstrąg znikł z patelni, dzieci z plebanii i dzieci ze Złotego Brzegu były już dobrymi przyjaciółmi. Zdawać się mogło, że znały się od dawna i właściwie nigdy nie były dla siebie obce. Zarówno jedne, jak i drugie należały widocznie do ludzi z rodu Józefa.

Rozpoczęło się opowiadanie historii ich krótkiego życia. Dzieci z plebanii dowiedziały się o Avonlea i Zielonym Wzgórzu, o tradycjach w Dolinie Tęczy i o domku w przystani, gdzie Kuba się urodził. Dzieci ze Złotego Brzegu usłyszały opowieść o Majowych Wodach, gdzie dotychczas mieszkali Meredithowie, również o ukochanej, jednookiej lalce Uny i ulubionym kogucie Flory.

Flora oburzała się, że ludzie śmieją się z jej koguta, toteż polubiła Blythe'ów za to, że bez zastrzeżeń zgodzili się z nią.

— Taki ładny kogut jak Adam nie jest właściwie niczym gorszym od psa albo kota — twierdziła. — Gdyby był kanarkiem, na pewno nikt by się nie dziwił. Wychowałam go przecież od małego żółtego pisklęcia. Dostałam go jeszcze w Majowych Wodach od pani Johnson. Całe jego rodzeństwo, wszystkich braci i siostrzyczki, zadusiła łasica, on jeden ocalał. Nazwałam go po mężu pani Johnson. Ja tam nie lubię ani lalek, ani kotów. Koty są fałszywe, a lalki martwe.

— Kto mieszka w tym domu na wzgórzu? — zapytał Jerry.

— Panny West, Rosemary i Ellen — odparła Nan. — Obydwie z Di mamy brać tego lata lekcje muzyki u panny Rosemary.

Una tęsknym wzrokiem obrzuciła szczęśliwe bliźniaczki. Och, gdyby ona mogła się uczyć muzyki! Było to jedno z najskrytszych jej pragnień. Ale nikomu to nawet na myśl nie przyszło.

— Panna Rosemary jest taka miła i tak się zawsze ładnie ubiera — dorzuciła Di. — Włosy ma koloru świeżego lnu — dodała w zamyśleniu i jakby z żalem, bo Di, tak samo jak jej matka, nie mogła pogodzić się ze swoimi rudawymi włosami.

— Również bardzo lubię pannę Ellen — odezwała się Nan. — Zawsze mi daje cukierki, gdy przychodzi do kościoła. Nie wiem, dlaczego Di odczuwa przed nią lęk.

— Ona ma takie czarne brwi i strasznie głęboki głos — wyszeptała Di. — Och, jakżeż bał się jej Ken Ford, gdy był mały! Mamusia opowiadała, że gdy pani Ford po raz pierwszy przyprowadziła Kena do kościoła, panna Ellen akurat zajęła miejsce tuż przy nich. A on, jak tylko ją zobaczył, zaczął strasznie płakać i płakał dopóty, dopóki pani Ford nie wyprowadziła go z kościoła.

— Któż to jest pani Ford? — zapytała Una zaciekawiona.

— Och, państwo Fordowie tutaj nie mieszkają, przyjeżdżają tylko na lato, ale tego lata nie przyjadą wcale. Mieszkają zazwyczaj w tym domku nad samym brzegiem przystani, gdzie mieszkali kiedyś nasi rodzice. Chciałabym, żebyście zobaczyli Persis Ford. To prawdziwy obrazek.

— Słyszałam coś o pani Ford — przerwała Flora. — Mówił mi o niej Bertie Szekspir Drew. Podobno przez czternaście lat była zamężna z umarłym człowiekiem, który potem ożył.

— Głupstwa pleciesz — zgromiła ją Nan. — To wcale nie tak było. Bertie Szekspir nigdy słowa prawdy nie powie. Znam tę całą historię i kiedyś wam ją opowiem, ale nie teraz, bo już najwyższy czas wracać do domu. Mamusia nie lubi, jak zbyt długo wieczorami jesteśmy poza domem.

O dzieci z plebanii nikt się nie troszczył i nikt nie dbał o to, żeby wróciły wcześnie do domu. Ciotka Marta od dawna już leżała w łóżku, a pastor był zbyt zagłębiony w dociekaniach na temat nieśmiertelności duszy, aby miał czas pomyśleć o którymś ze zwykłych śmiertelników. Dzieci jednak wróciły do domu również w doskonałych humorach, z duszyczkami przepojonymi wizjami cudnych wspólnych zabaw w przyszłości.

— Uważam, że Dolina Tęczy jest ładniejsza nawet od cmentarza — zauważyła Una. — Bardzo polubiłam tych młodych Blythe'ów. Strasznie miło móc pokochać ludzi tak od razu, zresztą rzadko kiedy można kogoś pokochać naprawdę. W ostatnim swym kazaniu ojciec mówił, że należy kochać każdego. Czy to możliwe? Czy moglibyście na przykład pokochać panią Aleksandrową Davis?

— Och, ojciec powiedział to tak tylko z ambony! — zawołała Flora. — Pastor przecież musi tak mówić.

Do Złotego Brzegu wróciły wszystkie dzieci Blythe'ów z wyjątkiem Kuby, który wymknął się na chwilę do jednego z najodleglejszych zakątków Doliny Tęczy. Rosły tam niezliczone ilości konwalii i fiołków, które chłopiec codziennie przynosił matce w podarunku.

PRZYGODA MARYSI VANCE

— Dzisiaj jest jakiś dziwny dzień, jakby człowiek oczekiwał czegoś, co ma się wydarzyć — mówiła Flora, spoglądając na przezroczyste chmurki wirujące ponad wierzchołkami pagórków. Ujęła się pod boki, wykonując taniec amerykański na grobie starego Hezekiaha Pollocka, ku zgorszeniu dwóch starych panien znajdujących się właśnie na cmentarzu.

— I to jest córka naszego pastora — biadała po cichu jedna z nich.

— Czegóż można żądać od dzieci biednego wdowca? — westchnęła druga i obydwie oburzone pokiwały głowami.

Był wczesny sobotni poranek i dzieci pana Mereditha z rozkoszą upajały się dniem wolnym od zajęć szkolnych. Właściwie poza szkołą nie miały nic konkretnego do roboty. Nawet Nan i Di Blythe zazwyczaj w soboty pomagały w gospodarstwie, lecz córki pastora były zupełnie wolne i mogły robić, co im się podobało. Flora z tej wolności była niezwykle uradowana, lecz Una w skrytości ducha bolała nad tym, że nigdy się niczego pożytecznego nie nauczy. Inne dziewczynki z jej klasy umiały gotować, szyć i haftować, tylko ona była w tych wszystkich sprawach zupełną ignorantką.

Jerry zaproponował, aby się wybrać na poszukiwania, wyruszyli więc wszyscy szeroką aleją cmentarną, zabierając z sobą po drodze Karolka, który klęczał na trawie, zajęty studiowaniem swych ukochanych mrówek. Poprzez lasek wydostali się na pastwisko pana Taylora, porośnięte kępkami brodawników. Po jednej stronie stała pochylona szopa, gdzie pan Taylor od czasu do czasu gromadził skoszoną trawę, bo do innych celów szopa ta nie mogła już służyć. Tutaj młodzi Meredithowie zatrzymali się na kilkuminutowy odpoczynek.

— Co to? — szepnęła nagle Una.

Wszyscy poczęli nasłuchiwać. Tuż ponad ich głowami od czasu do czasu rozlegało się wyraźne chrapanie. Meredithowie z lękiem spojrzeli po sobie.

— Tam coś jest — szeptem powiedziała Flora.

— Pójdę zobaczyć — zadecydował rezolutnie Jerry.

— Och, nie rób tego — poprosiła Una, chwytając go za ramię.

— Pójdę.

— Wobec tego wszyscy pójdziemy — zawyrokowała Flora.

Cała czwórka poczęła się wspinać po pochyłej drabinie. Jerry i Flora nieustraszenie, Una blada z przerażenia, a Karol urzeczony możliwością znalezienia nietoperza. Ostatnio marzył o tym, aby kiedykolwiek w życiu móc ujrzeć w biały dzień nietoperza.

Gdy stanęli już na najwyższym szczeblu drabiny, przekonali się, skąd pochodziło to chrapanie, i patrzyli przez chwilę oniemiali.

Na samym szczycie stogu siana leżała zwinięta w kłębek dziewczynka. Sprawiała wrażenie, jakby przed chwilą zbudziła się z głębokiego snu. Na widok dzieci wstała, nieco zażenowana, jak się zdawało. W świetle wnikającym tu przez wybite okienko ujrzały jej śmiertelnie bladą twarzyczkę. Jasne włosy splecione miała w dwa długie warkocze, a dziwne oczy, o których dzieci z plebanii pomyślały od razu, że są „białe", utkwiła w tej chwili z jakimś politowaniem w twarzyczkach czworga intruzów. Oczy te były istotnie tak bladoniebieskie, że sprawiały wrażenie białych i tworzyły szalony kontrast z czarną, wąską obwódką otaczającą tęczówkę.

Dziewczynka była boso i z gołą głową, miała na sobie starą podartą sukienkę, trochę za krótką i za ciasną. Co do wieku, można było przypuszczać rozmaicie, lecz ze wzrostu wyglądała mniej więcej na lat dwanaście.

— Kto ty jesteś? — zapytał Jerry.

Mała rozejrzała się pośpiesznie wokoło, jakby w poszukiwaniu możliwości ucieczki, po czym wstrząsnął nią dreszcz rozpaczy.

— Nazywam się Marysia Vance — odparła.

— Skąd się tu wzięłaś? — indagował Jerry.

Zamiast odpowiedzi Marysia nagle usiadła na sianie i zaczęła płakać. Wówczas Flora podbiegła do niej i czule objęła jej chude ramionka.

— Daj jej spokój — rzekła rozkazującym tonem do brata, po czym zwróciła się do dziewczynki: — Nie płacz, kochanie. Opowiedz nam wszystko o sobie. Jesteśmy twoimi przyjaciółmi.

— Jestem tak strasznie głodna — wybąkała Marysia. — Od czwartku rano nic nie miałam w ustach, oprócz odrobiny wody ze strumyka.

Dzieci z plebanii spojrzały na siebie w przerażeniu. Flora zerwała się na równe nogi.

— Nim zaczniesz nam opowiadać o sobie, pójdziesz na plebanię i dostaniesz coś do jedzenia.

Marysia zadrżała.

— Och, nie mogę. Co by powiedzieli wasi rodzice? Na pewno by mnie zaraz wyrzucili.

— My nie mamy matki, a ojciec nawet nie zwróci na ciebie uwagi. Tak samo ciotka Marta. Mówię ci, chodź! — Flora niecierpliwie przestępowała z nogi na nogę. Czyż mogli to biedactwo tak zostawić, aby umarło z głodu u progu ich domu?

Marysia ustąpiła. Była tak słaba, że z trudnością schodziła po chwiejącej się drabinie, lecz przy pomocy dzieci dostała się jakoś na dół, przeszła przez pastwisko i znalazła się w kuchni na plebanii. Ciotka Marta, zajęta gotowaniem, nie zwróciła wcale na nią uwagi. Flora i Una pobiegły do spiżarni i po chwili przyniosły kawałek baraniny, chleb z masłem, mleko i wątpliwej jakości placek. Marysia Vance rzuciła się na jedzenie chciwie i pochłaniała je żarłocznie, podczas gdy dzieci obstąpiły ją dokoła i z zadowoleniem przyglądały się, jak wszystko znikało z talerza. Jerry zauważył, że Marysia miała niebrzydkie usta i bardzo ładne, białe zęby. Flora z wielkim zgorszeniem doszła do wniosku, że wątłe ciałko dziewczynki okrywają łachmany. W serduszku Uny z każdą chwilą wzrastało uczucie litości, a Karol przyglądał się Marysi z coraz większym zaciekawieniem.

— Teraz chodź na cmentarz i opowiedz nam o sobie — zadecydowała Flora, gdy głód dziewczynki został zaspokojony. Policzki jej zaróżowiły się, odzyskała humor i wesołość.

— Ale nikomu nie powtórzycie tego, co wam opowiem? — zapytała, gdy usadowiono ją na nagrobku nieboszczyka pana Pollocka. Dzieci otoczyły ją dokoła, przejęte oczekiwaniem na tajemniczą historię. Były zadowolone, bo coś się w końcu działo.

— Nie, nie powiemy.

— Pod słowem?

— Pod słowem.

— Otóż, ja uciekłam. Mieszkałam u pani Wiley, daleko za przystanią. Znacie panią Wiley?

— Nie.

— I nie macie czego żałować. To straszna kobieta. Boże, jak ja jej nienawidzę! Zmuszała mnie do pracy nad siły, głodziła i biła prawie codziennie. Spójrzcie.

Marysia odwinęła podarte rękawy sukienki, pokazując wychudłe ramiona, posiniaczone w kilku miejscach. Zimny dreszcz przejął dzieci z plebanii. Flora spłonęła rumieńcem gniewu. Błękitne oczy Uny napełniły się łzami.

— W środę wieczorem zbiła mnie grubym kijem — mówiła dziewczynka obojętnie. — Wszystko za to, że krowa przewróciła skopek z mlekiem. Skąd ja mogłam wiedzieć, że to przeklęte stare krówsko zacznie kopać?

Przyjemny dreszczyk przeszedł słuchaczy. Nie przyzwyczajeni byli do tego rodzaju historii i do takiego sposobu mówienia, jaki miała ta nowa znajoma. Marysia Vance wydała im się jeszcze bardziej interesującym stworzeniem.

— Bardzo dobrze zrobiłaś, że uciekłaś — zauważyła Flora.

— Och, nie uciekłabym dlatego, że mnie biła ta czarownica. Przyzwyczaiłam się, bo biła mnie codziennie. Postanowiłam uciec chociaż na tydzień, ponieważ dowiedziałam się, że pani Wiley zamierza wydzierżawić gospodarstwo i przenieść się na stałe do Lowbridge. Mnie miała oddać do swojej kuzynki, która mieszka w Charlottetown. Nigdy bym się na to nie zgodziła. Ta kuzynka jest jeszcze gorsza od pani Wiley. Byłam tam przez miesiąc zeszłego lata i przekonałam się, że lepiej już pracować u samego diabła.

Druga sensacja. Tylko Una spoglądała powątpiewająco.

— Więc postanowiłam uciec. Miałam przy sobie siedemdziesiąt centów, które dostałam od pani Janowej Crawford zeszłej wiosny za sadzenie kartofli. Pani Wiley nic o tym nie wiedziała. Pojechała właśnie z wizytą do kuzynki, a ja przez ten czas posadziłam te kartofle. Myślałam, że umknę do Glen, kupię bilet do Charlottetown, a tam postaram się o jakąś pracę. Muszę wam powiedzieć, że jestem strasznie pracowita. Nie mam ani odrobiny lenistwa w sobie. Więc wymknęłam się w czwartek rano, nim jeszcze pani Wiley wstała, i poszłam do Glen, sześć mil. Jak znalazłam się na dworcu, zauważyłam, że zgubiłam pieniądze. Nie wiem kiedy i nie wiem jak. Dość, że zginęły. Nie miałam pojęcia, co mam robić, bo jeżeli wróciłabym do pani Wiley, to zamknęłaby mnie i o drugiej ucieczce już nie byłoby mowy. Ukryłam się więc w tym stogu siana.

— A co teraz zamierzasz robić? — zapytał Jerry.

— Nie wiem. Wrócę chyba i przygotuję się na nowe bicie. Teraz, jak mam pełen żołądek, myślę, że będę mogła to przetrzymać.

Lecz w oczach Marysi mimo tej brawury czaił się cień lęku. Una zeskoczyła nagle z nagrobka i otoczyła ją ramionami.

— Nie wracaj. Zostaniesz tu z nami.

— O, pani Wiley będzie mnie szukać — rzekła Marysia. — Na pewno jest już na tropie. Mogę zostać tu, dopóki mnie nie znajdzie, to znaczy, jeżeli wasz ojciec się na to zgodzi. Zawsze byłam taka głupia, że bałam się myśleć o ucieczce i nie mogłam zdobyć się na odwagę.

Głos dziewczynki zadrżał, była zawstydzona tym, że okazała swą słabość.

— Przez te cztery lata żyłam gorzej od psa — powiedziała wyzywająco.

— Więc aż cztery lata byłaś u pani Wiley?

— Tak. Wzięła mnie z przytułku w Hopetown, jak miałam osiem lat.

— Z tego samego przytułku podobno pochodzi pani Blythe! — zawołała Flora.

— Dwa lata byłam w przytułku. Umieszczono mnie tam, jak miałam sześć lat. Mama moja się powiesiła, a ojciec poderżnął sobie gardło.

— Boże drogi! Dlaczego? — zawołał Jerry.

— Z pijaństwa — odparła Marysia lakonicznie.

— A nie miałaś żadnych krewnych?

— Nikogo nie znałam. Musieli tam i być jacyś. Mam po nich z pół tuzina imion. Właściwie nazywam się Maria Marta Łucja Moore Ball Vance. Będziecie mogli to zapamiętać? Mój dziadek był bardzo bogaty. Założę się, że nawet był bogatszy od waszego dziadka. Ale ojciec to wszystko przepił, a mama mu pomogła, bo i ona nie była od tego. Zawsze obydwoje mnie bili. Boże, ileż ja dostałam w życiu batów!

Marysia pochyliła głowę. Zrozumiała, że dzieci z plebanii litowały się nad nią, a ona nie znosiła litości. Pragnęła, aby jej zazdroszczono. Po chwili spojrzała wesoło dokoła. Jej dziwne oczy, kiedy zniknął z nich głód i mrok, błyszczały niesamowicie. „Pokażę tym smarkaczom, co potrafię i kim jestem właściwie".

— Strasznie dużo chorowałam — rzekła z dumą. — Nie każde dziecko przeszło tyle chorób, co ja. Miałam szkarlatynę, odrę, ospę, świnkę, koklusz i dyfteryt.

— A byłaś kiedy śmiertelnie chora? — spytała Una.

— Nie wiem — rzekła Marysia niepewnie.

— Na pewno nie była — zaśmiał się Jerry. — Bo gdyby była śmiertelnie chora, toby umarła.

— O, naprawdę to nigdy nie umarłam — rzekła Marysia — ale raz byłam prawie umarła. Myśleli, że już nie żyję, i mieli kłaść mnie do trumny, ale ja nagle wstałam.

— Co to znaczy „prawie umarła"? — zapytał Jerry z zaciekawieniem.

— To tak, jakbym straciła pamięć. Po kilku dniach nic nie mogłam sobie przypomnieć. To było wtedy, jak miałam dyfteryt. Pani Wiley nie wzięła doktora, bo mówiła, że nie może sobie pozwolić na takie wydatki dla obcej dziewczyny. Stara ciotka Krystyna MacAllister leczyła mnie kompresami. I wylizałam się. Ale czasami myślę, że wolałabym wtedy umrzeć. Byłoby lepiej.

— Może byłoby lepiej, ale tylko wtedy, gdybyś poszła do nieba — rzekła Flora z powątpiewaniem.

— A dokąd jeszcze można iść? — zapytała Marysia zdziwiona.

— Wiesz przecież, że jest jeszcze piekło — odparła Una przyciszonym głosem, jakby chcąc podkreślić całe okrucieństwo tego przypuszczenia.

— Piekło? Cóż to takiego?

— Tam, gdzie mieszkają diabli — tłumaczył Jerry. — Słyszałaś pewno o diable, sama przed chwilą o nim mówiłaś.

— O tak, ale nie wiedziałam, że on mieszka gdziekolwiek. Myślałam, że tak sobie podróżuje po świecie. Jak żył jeszcze pan Wiley, to często wspominał o piekle. Zawsze wysyłał tam ludzi, ale ja myślałam, że to jest taka miejscowość w Nowym Brunszwiku, skąd pan Wiley pochodził.

— Piekło to straszne miejsce — rzekła Flora z przejęciem, z jakim się mówi o rzeczach przykrych. — Źli ludzie idą tam po śmierci i przypiekani są na ogniu.

— Kto wam o tym mówił? — indagowała Marysia z niedowierzaniem.

— Czytaliśmy w Biblii. Mówił nam o tym także pan Izaak Crothers w Majowych Wodach, w szkółce niedzielnej. To był starszy, doświadczony człowiek i o wszystkim wiedział. Ale ty się nie martw. Jak będziesz dobra, to pójdziesz do nieba, ale jak będziesz zła, to musisz pójść do piekła.

— Nie chciałabym — rzekła Marysia po chwili namysłu. — Zresztą jakakolwiek bym była, nie chcę być smażona na ogniu. Wiem, co to znaczy. Raz jeden dotknęłam przypadkiem ręką rozpalonego pogrzebacza. A co trzeba robić, żeby być dobrym?

— Musisz chodzić do kościoła i do szkółki niedzielnej, musisz czytać Biblię i codziennie odmawiać pacierz — rzekła Una.

— To straszne zawracanie głowy — oburzyła się dziewczynka. — A co jeszcze?

— Musisz prosić Boga, żeby ci wybaczył te wszystkie grzechy, które popełniłaś.

— Ale ja nigdy nic nie popełniłam — broniła się Marysia. — A co to właściwie jest grzech?

— Och, Marysiu, na pewno popełniłaś niejeden. Każdy człowiek grzeszy. Czyś ty nigdy nie skłamała?

— Bardzo często kłamię — odparła.

— No widzisz, a to jest straszny grzech — rzekła Una uroczyście.

— Chcesz mi wmówić, że za głupie kłamstwo pójdę do piekła? To niemożliwe. Pan Wiley już dawno by mi kości połamał, gdybym nie kłamała. Zapewniam was, że nieraz kłamstwo uratowało mnie od kary.

Una westchnęła. Zbyt wielkie trudności pojawiały się, aby móc zbawić tę duszyczkę. Zadrżała na samą myśl o tym, że i ona mogła być bita. Na pewno wtedy nie cofnęłaby się przed kłamstwem. Pogłaskała drobną, wychudłą rączkę Marysi.

— Czy to jedyna sukienka, jaką masz? — zapytała Flora, która ze względu na wesołe usposobienie nie lubiła przykrych tematów rozmowy.

— Włożyłam tę sukienkę, bo była najgorsza! — zawołała Marysia, rumieniąc się nagle. — Pani Wiley sprawiła mi ubranie, a ja nie miałam za to czym się jej odwdzięczyć. Jestem uczciwa. Jak uciekałam, nie mogłam przecież włożyć na siebie sukienki, która była własnością pani Wiley. Jak urosnę, sprawię sobie sukienkę z niebieskiej satyny. Wasze ubrania też nie są takie piękne. Myślałam, że dzieci pastora chodzą ładniej ubrane.

Bezsprzecznie Marysia była gwałtowna i niezwykle przewrażliwiona w niektórych sprawach. Ale jednocześnie miała dziwny jakiś czar, który zauroczył całą czwórkę z plebanii. Tego samego popołudnia dzieci zabrały ją do Doliny Tęczy i przedstawiły młodym Blythe'om jako „przyjaciółkę z portu, która ich odwiedziła". Blythe'owie przyjęli ją bez zastrzeżeń może również dlatego, że wydała im się bardzo ładniutka i miła. Po obiedzie, podczas którego ciotka Marta gderała, a pan Meredith siedział zadumany, obmyślając nowe kazanie na najbliższą niedzielę, Flora zmusiła Marysię do włożenia jednej ze swych sukienek. Z włosami porządnie uczesanymi dziewczynka prezentowała się zupełnie przyzwoicie. Była doskonałą towarzyszką zabaw, bo znała całe mnóstwo nowych, wesołych gier, a i wygadana była dostatecznie. Co prawda niektóre jej powiedzenia wzbudzały niepokój w Nan i Di. Obydwie niezupełnie były pewne, jak ich matka będzie się zapatrywała na tę nową znajomość, ale za to wiedziały dokładnie, co powie o niej Zuzanna. Skoro jednak Marysia była gościem na plebanii, to wszystko jest w porządku.

Gdy nadeszła pora udania się na spoczynek, zrodził się nowy problem, gdzie dziewczynka będzie spała.

— Rozumiesz, że nie możemy jej ulokować w gościnnym pokoju — rzekła Flora, zmieszana, do Uny.

— Wcale mi to nie przyszło do głowy! — zawołała Marysia obrażonym tonem.

— Ależ ja nie to miałam na myśli — broniła się Flora. — Pokój gościnny jest strasznie zaniedbany. W jednym kącie zagnieździły się myszy i całymi nocami harcują po pokoju. Nikt nie wiedział o tym, dopóki ciotka Marta w zeszłym tygodniu nie umieściła tam wielebnego pana Fishera z Charlottetown. Oczywiście biedak prędko się o tym przekonał. Ojciec musiał mu odstąpić swoje łóżko, a sam spał w gabinecie na kanapie. Ciotka Marta powiada, że nie może znaleźć ani chwili czasu, aby uporządkować gościnny pokój, więc oczywiście nikt tam nie może spać, chociażby był najbardziej czysty. A znowu nasz pokój jest bardzo mały i łóżko nieduże, tak że nie będziesz mogła spać z nami.

— Mogę wrócić na noc do szopy, jeśli dacie mi jakiś koc — rzekła Marysia filozoficznie. — Co prawda w nocy nie było to takie przyjemne, ale miałam już w życiu gorsze posłania.

— O, nie, na to nie pozwolimy! — zawołała Una. — Mam pewien pomysł, Florciu. Pamiętasz to rozkładane łóżko na strychu, z tym starym materacem, który zostawił po sobie dawny pastor? Zabierzemy tam pościel z gościnnego pokoju i zrobimy cudowne posłanie. Nie szkodzi, że będziesz spała na strychu, prawda, Marysiu? To zaraz nad naszym pokojem.

— Wszystko mi jedno, gdzie będę nocowała. Boże drogi, przecież nigdy nie miałam przyzwoitego noclegu. Spałam na poddaszu nad kuchnią pani Wiley. Latem przeciekał deszcz, a zimą padał śnieg. Za posłanie służył mi snopek słomy, rozciągnięty na podłodze. Nie troszczcie się o mnie.

Strych plebanii był długi, niski i ciemny. Tutaj urządzono dla Marysi posłanie z poduszek przyniesionych z gościnnego pokoju. Białe powłoczki haftowała jeszcze nieboszczka Cecylia Meredith, a od tamtej pory ciotka Marta nie zdążyła ich uprać. Powiedziano sobie wzajemnie dobranoc i na plebanii zaległa cisza. Una zasypiała już, gdy nagle dosłyszała z góry coś jakby płacz; zerwała się na równe nogi.

— Słuchaj, Flora, Marysia płacze — szepnęła.

Flora nie odpowiedziała, bo spała już od dawna. Una wyskoczyła z łóżka i w długiej nocnej koszuli pobiegła w kierunku schodów prowadzących na poddasze. Spróchniała podłoga strychu trzeszczała pod dotknięciem jej stóp, a gdy dziewczynka podeszła do miejsca, gdzie stało rozkładane łóżko, zdziwiła się, że panowała dokoła śmiertelna cisza.

— Marysiu — szepnęła.

Nie było odpowiedzi.

Una podeszła bliżej i odchyliła kołdrę.

— Marysiu, wiem, że płakałaś. Słyszałam. Boisz się samotności?

Dziewczynka uniosła głowę, lecz nic nie odrzekła.

— Pozwól mi położyć się obok, strasznie mi zimno — prosiła Una, drżąc na całym ciele. Istotnie na strychu hulał wiatr, który dostawał się przez wybite okienko od strony przystani.

Marysia przysunęła się do ściany, a Una wśliznęła się pod ciepłą kołdrę.

— Teraz już nie będziesz sama. Nie powinniśmy byli zostawić cię tak na pierwszą noc.

— Ja wcale nie czułam samotności — żachnęła się Marysia.

— A dlaczego płakałaś?

— O, bo myślałam o różnych rzeczach, leżąc tak w ciemnościach. Myślałam o powrocie do pani Wiley, o tym, że mnie pani Wiley zbije, i o tym, że pójdę do piekła za to, że kłamię. To wszystko doprowadziło mnie do płaczu.

— Marysiu — szepnęła Una bezradnie. — Nie wierzę w to, żeby Bóg miał posłać cię do piekła za twoje kłamstwa, skoro nie wiedziałaś, że kłamać nie należy. On tego nie uczyni. On jest dobry. Oczywiście teraz, jak już wiesz, że kłamstwo jest grzechem, nie powinnaś nigdy kłamać.

— Jeżeli nie będę kłamała, co się ze mną stanie? — wyszeptała Marysia ze szlochem. — Ty tego nie rozumiesz. Nie możesz o tym wiedzieć. Masz dom, dobrego ojca, chociaż odnoszę wrażenie, że on się wcale o was nie troszczy. Ale w każdym razie nie bije was, dostajecie jeść do syta, chociaż ta wasza stara ciotka nie ma pojęcia o gotowaniu. Dzisiaj jest pierwszy dzień w moim życiu, kiedy mogę powiedzieć, że najadłam się naprawdę. Przez całe życie bito mnie, z wyjątkiem tych dwóch lat, kiedy byłam w przytułku. Tam mnie nie bito i było mi całkiem dobrze, chociaż stara była wiecznie zła. Ale pani Wiley to zupełna wariatka i umieram ze strachu, jak pomyślę, że mam do niej wrócić.

— Może nie będziesz musiała wracać. Może będziesz mogła zostać z nami. Pomódlmy się obydwie do Boga, żeby pozwolił ci nie wracać do pani Wiley. Umiesz mówić pacierz, Marysiu?

— O, tak, zawsze mówiłam pacierz przed pójściem do łóżka — odparła obojętnie. — Ale nigdy nie przyszło mi na myśl, żeby prosić o coś. Nikt się o mnie do tej pory na świecie nie troszczył, więc przypuszczałam, że i Boga to nie obchodzi. O tobie mógłby prędzej pomyśleć, bo jesteś córką pastora.

— Jestem pewna, że tak samo myśli o tobie, Marysiu — rzekła Una. — To nie ma znaczenia, czyją jesteś córką. Pomódl się do Niego, a ja uczynię to samo.

— Dobrze — zgodziła się Marysia. — To na pewno nie zaszkodzi, jeżeli nie pomoże. Gdybyś znała panią Wiley tak jak ja, nie wierzyłabyś, że Bóg będzie chciał mieć z nią do czynienia. W każdym razie więcej płakać nie będę. Lepiej mi dzisiaj niż wczoraj na stogu siana w towarzystwie harcujących myszy. Spójrz na to światełko z Przystani Czterech Wiatrów. Prawda, jakie ładne?

— Tylko z tego okna je widać — odparła Una. — Strasznie lubię patrzeć na to światło.

— Ja także. Widziałam je co noc ze strychu pani Wiley i to była moja jedyna przyjemność. Jak byłam już taka spłakana, to patrząc na nie, zapominałam o wszystkim. Myślałam wtedy o okrętach żeglujących po morzu i pragnęłam być sama marynarzem, który płynie daleko, zapominając o wszystkim, co zostawia za sobą. Jak w zimie światła nie było, to robiło mi się smutno na duszy. Słuchaj, Una, dlaczego wy wszyscy jesteście dla mnie tacy dobrzy? Przecież ja jestem dla was zupełnie obca.

— Bo tak powinno być. Biblia mówi, że trzeba być dobrym dla każdego.

— Naprawdę? Mam wrażenie, że nie wszyscy się do tego stosują. Nie przypominam sobie, żeby ktoś był dla mnie dobry. Una, jaki ładny jest ten cień na ścianie. Zupełnie wygląda, jakby ptaszki ze sobą tańczyły. Wiesz, Una, ja was bardzo lubię i polubiłam wszystkich Blythe'ów, tylko nie mogę znieść Nan. Ona jest taka dumna.

— O, nie, Marysiu, ona wcale nie jest dumna — zaprzeczyła Una z zapałem. — Ani trochę.

— Już ty mi nie mów. Każdy, kto nosi głowę tak wysoko, musi być dumny. Ja jej nie lubię.

— A my wszyscy bardzo ją lubimy.

— Myślę, że nawet bardziej ją lubicie niż mnie — szepnęła Marysia z zazdrością. — Prawda?

— Widzisz, znamy ją już od wielu tygodni, a ciebie dopiero od kilku godzin — próbowała wytłumaczyć Una.

— Więc naprawdę lubicie ją bardziej? — rzekła Marysia ze złością. — Dobrze! Możecie ją sobie lubić. Nie dbam o to. Dam sobie radę i bez was.

Odwróciła się do ściany gwałtownym ruchem.

— Ach, Marysiu — wyszeptała Una, otaczając ją ramieniem. — Nie mów tak. Ja cię naprawdę bardzo lubię, a ty o mnie tak źle myślisz.

Nie było odpowiedzi. Nagle z piersi Uny dobył się stłumiony szloch. Marysia odwróciła się pośpiesznie i zarzuciła Unie ręce na szyję.

— Przestań! — zawołała. — Nie zważaj na to, co mówię. Byłam podła, że tak powiedziałam. Wy wszyscy jesteście dla mnie tacy dobrzy, a ja nawet nie potrafię się odwdzięczyć. Zasłużyłam na bicie. Przestań! Jak będziesz dalej płakać, to zejdę na dół, pójdę do przystani i w nocnej koszuli rzucę się do morza.

Ten nowy pomysł był powodem jeszcze głośniejszego szlochu Uny. Marysia ocierała jej łzy brzegiem prześcieradła i uspokajała tak długo, że wreszcie zapanowała między dziewczynkami zupełna zgoda i wkrótce obydwie zasnęły.

W gabinecie na dole wielebny John Meredith spacerował po pokoju, z błyszczącym wzrokiem, układając w myśli jutrzejsze kazanie. Wielebny John Meredith nie miał pojęcia, co się dzieje dokoła. Nie wiedział, że pod jego własnym dachem znajdowała się mała, opuszczona duszyczka, zmagająca się z tymi wszystkimi przeszkodami, które ją odgradzały od tego, aby mogła się stać naprawdę czystą i dobrą.

MARYSIA ZOSTAJE NA PLEBANII

Nazajutrz dzieci z plebanii zabrały z sobą Marysię Vance do kościoła. Z początku dziewczynka sprzeciwiała się temu zamiarowi.

— Więc będąc u pani Wiley, nie chodziłaś wcale do kościoła? — pytała Una.

— Dobre sobie. Pani Wiley nigdy nie myślała o kościele, ale ja co niedzielę chodziłam, jak tylko miałam chwilę czasu. Najbardziej byłam zadowolona, gdy mogłam w kościele odpocząć od ciągłego gderania tej czarownicy. Dzisiaj jednak nie mogę pójść do kościoła w tych łachmanach.

I ta przeszkoda została pokonana dzięki Florze, która ofiarowała Marysi swą najlepszą sukienkę.

— Trochę jest przetarta na łokciach i brakuje dwóch guzików, ale śmiało możesz ją włożyć.

— Guziki zaraz przyszyję — odparła Marysia.

— Przy niedzieli? — oburzyła się Una.

— Naturalnie. Im prędzej, tym lepiej. Daj mi igłę z nitką i możesz odwrócić głowę, żeby nie patrzeć na to, jak ja grzeszę.

Szkolne buty Flory i jakiś stary aksamitny beret, noszony jeszcze przez Cecylię Meredith, dopełniły stroju Marysi i nowa towarzyszka naszej czwórki powędrowała do kościoła. Zachowywała się przykładnie i chociaż niejednego zdziwił widok tej mizernie ubranej dziewczynki, przybyłej w towarzystwie dzieci z plebanii, to jednak wszyscy szybko przyzwyczaili się do jej obecności w kościele. Z namaszczeniem przysłuchiwała się kazaniu, po czym wraz z innymi ochoczo zaintonowała pieśń na chwałę Panu. Okazało się, że Marysia ma dźwięczny, całkiem miły głosik.

— „Jego krew nadała barwę kwiatom" — śpiewała, akcentując wyraźnie każde słowo.

Pani Jakubowa Milgrave, której ławka znajdowała się o jeden rząd przed ławką rodziny pastora, odwróciła się nagle i swym ostrym wzrokiem zmierzyła Marysię od stóp do głów. Dziewczynka w porywie nagłej złości pokazała pani Milgrave język, ku wielkiemu przerażeniu Uny.

— Nie mogłam się powstrzymać — tłumaczyła po wyjściu z kościoła. — Jakim prawem tak dziwnie na mnie patrzyła? Też maniery! Jestem zadowolona, że tak zrobiłam. Szkoda tylko, że nie widziała mojego języka w całej okazałości. Spostrzegłam w kościele Roberta MacAllistera, który mieszka za przystanią. Ciekawa jestem, czy powie coś o mnie pani Wiley.

Pani Wiley jednak nie zjawiła się i kilka dni potem dzieci zapomniały całkowicie o jej istnieniu.

Marysia zaaklimatyzowała się zupełnie na plebanii, tylko nie chciała chodzić do szkoły.

— Nie ma mowy — upierała się, gdy Flora usiłowała ją namówić. — Już skończyłam swoją naukę. Nim jeszcze zaczęłam pracować u pani Wiley, przez cztery zimy chodziłam do szkoły i uważam, że umiem już dosyć. Co prawda w domu nigdy nie odrabiałam lekcji, bo nie miałam na to czasu, toteż w szkole otrzymywałam codziennie kary.

— Nasz nauczyciel na pewno nie będzie cię karać. To bardzo miły człowiek — twierdziła Flora.

— Wszystko jedno, nie pójdę. Umiem czytać, pisać i rachować do ułamków, więcej mi nie potrzeba. Idźcie sobie, a ja zostanę w domu. Nie bójcie się, nic wam nie ukradnę. Przysięgam, że jestem uczciwa.

Podczas pobytu dzieci w szkole Marysia wzięła się do sprzątania plebanii. I dzięki niej już w kilka dni pokoje przybrały inny wygląd. Podłogi były wyszorowane, meble odkurzone i wszystko stało na swoim miejscu. Uporządkowała nawet łóżko w pokoju gościnnym, przyszyła wszystkie oberwane guziki, wyczyściła ubrania, sprzątnęła gabinet pastora, każąc mu uprzednio wyjść na spacer, aby mieć zupełną swobodę podczas pracy. Tylko do jednego działu w gospodarstwie ciotka Marta nie dopuściła Marysi. Ciotka, pomimo swej głuchoty, ślepoty i zdziecinnienia, nie wypuszczała berła z ręki, nie zważając na długie perswazje ze strony nowej mieszkanki plebanii.

— Mówię wam, że gdyby stara Marta pozwoliła mi gotować, lizalibyście palce po każdej potrawie — tłumaczyła Marysia swym nowym przyjaciołom. — Nie byłoby ciągle baraniny, nie jedlibyście surowych kartofli i nie pilibyście nie dogotowanego mleka. Co ona robi ze śmietaną?

— Daje ją kotu. Wiesz przecież, że kota lubi najbardziej — wyjaśniła Flora.

— Ja bym ją razem z kotem wysłała na grzybki! — zawołała Marysia z gorzkim śmiechem. — Nienawidzę kotów. Dobre to dla starych panien. Mogę jej to samo w oczy powiedzieć. Ta stara wariatka po prostu wszystko marnuje, a mnie to działa na nerwy.

Po skończonych zajęciach w szkole wszyscy wybrali się do Doliny Tęczy. Marysia nie chciała się bawić na cmentarzu, twierdząc, że boi się duchów.

— Duchy nie istnieją — perswadował Kuba Blythe.

— O, czyżby?

— A widziałaś jakiegoś ducha?

— Niejednego — rzekła Marysia z przeświadczeniem.

— Jak one wyglądają? — zapytał Karolek.

— Strasznie. Wszystkie ubrane na biało, z kościstymi rękami i nogami.

— A co one robią? — pytała zaciekawiona Una.

— Biegają, jakby się z piekła wyrwały — odparła Marysia, lecz spotkawszy się w tej chwili ze wzrokiem Waltera, zarumieniła się nagle. Walter wywierał na nią dziwny wpływ. Wyznała nawet dziewczynkom z plebanii, że jego oczy ją denerwują.

— Gdy spojrzy na mnie, przypominam sobie wszystkie swoje grzechy — mówiła — a przecież nie chciałabym o nich myśleć.

Kuba był ulubieńcem Marysi. Gdy zabierał ją z sobą na facjatkę w Złotym Brzegu i pokazywał jej dawne zbiory kapitana Jakuba Boyda, była najszczęśliwsza. Zdobyła również serce Karola dzięki temu, że interesowała się życiem mrówek. Nie ulegało wątpliwości, że Marysia lepiej żyła z chłopcami niż z dziewczynkami. Zaraz nazajutrz po swym przybyciu na plebanię pokłóciła się z Nan Blythe.

— Twoja matka to czarownica — rzekła do Nan z przekąsem. — Rude kobiety muszą być czarownicami.

Potem dokuczała Florze na temat jej ukochanego koguta. Twierdziła, że kogut ma stanowczo za krótki ogon. Flora z wściekłością argumentowała, że Pan Bóg, stwarzając koguty, najlepiej wiedział, jakie im przyprawić ogony. Oczywiście po tej krótkiej sprzeczce nie mówiono już o tym przez cały dzień. Marysia prześladowała również jednooką lalkę Uny, a gdy Una pokazała jej największy swój skarb, obrazek przedstawiający aniołka niosącego niemowlę do nieba, Marysia orzekła, że aniołek ten przypomina jej jednego z widzianych duchów. Una zamknęła się w swym pokoju, wybuchając głośnym płaczem, lecz Marysia wbiegła tam za nią, i obsypując ją pocałunkami, prosiła o przebaczenie. Zresztą żadne z dzieci nie mogło zbyt długo gniewać się na Marysię, nawet Nan, która była dość zawzięta i szczególnie przewrażliwiona na punkcie swej matki. Marysia umiała sobie wszystkich zjednać. Potrafiła opowiadać wręcz niesamowite historie o duchach, toteż wspólne zabawy z jej udziałem, które odbywały się w Dolinie Tęczy, były bez wątpienia najciekawsze i najbardziej emocjonujące. Dziewczynka nauczyła się grać na drumli i wkrótce okazała się w tym lepsza od Jerry'ego.

— Jeszcze się tak nie zdarzyło, żebym nie osiągnęła tego, co sobie umyśliłam — oświadczyła. Marysia szalenie lubiła się chwalić i wykorzystywała do tego celu każdą okazję. Nauczyła dzieci, jak należy strzelać ze skórzastych liści zimozielonej rośliny, która bujnie rozrastała się w starym ogrodzie Baileyów; rozkoszować się smakiem borówek rosnących na grobli w pobliżu cmentarza; potrafiła też wyczarowywać na ścianie najpiękniejsze cienie za pomocą swoich długich i zręcznych palców. A kiedy razem szli zbierać żywicę do Doliny Tęczy, Marysia zawsze znajdowała „największy kawałek do żucia", czym oczywiście nie omieszkała się natychmiast pochwalić. Czasami nie mogli jej znieść, a czasami ją wręcz ubóstwiali. Z pewnością jednak nigdy się z nią nie nudzili. Dlatego też łatwo poddali się jej władzy, a pod koniec drugiego tygodnia nabrali przekonania, że Marysia była z nimi od zawsze. Tylko chwilami dziewczynka przypominała sobie panią Wiley i wtedy ogarniał ją nagły smutek.

— Dziwne, że pani Wiley nie szuka mnie wcale — szepnęła w zamyśleniu. — Zupełnie tego nie rozumiem.

— Może już machnęła na ciebie ręką — tłumaczyła Una. — Wobec tego będziesz mogła zostać z nami.

— W tym domu za mało jest miejsca dla mnie i dla starej Marty — rzekła Marysia ponuro. — Bardzo jest miło najadać się codziennie, ale ja nie mogę znieść takiego gotowania. Zresztą pani Wiley na pewno się jeszcze zjawi. Przypuszczam, że nie da za wygraną. W dzień wcale o tym nie myślę, tylko w nocy, gdy kładę się na moim strychu, myśl ta nie daje mi spokoju. Może stęskniłam się za codziennym biciem i teraz mi tego brak... Czy którąś z was bito kiedyś?

— Nie, oczywiście, że nie — odparła Flora z oburzeniem. — Ojciec nigdy by tego nie zrobił.

— To właściwie wcale nie wiecie, że żyjecie na świecie — szepnęła Marysia z westchnieniem zazdrości. — Nie przeżyłyście tego, co ja. Sądzę, że i Blythe'ów nikt nigdy nie bił, prawda?

— Na pewno nie, ale prawdopodobnie karcono ich, gdy byli mali.

— To do niczego nie prowadzi — rzekła Marysia pogardliwie. — Gdyby mnie karcono, uważałabym to za pieszczotę. Właściwie świat jest choleryczny.

— Marysiu, tak nie wolno — oburzyła się Una. — Przyrzekłaś mi, że więcej tak mówić nie będziesz.

— Przestań! — zawołała Marysia niechętnie. — Gdybyś wiedziała, jak ja potrafię mówić, na pewno by ci uszy spuchły. Wiesz przecież dobrze, że od czasu jak tu przybyłam, nie skłamałam ani razu.

— A o tych duchach, coś nam opowiadała? — spytała Flora.

Marysia spłonęła rumieńcem.

— To zupełnie coś innego — odparła po chwili. — Wiedziałam, że w to i tak nie uwierzycie. Poza tym w nocy naprawdę widziałam coś dziwnego, przechodząc przez cmentarz za przystanią. Nie jestem pewna, czy to był duch, czy też stary, siwy koń Szymona Crawforda, ale wyglądał tak dziwnie, że się naprawdę przeraziłam.

RYBIA PRZYGODA

Rilla Blythe wędrowała z dumą majestatycznym krokiem główną ulicą Glen w stronę plebanii, niosąc ostrożnie koszyczek napełniony świeżymi poziomkami, które Zuzanna uzbierała w klonowym lasku w pobliżu Złotego Brzegu. Zuzanna poleciła Rilli wręczyć koszyczek tylko ciotce Marcie albo pastorowi i Rilla ogromnie pyszniła się z powierzonej jej misji, postanawiając spełnić ją należycie.

Zuzanna ubrała Rillę w białą, sztywno nakrochmaloną haftowaną sukienkę, opasaną błękitną szarfą, i w takież same błękitne pantofelki. Na rudawe loki włożyła najlepszy kapelusik, będąc pewną, że taki strój wywoła wrażenie na plebanii. W całej tej wyszukanej pozie więcej było gustu Zuzanny niż Ani i mała duszyczka Rilli pławiła się w tych wspaniałościach jedwabi, koronek i kwiatów. Nic dziwnego, że Rilla kroczyła z taką powagą w stronę pagórka, dumna przede wszystkim ze swej misji, a potem z kapelusza.

Nie wiadomo, czy ten majestatyczny krok, czy kapelusz, czy też jedno i drugie zirytowało Marysię Vance, która huśtała się niedbale na otwartej furtce ogrodowej. Nieposkromiony temperament odebrał Marysi wszelką równowagę, a na domiar wszystkiego przed chwilą ciotka Marta nie pozwoliła jej obrać kartofli i najzwyczajniej w świecie wypędziła z kuchni.

— Tak! Znowu kartofle zostaną podane do stołu w łupinach i znowu będą nie dogotowane! Jakżebym chciała pójść już wreszcie na pogrzeb tej starej jędzy — mruczała Marysia.

Wyszła z kuchni, trzasnąwszy drzwiami tak silnie, że nawet głucha ciotka Marta ten trzask usłyszała, a pastor, siedzący w swoim gabinecie i zatopiony jak zwykle w rozmyślaniach, sądził przez chwilę, że na pewno Wyspę Księcia Edwarda nawiedziło raptowne trzęsienie ziemi. Prędko jednak zapomniał o tym i powrócił do tekstu swego kazania.

Marysia wymknęła się furtką i stanęła oko w oko z najmłodszą panną Blythe.

— Czego tu chcesz? — spytała, usiłując odebrać małej koszyk.

Rilla nie ustępowała.

— To dla pana Mereditha — wyszczebiotała.

— Oddaj mnie. Ja mu zaniosę — rzekła Marysia.

— Nie. Zuzanna powiedziała, że mam oddać panu Meredithowi albo ciotce Marcie — upierała się Rilla.

Marysia obrzuciła małą niechętnym wzrokiem.

— Ważna jesteś, bo się ubrałaś jak lalka! Spójrz na mnie. Chodzę w łachmanach i nic mnie to nie obchodzi. Wolę być łachmaniarką niż lalką malowaną. Idź do domu i powiedz, żeby cię w ramki oprawili. Patrz na mnie, patrz na mnie, patrz na mnie!

Po czym wykonała szalony taniec przed zdumioną Rillą, unosząc w wirujących ruchach swą podartą sukienkę. Wreszcie Rilla zupełnie straciła głowę, lecz gdy znów ruszyła w stronę furtki, Marysia zatrzymała ją gwałtownie.

— Oddaj mi ten koszyk! — zawołała rozkazującym tonem, strojąc grymasy. Była mistrzynią w „robieniu min", podczas których „białe" jej oczy stawały się jeszcze bledsze i okrutne.

— Nie oddam! — zawołała Rilla, już prawie z płaczem. — Puść mnie, Marysiu Vance!

Marysia odsunęła się na chwilę, spoglądając srogo na małą. Okrucieństwo w niej wzrastało, za furtką rozwieszony był długi sznurek, na którym suszyło się sześć wielkich sztokfiszów. Podarował je panu Meredithowi jeden z jego parafian, który ciągle obiecywał zapłacić składkę, ale nigdy jakoś nie dotrzymywał słowa. Pastor podziękował za sztokfisze, lecz wkrótce o nich zupełnie zapomniał i na pewno ryby zepsułyby się dawno, gdyby Marysia nie oprawiła ich i nie rozwiesiła na sznurku, aby wyschły.

W główce Marysi zaświtał diabelski pomysł. Podbiegła do sznura i jednym energicznym ruchem sięgnęła po największą rybę, prawie tak dużą jak ona sama. Jeszcze szybszym krokiem wróciła do przerażonej Rilli, zamierzając się na nią sztokfiszem. Wszelka odwaga opuściła Rillę. Niebezpieczeństwo uderzenia suszoną rybą było tak wielkie, że dziewczynka przymknęła oczy. Z głośnym krzykiem upuściła na ziemię koszyk i zaczęła uciekać. Świeżutkie poziomki, troskliwie zbierane przez Zuzannę dla pastora, potoczyły się po piaszczystej drodze, rozgniatane stopami uciekinierki i prześladowczyni. Marysia w tej chwili nie myślała już ani o koszyczku, ani o jego zawartości. Upajała ją rozkosz wzbudzania takiego przestrachu w Rilli Blythe. Raz na zawsze da jej nauczkę, że piękna suknia to nie wszystko.

Rilla umykała po pochyłym pagórku, po czym zaczęła biec szeroką ulicą. Lęk przypiął jej skrzydła do ramion i potęgował się coraz bardziej, gdy słyszała głośny, szyderczy śmiech Marysi biegnącej za nią i wymachującej wielkim sztokfiszem. Na odgłos krzyku w oknach domów ukazały się zaniepokojone twarze, niektórzy wybiegali do bram, aby się przekonać, co jest powodem tak wielkiego hałasu. To wzbudzenie sensacji jeszcze bardziej emocjonowało Marysię. Lecz w pewnej chwili Rilla, oślepiona strachem, uczuła, że dalej biec już nie może, a z drugiej znów strony wiedziała, że prześladowczyni dogoni ją ze swym sztokfiszem. Wreszcie, wyczerpana już zupełnie, wpadła do błotnistej kałuży na samym końcu ulicy, na której właśnie ukazała się panna Kornelia wracająca ze sklepu Cartera Flagga.

Jednym spojrzeniem panna Kornelia objęła całą sytuację. To samo uczyniła Marysia. Rezygnując z dalszego pościgu, nim jeszcze panna Kornelia zdołała wymówić słowo, Marysia obróciła się na pięcie i kłusem poczęła biec z powrotem. Panna Kornelia zagryzła wargi, lecz uznała, że nie ma sensu jej gonić. Podniosła więc biedną, rozczochraną, płaczącą Rillę i odprowadziła ją do domu. Rilla była zrozpaczona. Suknia jej i piękne, błękitne pantofelki przedstawiały tragiczny widok, a przy tym jej sześcioletnia duma doznała straszliwych obrażeń.

Zuzanna, blada ze złości, wysłuchała opowiadania panny Kornelii o czynie Marysi Vance.

— A to łotrzyca! — mruczała, przebierając płaczącą jeszcze ciągle Rillę.

— Tego stanowczo za wiele, moja Aniu — oświadczyła z oburzeniem panna Kornelia. — Trzeba bezwarunkowo temu zaradzić. Kim jest ta mała na plebanii i skąd się tutaj wzięła?

— Myślałam, że ta mała mieszka gdzieś za przystanią i przybyła na plebanię w odwiedziny — odparła Ania, doceniając cały komizm przygody ze sztokfiszem i uradowana w głębi duszy, że Rilla na przyszłość będzie miała nauczkę.

— Znam wszystkie rodziny z tamtej strony przystani, które przychodzą do naszego kościoła i wiem, że to małe diablę z pewnością nie ma nic wspólnego z żadną z nich —

oświadczyła z pełnym przekonaniem panna Kornelia. — To dziewuszysko chodzi zupełnie obdarte, a do kościoła zakłada stare rzeczy po Florze Meredith. Za tym musi się coś kryć i nie spocznę, dopóki nie ustalę, o co tu chodzi, zwłaszcza że nikt inny z pewnością nie zada sobie tyle trudu. Jestem przeświadczona, że to właśnie ona była inicjatorką tych podejrzanych zabaw w świerkowym lasku Warrena Meada. Czy wiesz, Aniu, że z powodu tych ich wybryków matka Warrena omal nie dostała zawału?

— Pierwsze słyszę. Wiedziałam wprawdzie, że Gilbert był do niej wzywany, ale nie miałam pojęcia, co było przyczyną tych problemów.

— No cóż, z pewnością słyszałaś o jej słabym sercu. W zeszłym tygodniu, gdy siedziała samotnie na werandzie, nagle dobiegły ją straszliwe krzyki. Ktoś wołał donośnym głosem: „morderstwo" i: „na pomoc". Otóż te przeraźliwe wrzaski, droga Aniu, dobiegały prosto ze świerkowego zagajnika. Jej serce momentalnie przestało pracować jak należy. Warren, który był akurat w stodole, również usłyszał ten niesamowity hałas i natychmiast pospieszył do lasku, żeby sprawdzić, co się dzieje. Jak się okazało, spotkał tam dzieci z plebanii, które siedziały na przewróconym pniu drzewa i wydzierały się wniebogłosy, krzycząc co sił w płucach: „morderstwo". Tłumaczyły się potem, że robiły to tylko dla zabawy i nie przypuszczały, że ktoś mógłby te ich wołania usłyszeć. Twierdziły, że bawiły się w Indian i szykowały zasadzkę. Gdy Warren wrócił do domu, znalazł swoją matkę na werandzie nieprzytomną.

Zuzanna, która zdążyła już wrócić, prychnęła pogardliwie.

— Co jak co, ale z tą utratą przytomności to już naprawdę przesada, pani Elliott, może pani być tego pewna. Od czterdziestu lat słyszę, jakie to słabe serce ma Amelia Warrenowa. To się zaczęło, gdy miała dwadzieścia lat. Ona po prostu lubi robić wokół siebie dużo szumu i wzywać doktora.

— Zdaje się, że Gilbert zbagatelizował całą sprawę i nie uznał tego ataku za poważny — poparła ją Ania.

— Och, to całkiem możliwe — powiedziała panna Kornelia. — Ale ta historia wywołała burzliwe dyskusje, a fakt iż Meadowie są metodystami, jeszcze bardziej pogarsza sprawę. Co z tych dzieci wyrośnie? Czasami nie mogę spać, bo ciągle zadręczam się myślami na ich temat, droga Aniu. Zadaję sobie pytanie, czy te dzieciaki nie chodzą czasem głodne, jako że ich ojciec, wiecznie zatopiony w myślach, pewnie nie zawsze pamięta o tak prozaicznej rzeczy jak żołądek. W dodatku ta leniwa stara kobieta, która im gotuje, nie przykłada się do tego zbytnio. Nic dziwnego, że dzieci biegają samopas i dziczeją, a teraz, gdy skończy się szkoła, będzie jeszcze gorzej.

— Niech używają swobody — rzekła Ania, uśmiechając się na myśl o zebraniach w Dolinie Tęczy, o których coś niecoś dobiegło jej uszu. — W każdym razie są odważne, szczere, dobre i prawdomówne.

— To prawda, moja Aniu, i gdy pomyślę o tych podstępnych pleciugach poprzedniego pastora, muszę przyznać, że pociechy pana Mereditha są o wiele lepsze.

— Jeżeli mam być szczera, droga pani doktorowo, to i ja powiem, że są to całkiem dobre dzieci — zauważyła Zuzanna. — Psotne wprawdzie, ale mają dobre serduszka. Tylko uważam, że nie ma sensu, żeby się bawiły na cmentarzu.

— Ale przecież bawią się tam spokojnie — tłumaczyła Ania. — Nie biegają i nie krzyczą, jak czasami w Dolinie Tęczy. Chociaż przyznać trzeba, że w dolinie to i moje zuchy dzielnie im sekundują. Wczoraj wieczorem przeprowadzili jakąś bitwę, jak mi opowiadał Kuba. On zawsze jest dowódcą, gdy tymczasem reszta chłopców to żołnierze.

— Dzięki Bogu, że on nigdy żołnierzem nie będzie — rzekła panna Kornelia. — Nie pochwalam wyjazdu naszych chłopców do tych południowoafrykańskich legii. Ale na szczęście to minęło i mam nadzieję, że tak szybko nie wróci. Przypuszczam, że cały świat się nareszcie ustatkował. Co do Meredithów, to mówiłam już niejednokrotnie i powtórzę raz jeszcze, że gdyby pan Meredith miał żonę, byłoby wszystko w porządku.

— W zeszłym tygodniu podobno odwiedził dwa razy Kirków — dorzuciła Zuzanna.

— To także nie ma sensu — rzekła panna Kornelia w zamyśleniu. — Uważam, że proboszcz nie powinien się żenić w swojej parafii, bo traci przez to samo prestiż. Choć w tym wypadku nie wyrządziłoby to nikomu krzywdy, gdyż wszyscy lubimy Elżbietę Kirk, a nikt specjalnie nie wzdycha do tego, by zostać macochą młodych Meredithów. Nawet panny Hill nie palą się do tego. Elżbieta byłaby dla pana Mereditha wymarzoną żoną, gdyby on tylko zechciał wpaść na ten pomysł. Najgorsze, że ona jest niepozorna, moja Aniu, a pan Meredith niby buja w obłokach, jednak ma oko dla przystojnych kobiet, jak wszyscy mężczyźni. Jak przyjdzie co do czego, to wierz mi, Aniu, że on wcale nie będzie taki oderwany od spraw ziemskich.

— Elżbieta Kirk jest niezmiernie miłą osobą — rzekła Zuzanna — ale jeżeli już mam prawo zabrać głos w kwestii tak doniosłej jak ożenek naszego pastora, to wybrałabym raczej dla niego kuzynkę Elżbiety, Sarę, która mieszka za przystanią. Byłaby dla pana Mereditha żoną naprawdę przeznaczoną od Boga.

— Jak to, przecież Sara Kirk jest metodystką! — oburzyła się panna Kornelia, gromiąc wzrokiem Zuzannę, jak gdyby ta proponowała Hotentotkę na żonę pastora.

— Gdyby została żoną pana Mereditha, na pewno stałaby się prezbiterianką — odparła Zuzanna.

Panna Kornelia potrząsnęła głową. Widocznie dla niej każdy metodysta musiał już w duszy na całe życie zostać metodystą.

— Sara Kirk zupełnie się do tego nie nadaje — oznajmiła stanowczym głosem. — Podobnie zresztą jak Emmeline Drew — chociaż jej rodzina dokłada wszelkich starań, by wydać ją za mąż. Podają mu ją dosłownie na tacy, a on jest zupełnie nieświadomy tych poczynań.

— Muszę przyznać, że umiar i zdrowy rozsądek nie są najmocniejszą stroną Emmeline Drew — stwierdziła Zuzanna. — Ona należy do tego rodzaju kobiet, droga pani doktorowo, które gdy w zimną noc włożą pani do łóżka butelkę z gorącą wodą, to potem oczekują w zamian nie wiadomo jakich wyrazów wdzięczności, inaczej czują się dotknięte i niedocenione. W dodatku jej matka była bardzo kiepską gospodynią. Czy słyszała pani tę historię o ścierce do naczyń? Otóż któregoś dnia matce Emmeline zaginęła ścierka. Znalazła ją dopiero następnego dnia — ścierką nadziana była gęś, którą podano na obiad. Dokładnie tak, droga pani doktorowo. W jakiś niewytłumaczony sposób dostała się do farszu. Czy pani uważa, że taka kobieta stanowi odpowiedni materiał na teściową dla pastora? Ja jestem przeciwnego zdania. Może jednak lepiej zrobię, gdy zamiast rozgłaszać plotki na temat sąsiadów, wezmę się do cerowania spodni małego Kubusia. Strasznie je podarł ubiegłego wieczoru w Dolinie Tęczy.

— A gdzie Walter? — zapytała Ania.

— Lękam się, że z nim dzieje się coś złego, droga pani doktorowo. Siedzi na poddaszu i pisze w zeszycie. Podobno nie rozwiązał zadań arytmetycznych, jak mi mówił nauczyciel. Domyślam się dlaczego. Nie miał czasu, bo musiał pisać te idiotyczne wierszydła, zamiast odrobić lekcje do szkoły. Boję się, droga pani doktorowo, że chłopak gotów jeszcze zostać poetą.

— On już jest poetą, Zuzanno.

— Pani to przyjmuje dziwnie spokojnie, droga pani doktorowo. Zresztą tak jest najmądrzej, jeżeli ktoś może zdobyć się na wyrozumiałość. Miałam wujka, który najpierw był poetą, a potem został włóczykijem. Cała rodzina później musiała się go wstydzić.

— Niezbyt dobre masz pojęcie o poetach, jak widzę — zaśmiała się Ania.

— A kto ma o nich inne zdanie, droga pani doktorowo? — zapytała Zuzanna zdziwiona.

— Cóż powiesz o Miltonie i Szekspirze? A o poetach biblijnych?

— Podobno Milton maltretował żonę, a Szekspir także kiedyś nie był zbytnio szanowany. Co do poetów biblijnych, to za owych czasów inne były warunki, chociaż nigdy nie miałam specjalnie wysokiego mniemania o królu Dawidzie, jeżeli mam być szczera. Wiem tylko tyle, że z takich, co to piszą poezje, nic dobrego nie wyrasta, i pocieszam się jedynie nadzieją, że nasz kochany chłopak wyrośnie z tego. Jeżeli nie — musimy spróbować tranu.

INTERWENCJA PANNY KORNELII

Panna Kornelia następnego dnia zjawiła się na plebanii i wzięła Marysię w krzyżowy ogień pytań. Dziewczynka ze zwykłą sobie brawurą zupełnie szczerze opowiedziała całą historię i dzięki temu serce panny Kornelii zmiękło i usposobiło się do niej nieco przychylniej.

— Sądzisz — rzekła poważnie — że okazujesz wdzięczność tej rodzinie, która cię przygarnęła, niepokojeniem i drażnieniem jej małych przyjaciół, jak to uczyniłaś wczoraj?

— To było wstrętne z mojej strony — przyznała Marysia szczerze. — Nie mam pojęcia, co mnie opętało. Ten diabelny sztokfisz sam mi wlazł w ręce. Ale było mi potem strasznie przykro. Całą noc płakałam. Niech pani zapyta Unę, czy nie mówię prawdy. Oczywiście nie powiedziałam jej, dlaczego płaczę, bo się wstydziłam, a potem ona też się popłakała, bo miała wrażenie, że ktoś sprawił mi przykrość. Boże, czy mogła być mowa o przykrości! Co mnie to wszystko obchodzi, skoro tylko pani Wiley daje mi spokój. Poza nią wszyscy są dla mnie mili.

Panna Kornelia sama się dziwiła, że z każdą chwilą bardziej lubiła Marysię, i nie myślała już o historii ze sztokfiszem. Zaraz tego samego dnia postanowiła zdać relację w Złotym Brzegu.

— Jeżeli ta mała mówi prawdę, to trzeba w to koniecznie się wmieszać — zadecydowała. — Wiem coś niecoś o tej pani Wiley. Marshall znał ją dobrze, jak mieszkał za przystanią. Mówił mi niejednokrotnie o niej i o tym, że miała u siebie jakąś biedną, małą dziewczynkę. Sąsiedzi opowiadali mu, że zmuszała dziecko do pracy, głodząc jednocześnie. Wiesz najlepiej, moja Aniu, że nigdy nie miałam zwyczaju wtrącać się w sprawy mieszkańców spoza przystani. Ale jutro poślę zaraz Marshalla, żeby się dowiedział całej prawdy. Dopiero potem pomówię z pastorem. Weź pod uwagę, że mali Meredithowie znaleźli dziewczynkę umierającą niemal z głodu w szopie Jamesa Taylora. Przeleżała tam całą noc zziębnięta i głodna. I pomyśleć, że my wysypiamy się w ciepłych łóżkach po zjedzeniu obfitej kolacji.

— Biedne dziecko — szepnęła Ania, przypominając sobie owe przykre dni z własnego dzieciństwa. — Gdyby nawet była najgorsza, panno Kornelio, nie wolno jej odsyłać tam z powrotem. Ja sama byłam sierotą i znajdowałam się kiedyś w podobnej sytuacji.

— Trzeba się porozumieć z zarządem przytułku w Hopetown — oświadczyła panna Kornelia. — W każdym razie ta mała nie może zostać na plebanii. Bóg raczy wiedzieć, czego mogą nauczyć się od niej dzieci. Podobno potrafi nawet kląć, ale pomyśl sobie tylko, że jest na plebanii już od dwóch tygodni, a pan Meredith wcale nie zwraca na to uwagi! Czy taki człowiek może sobie pozwolić na to, żeby mieć rodzinę? Powinien był zostać mnichem, moja Aniu.

Dwa dni potem panna Kornelia znowu pojawiła się w Złotym Brzegu.

— Niebywała historia! — zawołała. — Panią Wiley zastano bez życia w łóżku tego samego ranka, kiedy Marysia uciekła. Od kilku lat chorowała na serce i doktor ostrzegał, że w każdej chwili może jej grozić katastrofa. Parobka wysłała za jakimś interesem i nikogo nie było w domu. Ktoś z sąsiadów znalazł ją dopiero nazajutrz. Zauważyli, że dziecka nie ma, ale sądzili, że pani Wiley wysłała małą do swojej kuzynki mieszkającej w Charlottetown, jak to czyniła nieraz. Kuzynka na pogrzeb nie przybyła, więc nikt do tej pory nie wiedział, co się z Marysią stało. Sąsiedzi opowiedzieli Marshallowi o sposobie, w jaki pani Wiley wychowywała Marysię. Marshall powiada, że gdy słuchał, krew mu się burzyła w żyłach. Wiesz, jak on lubi dzieci. Podobno ta jędza katowała małą za każde najmniejsze przewinienie. Kilku sąsiadów zamierzało nawet napisać do zarządu przytułku, lecz ludzie rzadko kiedy przejmują się sprawami innych, więc oczywiście dotychczas nikt tego nie zrobił.

— Bardzo mi przykro, że ta Wileyowa umarła — wtrąciła Zuzanna. — Bo poszłabym tam do niej za przystań i nalałabym jej trochę oleju do głowy. Kto słyszał, głodzić i bić bezradne dziecko, droga pani doktorowo! Ja sama lubię dzieci skarcić od czasu do czasu, ale nic więcej. I co się stanie z tym biednym maleństwem, pani Elliott?

— Myślę, że trzeba ją będzie odesłać z powrotem do Hopetown — odparła panna Kornelia. — Tutaj trudno ją będzie gdziekolwiek umieścić. Jutro zobaczę się z panem Meredithem i powiem mu, jak się zapatruję na tę kwestię.

— Ona mu na pewno to powie, droga pani doktorowo — rzekła Zuzanna po wyjściu panny Kornelii. — Ta się niczego nie ulęknie, potrafiłaby nawet kościół obrabować, gdyby do tego nabrała zapału. W ogóle nie pojmuję, jak taka Kornelia Bryant ma śmiałość pójść do pastora. Myślałby kto, że idzie w odwiedziny do pierwszego lepszego sąsiada.

Po wyjściu panny Kornelii Nan Blythe zeskoczyła z hamaka, w którym dotychczas odrabiała lekcje, i niepostrzeżenie udała się do Doliny Tęczy. Wszyscy już byli tam od dawna. Kuba i Jerry grali w hacele ze starych podków, podarowanych im przez miejscowego kowala. Karolek czaił się na mrówki na słonecznym wzgórzu. Walter, leżąc na trawie, czytał głośno Marysi, Di, Florze i Unie książkę zawierającą zbiór bajek o Żydzie Wiecznym Tułaczu, czarodziejskich różdżkach, Szczęśliwej Wyspie, złocistym skarbie i syrenach. Przykro było Walterowi, gdy skonstatował, że Wilhelm Tell był także tylko legendarną postacią, i z tego powodu potem całą noc nie mógł spać. Najbardziej lubił historię o Srokatym Kobziarzu i czytał ją przeważnie do zmroku, dopóki wiatr letni nie zadzwonił w zawieszone przy Leśnych Kochankach dzwoneczki i cień nocy nie padł na dolinę.

— Powiedzcie, czy to nie są ciekawe kłamstwa? — szepnęła w zachwycie Marysia, gdy Walter zamknął książkę.

— To nie są kłamstwa — oburzyła się Di.

— Przecież nie powiesz, że to prawda? — upierała się Marysia.

— No, niezupełnie. Takie samo kłamstwo jak twoje o duchach. To także nie była prawda, ale wiedziałaś, że w to nie uwierzymy.

— Ta historia z czarodziejską różdżką też nie jest kłamstwem — rzekła Marysia. — Stary Jack Crawford za przystanią umie robić takie rzeczy. Wszyscy po niego posyłają, jak chcą wykopać studnię. Poza tym jestem pewna, że sama kiedyś widziałam Żyda Wiecznego Tułacza.

— Marysiu, co ty mówisz! — przeraziła się Una.

— Mówię szczerą prawdę. W zeszłym roku przyszedł do pani Wiley taki wiekowy człowiek. Był dostatecznie stary, aby być kimś. Pani Wiley pytała go, czy słupy cedrowe utrzymują się długo, a on rzekł: „Czy się utrzymują? Utrzymują się tysiąc lat. Wiem, bo sam dwa razy je wbijałem". Powiedzcie, jeżeli przeżył dwa tysiące lat, to kim mógł być jak nie Żydem Wiecznym Tułaczem?

— Wątpię, czy Żyd Wieczny Tułacz miałby coś wspólnego z taką osobą jak pani Wiley — rzekła stanowczo Flora.

— Ogromnie lubię historię o Srokatym Kobziarzu — wtrąciła Di. — Mama ją także lubi. Zresztą żal mi strasznie tego biednego kulawego chłopca, który nie mógł iść wraz z innymi i spadł z wierzchołka góry.

— Któregoś dnia — rzekł sennie Walter, spoglądając w niebo — zejdzie tu z pagórka do Doliny Tęczy Srokaty Kobziarz i będzie grać wesoło i słodko. Ja pójdę za nim, pójdę za nim na wybrzeże, nad morze, daleko od was wszystkich. Kuba też będzie chciał iść, bo dla niego to przygoda, ale ja nie będę chciał, tylko będę musiał pójść, bo muzyka wzywać będzie mnie tak długo, że wreszcie pójdę.

— Wszyscy pójdziemy! — zawołała Di, której udzielił się zapał Waltera, choć sama nie bardzo w to wierzyła, żeby kiedyś miała ujrzeć mityczną postać Kobziarza na skraju doliny.

— Nie. Wy będziecie tu siedzieć i czekać — rzekł Walter z dziwnym błyskiem w swych pięknych oczach. — Będziecie czekać na nasz powrót. A my może nie wrócimy wcale, bo nie będziemy mogli dopóty, dopóki Kobziarz będzie grał. A on będzie grał, idąc przez cały świat. A wy będziecie tu siedzieć i czekać.

— Och, przestań — rzekła Marysia z drżeniem. — Nie patrz tak, Walterze Blythe. Przerażasz mnie. Chcesz mi opowiadać bajki? Widzę już mimo woli paskudnego starego Kobziarza idącego tędy, a wy, chłopcy, idziecie za nim, podczas gdy my, dziewczęta, zostajemy tutaj, aby na was czekać. Nigdy nie byłam mazgajem, ale jak ty zaczynasz opowiadać swoje brednie, zawsze zbiera mi się na płacz.

Walter uśmiechnął się z triumfem. Lubił wypróbowywać swój wpływ na wyobraźnię towarzyszy, lubił igrać z ich uczuciami i budzić lęk we wrażliwych ich duszyczkach. Zaspokajało to jego dziwne instynkty. Lecz pod uśmiechem pełnym triumfu i w jego duszy krył się strach przed jakąś okrutną tajemnicą. Srokaty Kobziarz wydał mu się nagle postacią realną i jakby symbolem zasłoniętej mgłą przyszłości, która nagle pochyliła się nad Doliną Tęczy i ukazała mu swe blade, pełne tajemnic oblicze.

Powrót Karolka, który miał już na dzisiaj dosyć swych mrówek, przywołał ich wszystkich do rzeczywistości.

— Mrówki są diabelnie ciekawe! — zawołała Marysia, zadowolona, że wreszcie przestaną mówić o Kobziarzu. — Obydwoje z Karolkiem w sobotę po południu obserwowaliśmy mrowisko na cmentarzu. Nie wiedziałam, że w jednym może być aż tak dużo mrówek. Ale kłótliwe są te małe łotry, niektóre nawet walczą ze sobą i zdaje się, że zupełnie bez przyczyny. Inne znów są leniwe i nie chce im się pracować. Patrzyliśmy na nie z wielkim zaciekawieniem. A jedna mrówka umarła z rozpaczy, bo drugą ktoś zadeptał. Nie pracowała, nie jadła, nie spała, aż wreszcie umarła, jak pragnę Boga.

Zapadła cisza pełna oburzenia. Wszyscy wiedzieli, że dla Marysi imię Boga nie było niczym ważnym. Flora i Di zamieniły ze sobą spojrzenia, które nawet zdziwiłyby pannę Kornelię. Walter i Karol byli nieco zmieszani, a Unie zadrżały usteczka.

Marysia wyczuła przykrą sytuację.

— Tak mi się jakoś wymknęło, słowo daję. Nie wiem, dlaczego tak się gorszycie tym, co mówię. Powinniście słyszeć, jak Wileyowie się ze sobą kłócili.

— Damy nie mówią takich rzeczy — rzekła Flora, coraz bardziej przerażona.

— Tak nie wolno — wyszeptała Una.

— Nie jestem żadną damą — oburzyła się Marysia. — Czyż miałam kiedykolwiek szanse zostać damą? Ale będę się starała już tak więcej nie mówić. Obiecuję wam to.

— W ogóle — rzekła Una — nie możesz żądać, aby Bóg wysłuchał twych modlitw, skoro nadaremno wzywasz Jego imię.

— Wcale nie żądam, aby wysłuchiwał — odparła Marysia z niedowierzaniem. — Przed tygodniem modliłam się o to, żeby ukarał panią Wiley, a dotychczas jeszcze jakoś nic nie zrobił. Mam zamiar przestać się modlić.

W tej samej chwili na skraju doliny ukazała się zadyszana Nan.

— Marysiu, mam dla ciebie nowiny! Pani Elliott była za przystanią i wyobraź sobie, jakie wiadomości przyniosła! Pani Wiley nie żyje! Znaleziono ją martwą w łóżku nazajutrz po twojej ucieczce. Wobec tego nigdy już nie będziesz musiała do niej wracać.

— Nie żyje! — wyszeptała oniemiała Marysia, po czym nagle zadrżała. — Przypuszczasz, że moja modlitwa ma z tym coś wspólnego? — zapytała Unę błagalnie. — Jeżeli tak, to już nigdy w życiu nie będę się modlić. Przecież mogła żyć dalej, a ja mogłam i tak do niej nie wrócić.

— Nie, nie, Marysiu — uspokajała ją Una — to nie ma z tym nic wspólnego. Przecież pani Wiley umarła o wiele wcześniej, niż ty zaczęłaś się modlić.

— To prawda — przyznała dziewczynka, otrząsając się nieco z przerażenia. — Ale zlękłam się ogromnie. Przykro, że człowiek prosił Boga o czyjąś śmierć. Modląc się, nigdy nie myślałam o tym, żeby ona umarła. Byłam pewna, że taka czarownica żyć będzie wiecznie. Czy pani Elliott mówiła coś o mnie?

— Wspomniała, że trzeba cię będzie odesłać z powrotem do przytułku.

— I ja tak myślę — rzekła Marysia sucho. — A potem znowu oddadzą mnie komuś takiemu mniej więcej jak pani Wiley. Zniosę to jednak. Jestem twarda.

— Będę się modlić, żebyś tam już nie wracała — szepnęła Una, gdy obydwie z Marysią szły w stronę plebanii.

— Jak chcesz — mruknęła Marysia niechętnie — ale boję się, że to nic nie pomoże. Mam już dosyć tych modlitw do Boga. Zobacz tylko, co z tego wychodzi. Gdyby pani Wiley umarła kilka dni potem, byłabym pewna, że ja się do tego przyczyniłam.

— O, nie, nie myśl o tym! — rzekła Una. — Chciałabym ci to jaśniej wytłumaczyć, ale nie potrafię. Ojciec na pewno wyjaśni ci to doskonale, jak go kiedyś przy okazji zapytasz.

— Dobre sobie! Twój ojciec nie zdobyłby się na to. Przechodzi koło mnie i nigdy mnie nie widzi. Nie jestem specjalnie zarozumiała, ale przecież, do licha, mógłby zwrócić na mnie uwagę.

— Och, Marysiu, to już taki zwyczaj mego ojca. Przeważnie i nas nie dostrzega. Wiecznie chodzi zamyślony. Dziś wieczorem pomodlę się, żeby Pan Bóg pozwolił ci zostać w Czterech Wiatrach... bo ja cię bardzo lubię, Marysiu.

— Niech i tak będzie. Tylko nie opowiadaj mi już więcej o ludziach, którzy umarli z tego powodu — mruknęła. — I ja chciałabym zostać w Czterech Wiatrach. Polubiłam tę wieś, przystań i światełko na wieży, polubiłam was i Blythe'ów. Jesteście jedynymi przyjaciółmi, jakich kiedykolwiek miałam i nie cierpię myśli, że miałabym was opuścić.

INTERWENCJA UNY

Panna Kornelia odbyła dłuższą rozmowę z pastorem i to, co mu powiedziała, wywarło na nim piorunujące wrażenie. Panna Kornelia wykazała mu niezbyt grzecznie całą lekkomyślność przygarnięcia do siebie takiej przybłędy jak Marysia Vance i dopuszczenia, aby jego własne dzieci uczyły się od niej najrozmaitszych brzydkich manier.

— Nie mówię, że to wyrządziło komuś jakąś krzywdę — ciągnęła panna Kornelia. — Marysia nie jest złą dziewczynką w pełnym znaczeniu tego słowa. Pytałam pańskie dzieci i dzieci Blythe'ów, a z odpowiedzi ich wywnioskowałam, że tej małej nie można mieć nic do zarzucenia, poza tym, że jest trochę zmanierowana i operuje niezbyt parlamentarnym językiem. Ale nie wiadomo, do czego mogłoby dojść, gdyby została tu dłużej. Pamięta pan, czego się nauczyły dzieci Flaggów od tego małego, niesfornego Kuby?

Pan Meredith pamiętał doskonale i był coraz bardziej przerażony swą lekkomyślnością pod tym względem.

— Ale co począć, pani Elliott? — zapytał bezradnie. — Przecież nie możemy wyrzucić tego biedactwa. Musi się nią ktoś zaopiekować.

— Oczywiście. Najlepiej napisać zaraz do zarządu przytułku w Hopetown. Tymczasem mała musi tu zostać, do chwili otrzymania od zarządu odpowiedzi. Ale powinien pan mieć oczy i uszy otwarte, panie Meredith.

Zuzanna umarłaby z przerażenia, gdyby słyszała rozmowę panny Kornelii z pastorem. Panna Kornelia jednak wyszła z plebanii całkowicie usatysfakcjonowana, bo czuła, że spełniła swój obowiązek. Tego samego wieczoru pan Meredith zawołał Marysię do swego gabinetu. Dziewczynkę opanował nieprzezwyciężony lęk, lecz czekała ją niespodzianka. Ten człowiek, który wzbudził w jej małej duszyczce taki paniczny strach, posiadał najszlachetniejsze i najbardziej współczujące serce. Nim się w ogóle zdołała zorientować, w prostych słowach opowiedziała mu swą historię, która znalazła w jego duszy zupełne zrozumienie i spotkała się z tak sympatycznym przyjęciem, jakiego sobie nigdy nie wyobrażała. Marysia opuściła gabinet pastora z promienną twarzyczką, rozjaśnioną szczęściem. Una nie widziała jej jeszcze nigdy w takim nastroju.

— Wasz ojciec jest ogromnie miły, gdy się budzi z zamyślenia — rzekła Marysia, maskując uśmiechem dobywający się z piersi szloch. — Szkoda tylko, że budzi się tak rzadko. Powiedział mi, że nie wini mnie za śmierć pani Wiley, ale muszę myśleć teraz o jej zaletach, a nie wadach. Sama nie wiem, co ta kobieta ludziom dobrego zrobiła poza tym, że utrzymywała w domu porządek i potrafiła robić doskonałe masło. Wiem tylko, że musiałam sobie urobić ręce po łokcie, wiórkując jej sękatą podłogę w kuchni. Ale skoro ojciec wasz tak mówi, to widocznie tak być powinno.

Podczas następnych dni Marysia była jakaś smutna i nie uśmiechała się prawie wcale. Wyznała szczerze Unie, że im częściej myśli o powrocie do przytułku, tym więcej przytułku tego nienawidzi.

Una łamała sobie głowę, jak temu zaradzić, i dopiero Nan Blythe przyszła jej z pomocą, wpadając na genialny pomysł.

— Pani Elliott mogłaby wziąć Marysię do siebie. Ma przecież takie obszerne mieszkanie, a pan Elliott zawsze chciał mieć kogoś do pomocy w domu. Dla Marysi byłoby to nadzwyczajne, tylko musiałaby się grzecznie zachowywać.

— O, Nan, sądzisz, że pani Elliott by ją wzięła?

— Nie zaszkodzi, jeśli ją o to zapytasz — odparła Nan.

Z początku Una nie wyobrażała sobie, czy potrafi misję swą spełnić. Była taka nieśmiała, że zwrócenie się z jakąś prośbą do obcej osoby przejmowało ją panicznym strachem. A szczególny lęk wzbudzała w niej wiecznie krzątająca się, energiczna pani Elliott. Lubiła ją bardzo i zawsze z ochotą składała jej wizyty, lecz zwrócenie się do pani Elliott z prośbą, aby przyjęła do siebie Marysię Vance, wydawało się Unie rzeczą nie do wykonania.

Gdy zarząd przytułku w Hopetown zawiadomił listownie pana Mereditha, by bezzwłocznie odesłał Marysię, dziewczynka zapłakiwała się przez całą noc i Una nagle nabrała odwagi. Nazajutrz wieczorem wymknęła się niepostrzeżenie z plebanii i skierowała się w stronę przystani. Z Doliny Tęczy dochodziły ją wesołe śmiechy i rozmowy, lecz ona była zajęta innymi myślami. Szła blada, w tak głębokim zadumaniu, że nie zwracała nawet uwagi na mijających ją przechodniów, a stara pani Stanleyowa Flagg, patrząc na Unę, doszła do wniosku, że widocznie biedactwo wrodziło się w swego ojca i w przyszłości będzie równie roztargniona jak i on.

Panna Kornelia mieszkała w połowie drogi między Glen a Przystanią Czterech Wiatrów. Zajmowała obszerny dom, pomalowany na dość dziwaczny zielony kolor i otoczony malowniczym ogródkiem. Marshall Elliott dokoła swego domu zasadził mnóstwo młodych drzewek, w ogródku zaś kilka krzaków róż i pachnących lilii. Nic więc dziwnego, że niegdyś opuszczony zielony dom przybrał dzisiaj całkiem inny wygląd. Dzieci z plebanii i dzieci ze Złotego Brzegu ogromnie lubiły go odwiedzać. Wysadzana aleja prowadziła od przystani do samej werandy, a na werandzie, na stole przykrytym białym obrusem, czekały zawsze półmiski pełne rozmaitych smakołyków.

Spokojne fale morza lizały pieszczotliwie biały piasek na wybrzeżu. Trzy wielkie statki opuszczały właśnie port, sprawiając z daleka wrażenie roztrzepotanych białych mew. Wąskim kanałem płynął niewielki szkuner. Cała przestrzeń Przystani Czterech Wiatrów tonęła w purpurowym kolorycie zachodzącego słońca, przepojona subtelną muzyką fal morskich, przesiąknięta blaskiem beztroskiej radości, i każdy, kto to widział, musiał być szczęśliwy. Lecz gdy Una skierowała swe kroki do bramy domu panny Kornelii, nogi poczęły drżeć pod nią i odmówiły jej posłuszeństwa.

Panna Kornelia była sama na werandzie. Una miała nadzieję, że i pana Elliotta tam zastanie. Był taki potężny, serdeczny i przyjazny, że na pewno obecność jego dodałaby Unie odwagi. Usiadła na stołeczku, który panna Kornelia jej przyniosła, i usiłowała jeść z apetytem pączka. Dławiła się, lecz połykała go z bohaterstwem, lękając się, że obrazi pannę Kornelię. Nie mogła mówić. Była blada, a jej wielkie, ciemnobłękitne oczy spoglądały na gospodynię tak błagalnie, że panna Kornelia doszła do wniosku, iż Una musi mieć coś na sercu.

— Co ci jest, kochanie? Masz widocznie jakieś zmartwienie.

Una z trudem połknęła ostatni kęs.

— Pani Elliott, nie wzięłaby pani do siebie Marysi Vance? — zapytała zdławionym szeptem.

Panna Kornelia spojrzała na nią zdziwiona.

— Wziąć Marysię Vance? Przyjąć ją do siebie?

— Tak, przyjąć ją... zaadoptować! — zawołała Una z zapałem, odzyskując nagle odwagę, kiedy już pierwsze lody zostały przełamane. — Och, niech pani to zrobi! Marysia nie chce wracać do przytułku, po całych nocach płacze. Boi się, że ją znowu gdzieś odeślą. Ona jest taka zdolna, nie ma rzeczy, której by nie potrafiła zrobić. Nie będzie pani miała z nią żadnych przykrości.

— Nigdy o tym nie myślałam — rzekła bezradnie panna Kornelia.

— A zechciałaby pani o tym pomyśleć? — zapytała Una błagalnie.

— Ależ, kochanie, mnie nie potrzeba pomocy. Sama sobie doskonale radzę w gospodarstwie. Nie myślałam nigdy o przyjęciu kogokolwiek, skoro i tak nie mam dużo roboty.

Ciemnobłękitne oczy Uny przygasły. Wargi jej drżały. Siedziała znowu pochylona na swym stołeczku, niby uosobienie rozczarowania. Poczęła cichutko płakać.

— Nie płacz, kochanie, nie płacz! — zawołała panna Kornelia z rozpaczą. Nie mogła nigdy znieść krzywdy dziecka. — Nie powiedziałam przecież, że jej nie chcę wziąć, lecz myśl ta jest dla mnie taka nowa, że mnie po prostu straszliwie zaskoczyła. Muszę się zastanowić.

— Marysia jest taka zdolna — powtórzyła Una.

— Hm! Słyszałam o tym. Ale słyszałam również, że potrafi kląć, czy to prawda?

— Nigdy nie słyszałam, żeby... istotnie klęła — wyszeptała Una nieśmiało — ale lękam się, że potrafi.

— Wierzę ci! Czy zawsze mówi prawdę?

— Mam wrażenie, że tak, z wyjątkiem tych wypadków, kiedy się boi bicia.

— Mimo to chcesz, żebym ją wzięła?

— Ktoś ją musi przecież wziąć — szlochała Una. — Ktoś musi się nią zaopiekować, pani Elliott.

— Masz słuszność, może to właśnie jest moim obowiązkiem — rzekła panna Kornelia z westchnieniem. — Dobrze, pomówię z moim mężem. Tymczasem nikomu jeszcze o tym nie mów. Dlaczego nie bierzesz drugiego pączka, dziecino?

Una sięgnęła po pączek i zjadła go już z lepszym apetytem.

— Ogromnie lubię pączki — wyznała szczerze. — Ciotka Marta nigdy nam ich nie daje. Ale panna Zuzanna ze Złotego Brzegu często przysyła nam pączki do Doliny Tęczy. Wie pani, co robię, jak zatęsknię za pączkami, a nie mogę ich mieć, pani Elliott?

— Cóż takiego, kochanie?

— Wyjmuję wtedy starą kucharską książkę mamy i czytam przepis, jak się robi pączki, również czytam inne przepisy. Tak ładnie brzmią. Zawsze to robię, gdy jestem głodna, szczególnie wtedy, gdy ciotka Marta daje nam na obiad baraninę. Wówczas czytam o pieczonych kurczętach i o gęsinie. Mama świetnie to wszystko przyrządzała.

— Ta Marta gotowa zagłodzić biedne dzieciaki, jeżeli pan Meredith się nie ożeni — oświadczyła panna Kornelia mężowi po wyjściu Uny. — Co zrobić, żeby mu podsunąć ten pomysł? Jak myślisz, mamy wziąć do siebie tę małą Marysię?

— Oczywiście — odparł lakonicznie pan Elliott.

— Mówisz jak prawdziwy mężczyzna! — zawołała żona z rozpaczą. — „Oczywiście", jakby to już było wszystko. Trzeba się zastanowić nad wielu innymi rzeczami.

— Weź ją, a potem będziemy się zastanawiać, Kornelio — odparł mąż z uśmiechem.

Wreszcie panna Kornelia zdecydowała, że przyjmie Marysię, i przede wszystkim poszła do Złotego Brzegu, aby się podzielić tą wieścią z przyjaciółmi.

— Cudownie! — zawołała Ania uradowana. — Byłam pewna, że pani tak postąpi, panno Kornelio. Bardzo pragnęłam, aby to biedne dziecko znalazło odpowiedni dom. Sama kiedyś byłam bezdomną sierotą jak i ona.

— Wątpię, czy Marysia w przyszłości będzie do ciebie podobna — odparła ponuro panna Kornelia. — Ma zupełnie inne usposobienie, ale mimo wszystko to także ludzkie stworzenie i trzeba zbawić jej grzeszną duszyczkę. Naszykowałam już skrócony katechizm i szczoteczkę do zębów, aby od razu zabrać się do dzieła.

Marysia przyjęła tę wiadomość z rozradowaniem.

— Mam więcej szczęścia, niż przypuszczałam — rzekła.

— Musisz być grzeczna u pani Elliott — zauważyła Nan.

— I to się zrobi — zarumieniła się Marysia. — Wiem, jak się trzeba zachować, tak samo jak i ty wiesz, Nan Blythe.

— Nie wolno ci używać brzydkich wyrazów, Marysiu — dorzuciła Una lękliwie.

— Stara gotowa by jeszcze umrzeć ze zgorszenia — zaśmiała się Marysia, ukazując rząd białych, lśniących zębów. — Ale ty się nie martw, Una. Sam miód będzie płynął z moich ust. Będę miękka jak twaróg.

— Nie wolno ci kłamać — dorzuciła Flora.

— Nawet gdyby chciano mnie zbić? — broniła się Marysia.

— Pani Elliott nigdy cię nie będzie bić! — zawołała Di.

— Czyżby? — zapytała Marysia niedowierzająco. — Jak dostanę się do takiego domu, gdzie mnie nikt nie będzie bić, gotowam pomyśleć, że jestem w niebie. Nie bójcie się, nie będę kłamać. Sama nie lubię, jak mnie do tego zmuszają.

Na dzień przed opuszczeniem plebanii przez Marysię urządzono ucztę w Dolinie Tęczy i tego wieczoru każde dziecko pastora darowało swej przyjaciółce jakiś drobiazg na pamiątkę. Karolek podarował jej swoją arkę Noego. Jerry starą drumlę. Flora przyniosła małe lusterko ze szczoteczką do włosów, które Marysi się tak kiedyś podobało. Una tylko wahała się między plecioną sakiewką a wesołym obrazkiem Daniela z lwem, aż wreszcie pozostawiła wybór samej Marysi. Dziewczynka oczywiście wolałaby sakiewkę, lecz wiedząc, że Unie sakiewka się podoba, rzekła spokojnie:

— Daj mi Daniela. Wolę to, bo sama mam w sobie coś z lwa. Szkoda tylko, że nie zjadł Daniela, byłoby to bardziej interesujące.

Wieczorem Marysia Vance prosiła Unę, aby spała z nią razem.

— To przecież ostatnia noc — mówiła. — Przy tym deszcz tak pada, a ja nie lubię spać sama, gdy jest niepogoda. Podczas takiej nocy nie mogę myśleć o niczym innym, tylko o rzęsistych kroplach deszczu spływających po białych kamiennych płytach na cmentarzu. Zawodzący wiatr za oknem przypomina mi wszystkich umarłych i zdaje mi się, że oni płaczą, bo nie mogą już wrócić do nas.

— Ja lubię deszczowe noce — rzekła Una, gdy obydwie znalazły się na strychu — tak samo lubią je dziewczynki Blythe'ów.

— Co kto woli — odparła Marysia. — Gdybym była sama, płakałabym przez całą noc. Strasznie mi przykro odchodzić od was.

— Pani Elliott pozwoli ci przychodzić do nas i bawić się z nami w Dolinie Tęczy — pocieszała ją Una. — Ale będziesz grzeczna, prawda, Marysiu?

— Och, postaram się — westchnęła Marysia. — Ale to nie takie łatwe dla mnie być dobrą od wewnątrz i na zewnątrz, jak dla was. Wasi krewni musieli być dobrzy, a wy odziedziczyliście to po nich.

— Przecież twoi krewni musieli mieć też coś dobrego — argumentowała Una. — Nie wolno ci myśleć teraz o nich źle.

— Wątpię, czy mieli coś dobrego — szepnęła Marysia ponuro. — Przynajmniej o niczym takim nie słyszałam. Dziadek mój miał pieniądze, ale podobno był straszny łajdak. Lepiej już, jak sama się postaram być dobrą i nie będę zależna od swojej rodziny.

— Bóg ci pomoże, Marysiu, jeżeli Go o to poprosisz.

— Wątpię.

— Och, Marysiu! Modliliśmy się do Niego, aby ci było dobrze, i widzisz, znalazła się pani Elliott.

— Nie widzę, żeby On z tym miał coś wspólnego — odparła Marysia Vance. — To ty poddałaś tę myśl pani Elliott.

— Ale Bóg otworzył jej serce. Moje prośby nic by nie pomogły, gdyby nie On.

— Możliwe, że w tym coś jest — przyznała Marysia. — Zresztą ja nie mam nic przeciwko Bogu, Una. Chcę się tylko przekonać. Mam wrażenie, że On jest bardzo podobny do waszego ojca, tak samo zamyślony, tak samo nie zwracający na nikogo uwagi, lecz czasami budzi się i jest wtedy bardzo dobry i wyrozumiały.

— O, nie, Marysiu! — zawołała zgorszona Una. — Bóg nie jest podobny do ojca. On jest tysiąc razy lepszy i szlachetniejszy.

— Gdyby nawet był tylko taki jak wasz ojciec, toby mi zupełnie wystarczyło — oświadczyła Marysia z powagą.

— Chciałabym, żebyś porozmawiała o Nim z ojcem — westchnęła Una. — On z pewnością będzie umiał wszystko wyjaśnić znacznie lepiej niż ja.

— Nie ma sprawy, mogę z nim pogadać, jak tylko wyrwie się z zamyślenia — obiecała Marysia. — Tamtej nocy, kiedy rozmawiał ze mną w swoim gabinecie, wytłumaczył mi prosto i jasno, że moje modlitwy nie zabiły pani Wiley. Od tego czasu po prostu spadł mi kamień z serca. Ale i tak bardzo zaczęłam uważać na to, co mówię podczas modlitwy. Myślę sobie, że najbezpieczniejsze są jednak stare, wyuczone na pamięć pacierze. No powiedz, Una — mnie się wydaje, że jeżeli już w ogóle musimy się do kogoś modlić, to lepiej wznosić modły do szatana niż do Boga. Przecież Pan Bóg i tak jest dobry, a przynajmniej ty tak twierdzisz, więc nie może wyrządzić nam żadnej krzywdy. Za to diabła, jak zdążyłam się przekonać, koniecznie trzeba umieć obłaskawić. Myślę że najrozsądniej byłoby zwracać się do niego w następujący sposób: „Dobry szatanie, proszę odstąp ode mnie i nie wódź na pokuszenie. Po prostu zostaw mnie w spokoju, bardzo proszę." I co ty na to?

— Nie, to zupełnie nie tak, Marysiu. Jestem absolutnie przekonana, że nie wolno nam modlić się do diabła. W dodatku z pewnością nie wynikłoby z tego nic dobrego, bo diabeł jest przecież zły. W ten sposób tylko byś go rozzłościła i mógłby zacząć czynić jeszcze większe zło niż do tej pory.

— No cóż, jeśli idzie o Boga i te sprawy — uparcie ciągnęła swoje Marysia — ani ty, ani ja nie umiemy tego problemu rozwiązać, więc nie ma co zachodzić w głowę, lepiej poczekać i przekonać się, jak jest naprawdę. Do tego czasu będę musiała jakoś radzić sobie sama.

— Gdyby żyła nasza mama, potrafiłaby nam to wszystko jasno wytłumaczyć — rzekła Una z westchnieniem.

— I ja chciałabym, żeby żyła — dodała Marysia. — Nie wiem, co się z wami stanie, jak mnie tu nie będzie. W każdym razie postarajcie się w porządku utrzymywać dom. Ludzie opowiadają o waszym gospodarstwie skandaliczne rzeczy. W końcu doprowadzicie do tego, że wasz ojciec się ożeni, a wtedy nie będziecie mogli się do niczego wtrącać.

Una była zaskoczona. Myśl o małżeństwie ojca nigdy jej dotychczas nie trapiła. Smutno jej się zrobiło i leżała w milczeniu, przytłoczona słowami Marysi.

— Macochy to straszne stworzenia — ciągnęła Marysia dalej. — Zdębiałabyś, gdybym ci o nich wszystko opowiedziała. Mali Wilsonowie, mieszkający naprzeciw Wileyów, też mieli macochę. Była ona dla nich tak samo zła jak pani Wiley dla mnie. Przykro byłoby, gdybyście wy nagle dostali macochę.

— Jestem pewna, że nie będziemy mieli — szepnęła Una drżącym głosem. — Ojciec się nie ożeni.

— Zmuszą go do tego — zdecydowała Marysia ponuro. — Wszystkie stare panny biegają za nim, a to najgorszy gatunek macoch, bo na pewno buntowałyby ojca przeciwko wam. Już by się o was zupełnie przestał troszczyć. Zawsze stawałby po stronie żony, a ona wmawiałaby mu, że jesteście strasznie źli.

— Lepiej, byś mi o tym nie mówiła, Marysiu — rozpłakała się Una. — Czuję się ogromnie nieszczęśliwa.

— Chciałam cię tylko ostrzec — rzekła Marysia ze skruchą. — Na szczęście wasz ojciec jest tak roztargniony, że może wcale nie pomyśli o powtórnym małżeństwie. Ale zawsze lepiej być na wszystko przygotowanym.

Gdy Marysia już zasnęła, Una ciągle jeszcze leżała z otwartymi oczami, a po policzkach jej spływały łzy. Och, jak by to było strasznie, gdyby ojciec ożenił się z jakąś kobietą, która znienawidziłaby Jerry'ego, ją, Florę i Karolka! Ona, Una, nie zniosłaby tego!

Chociaż Marysia nie wsączyła jadu trucizny w serduszka dzieci z plebanii, jak się tego obawiała panna Kornelia, to jednak, mimo najlepszych intencji, zasmuciła je. Sama spała spokojnie, podczas gdy Una czuwała, a deszcz padał wciąż beznadziejnie i wiatr zawodził dokoła starej plebanii. Wielebny John Meredith również zapomniał o udaniu się na spoczynek; tak był zaabsorbowany wczytywaniem się w żywot świętego Augustyna, że świtało już na wschodzie, gdy wreszcie skończył i wszedł na górę, roztrząsając w myślach problemy sprzed dwóch tysięcy lat. Drzwi pokoju dziewczynek były otwarte i pastor ujrzał śpiącą Florę, leżącą z zaróżowioną twarzyczką. Zastanawiał się, gdzie mogła być Una. Może poszła na noc do dziewczynek Blythe'ów. Często miała zwyczaj przenosić się do nich. John Meredith westchnął. Pomyślał nagle, że mimo wszystko Una nie powinna nic robić bez jego wiedzy. Cecylia by o dzieci na pewno bardziej dbała.

Gdybyż Cecylia mu towarzyszyła! Jakże była piękna i wesoła! Pokoje plebanii w Majowych Wodach rozbrzmiewały jej wdzięcznym głosikiem! I odeszła tak nagle, zabierając z sobą swój śmiech srebrzysty, a pozostawiając po sobie martwą ciszę, odeszła tak nagle, że on jeszcze dotychczas nie potrafił otrząsnąć się ze zdumienia. Jak ta piękna, pełna życia kobieta mogła umrzeć?

Myśl o powtórnym małżeństwie nigdy nie przyszła do głowy Johnowi Meredithowi. Żonę swą kochał tak szczerze, że nie mógł uwierzyć, aby zdołał kiedyś pokochać jakąś inną kobietę. Pocieszał się nadzieją, że niedługo Flora będzie już dosyć dorosła, by zająć miejsce zmarłej matki. Do tej chwili sam będzie troszczyć się o wszystko. Westchnął znowu i wszedł do swego pokoju, gdzie zastał łóżko nie posłane. Ciotka Marta zapomniała o tym, a Marysia nie mogła jej wyręczyć, bo staruszka zabroniła jej wchodzić do pokoju pastora. Lecz pan Meredith i tego nie zauważył, bo myślał znowu o żywocie świętego Augustyna.

DZIEWCZYNKI SPRZĄTAJĄ PLEBANIĘ

— Uf! — zawołała Flora, siadając na łóżku, przejęta dziwnym dreszczem. — Znowu pada. Nienawidzę deszczowych niedziel. Niedziela i tak jest głupia, nawet przy ładnej pogodzie.

— Nie powinnaś tak mówić — rzekła Una sennie, przecierając oczy.

— Ale tak myślę — odparła Flora uparcie. — Marysia Vance twierdzi, że przeważnie niedziele są tak nudne, że gotowa by się powiesić.

— Powinniśmy bardziej lubić niedzielę — szepnęła Una w zamyśleniu. — Przecież jesteśmy dziećmi pastora.

— Nie wiem, czyby nie lepiej było, gdybyśmy byli dziećmi kowala — zaprotestowała Flora gniewnie, gorączkowo szukając pończoch. — Wówczas ludzie nie wymagaliby od nas więcej, niż wymagają od innych dzieci. Spójrz na te dziury w pończochach. Marysia zacerowała je jeszcze przed odejściem, ale znowu się podarły. Una, mogłabyś już wstać! Sama nie będę robić śniadania, moja droga. Strasznie chciałabym, żeby ojciec i Jerry byli już w domu. Gdy ojciec jest przy nas, to wcale sobie nie zdajemy sprawy, jak jest nam potrzebny. A teraz wszystko jakoś idzie na opak. Muszę pójść do ciotki Marty i dowiedzieć się, jak się czuje.

— Lepiej jej? — zapytała Una, gdy Flora wróciła po chwili.

— Nie. Jeszcze ciągle męczy ją to „nieszczęście". Może by zawezwać doktora Blythe'a? Ciotka wprawdzie nie chce, powiada, że nigdy w życiu nie była u doktora, a teraz na starość nie ma zamiaru z lekarzami zaczynać. Mówi, że doktorzy po to żyją, aby truć ludzi. Myślisz, że to prawda?

— Oczywiście, że nie — odparła Una z powagą. — Jestem pewna, że doktor Blythe nikogo jeszcze nie otruł.

— Po śniadaniu musimy jej znowu zrobić nacieranie. Lepiej będzie dać trochę chłodniejszy kompres niż wczoraj.

Flora zachichotała na samo wspomnienie. Wczoraj omal nie poparzyły całej skóry biednej ciotce Marcie. Una westchnęła. Marysia Vance wiedziałaby na pewno, jaki kompres trzeba zrobić na takie bóle, gdyby była tutaj. Marysia wie wszystko, a one nic nie wiedzą. I jak się mogą czegokolwiek nauczyć, kiedy ciotka Marta do niczego ich nie dopuszcza?

W zeszły poniedziałek pan Meredith wyjechał na krótki urlop do Nowej Szkocji, zabrawszy z sobą Jerry'ego. W środę ciotka Marta dostała swoich zwykłych bólów, które nazywała „nieszczęściem" i które zawsze nawiedzały ją w najbardziej nieodpowiednim momencie. Nie mogła wstać z łóżka, bo każdy ruch sprawiał jej ból jeszcze bardziej dotkliwy. Doktora wezwać nie pozwoliła. Flora i Una gotowały obiad i doglądały ciotki Marty. Tak czy inaczej — potrawy nie były o wiele gorsze od tych, które przyrządzała ciotka Marta. Niejedna kobieta ze wsi chętnie przyszłaby pomóc na plebanię, lecz ciotka odrzucała wszelką pomoc.

— Musicie same sobie radzić, póki nie wstanę — gderała. — Dzięki Bogu, że Johna nie ma. Macie jeszcze duży zapas zimnego mięsa i chleba, a owsiankę same możecie sobie ugotować.

Dziewczęta wzięły się do szykowania owsianki, ale rezultat nie był nadzwyczajny. Pierwszego dnia była za rzadka, a nazajutrz tak gęsta, że można ją było krajać nożem, poza tym za każdym razem była przypalona.

— Nienawidzę owsianki — mówiła Flora ze złością. — Jak będę miała własne gospodarstwo, to nigdy nie będę jej gotować.

— A co będą jadły twoje dzieci? — pytała Una. — Dzieci muszą jeść owsiankę, bo inaczej nie będą rosły. Wszyscy tak uważają.

— Muszą się obyć albo przez całe życie będą małe — odparła Flora krnąbrnie. — Zamieszaj tę kaszę, Una, a ja tymczasem nakryję do stołu. Tego paskudztwa nie można na sekundę zostawić, zaraz się przypala. Już wpół do dziesiątej. Spóźnimy się do szkółki niedzielnej.

— Nie widziałam, żeby ktoś szedł — rzekła Una. — Widocznie wszyscy zaspali. Ludzie nie śpieszą się jakoś do kościoła. Zobacz, jak leje. A jak nie ma kazania, ludziom nie chce się z daleka taszczyć dzieci.

— Zawołaj Karolka — rozkazała Flora.

Jak się okazało, Karolka bolało gardło, bo poprzedniego dnia zmókł w Dolinie Tęczy, zajęty poszukiwaniem chrabąszczy. Wrócił do domu z przemoczonymi nogami, w mokrym obuwiu przesiedział cały wieczór. Na śniadanie nie miał apetytu, więc Flora kazała mu się z powrotem położyć do łóżka. Rade nierade, Flora i Una zjadły śniadanie same i poszły do szkółki niedzielnej. W sali nie zastały nikogo i nikt jakoś nie nadchodził. Zaczekały do jedenastej, po czym wróciły do domu.

— Zdaje się, że w szkole metodystów także nie ma nikogo — zauważyła Una.

— Całe szczęście — mruknęła Flora. — Przykro by mi było pomyśleć, że metodyści mimo deszczu poszli do szkółki niedzielnej, podczas gdy prezbiterianie boją się wytknąć nosa z domu. Ale jakoś i w kościele nie ma nikogo, może dzisiaj będzie nabożeństwo po południu.

Una zabrała się do zmywania talerzy, co zresztą robiła już całkiem składnie dzięki naukom Marysi Vance. Flora zamiotła podłogę i obrała kartofle do obiadu, kalecząc sobie palce.

— Chętnie bym zjadła dzisiaj na obiad jeszcze coś oprócz baraniny — westchnęła Una. — Strasznie mi zbrzydło to mięso. Blythe'owie nigdy baraniny nie jedzą, a my jeszcze nigdy nie mieliśmy puddingu. Nan twierdzi, że Zuzanna umarłaby, gdyby nie było puddingu w niedzielę. Flora, dlaczego u nas jest inaczej niż u wszystkich ludzi?

— Wcale bym nie chciała, żeby miało być tak samo — zaśmiała się Flora, bandażując skaleczone palce. — Wolę być taką, jaką jestem, to stanowczo ciekawsze. Joasia Drew jest doskonałą gospodynią, tak samo jak jej matka, ale czy chciałabyś być tak głupia jak ona?

— W naszym gospodarstwie nie ma porządku, przynajmniej tak twierdzi Marysia Vance. Podobno ludzie mówią, że panuje u nas wielki nieład.

Flora nagle wpadła na pomysł.

— Musimy posprzątać! — zawołała. — Weźmiemy się do tego zaraz jutro. Na szczęście ciotka Marta leży i nie będzie się do nas wtrącać. Sprzątniemy wszystko pięknie, żeby ojciec był zadowolony, jak wróci. Przecież każdy potrafi i zamieść, i odkurzyć, i umyć okna. Nareszcie ludzie nie będą mieli nic do gadania. Kuba Blythe mówi, że to tylko stare panny plotkują, ale w każdym razie takie plotki sprawiają człowiekowi ból.

— Myślę, że jutro doprowadzimy wszystko do porządku! — zawołała Una z entuzjazmem. — Och, Floro, będzie u nas tak czysto jak u innych ludzi.

— Mam nadzieję, że ciotka Marta jeszcze jutro nie wstanie — zaniepokoiła się Flora. — Bo przy niej nie będziemy się mogły wziąć do niczego.

Życzenie Flory ziściło się. Ciotka Marta nazajutrz musiała jeszcze pozostać w łóżku. Karolek także był chory i nie miał siły podnieść się z pościeli. Flora i Una nie zdawały sobie sprawy z choroby chłopaka. Czuła matka na pewno wezwałaby doktora, lecz, niestety, Karolek nie miał matki, leżał więc w swym łóżeczku z zarumienionymi od gorączki policzkami, z bólem gardła i nieznośnym szumem w głowie. Dotrzymywała mu towarzystwa tylko mała zielona jaszczurka pełzająca po kołdrze.

Po deszczu niebo się nagle rozjaśniło i snop złocistych, słonecznych promieni pieścił ziemię gorącymi pocałunkami. Wymarzona pogoda do sprzątania, toteż Flora i Una ochoczo zabrały się do dzieła.

— Sprzątniemy najpierw jadalnię i salon — zaproponowała Flora. — Gabinet zostawimy na potem, a w pokojach na górze może tymczasem tak zostać. Przede wszystkim trzeba wynieść meble.

Dziewczynki wysunęły meble na werandę, a dywany i makaty porozwieszały na pomnikach na cmentarzu metodystów. Rozpoczęło się pełne zapału trzepanie i chwilami w tumanach kurzu niknęła zupełnie rozweselona twarzyczka Uny. Flora wzięła się do mycia okien w jadalni i oczywiście przy tej okazji stłukła aż dwie szyby. Una przyglądała się z powątpiewaniem wynikowi.

— Okna pani Elliott i Zuzanny aż połyskują w słońcu.

— Nie martw się. Jeszcze słońce do nas nie zajrzało — pocieszała ją Flora. — Użyłam przecież tyle wody i mydła, że muszą być czyste. Teraz jest po jedenastej. Zamiotę jeszcze podłogę i weźmiemy się do odkurzania mebli. Trzeba je wynieść na cmentarz, bo znowu zakurzymy całe mieszkanie.

Flora z lubością trzepała wyściełane krzesła. Strasznie przyjemnie było stanąć na kamiennej płycie pomnika Hezekiaha Pollocka i uderzać trzepaczką w twarde siedzenia. Nic dziwnego, że Abraham Clow, przejeżdżając właśnie z żoną w swym powoziku, obrzucił dziewczynki pełnym zgorszenia spojrzeniem.

— Czyż to nie straszny widok? — szepnął uroczyście.

— Nigdy bym nie uwierzyła, gdybym tego nie widziała na własne oczy — odparła pani Abrahamowa, jeszcze bardziej zgorszona.

Flora ukłoniła się grzecznie państwu Clow. Wcale ją to nie zdziwiło, że staruszkowie udali, że jej nie widzą. Wiadomo było, że stary Abraham, od czasu jak został przełożonym szkółki niedzielnej przed czternastu laty, nigdy się nie uśmiechał. Zabolało jednak Florę, że na jej ukłon nie odpowiedziały Minna i Adela Clow. Flora ogromnie je lubiła. Poza Blythe'ami były to jej najlepsze przyjaciółki szkolne i nawet niejednokrotnie pomagała Adeli w rozwiązywaniu zadań arytmetycznych. Taka to jest ludzka wdzięczność. Pewnie dlatego przyjaciółki udały, iż jej nie widzą, że nie wstydziła się żadnej pracy i nawet wzięła się do trzepania starych dywanów. Flora ze złością wbiegła na werandę, gdzie zastała Unę również zasmuconą tym, że Clowówny nie odpowiedziały na jej ukłon.

— Oszalały dziewczyny! — zawołała Flora. — Może zazdroszczą nam, że bawimy się z Blythe'ami w Dolinie Tęczy. Niech tylko zacznie się szkoła i Adela poprosi mnie o rozwiązanie jakiegoś zadania, to jej wtedy pokażę! Ani palcem nie kiwnę. Chodź, pownosimy meble. Padam ze zmęczenia i wątpię, czy mieszkanie będzie wyglądało lepiej niż przedtem po tym naszym czyszczeniu i trzepaniu. Nienawidzę porządków.

Dopiero koło drugiej dziewczynki skończyły sprzątanie dwóch pokojów. Zjadły coś naprędce w kuchni i postanowiły od razu zmyć talerze. Lecz Flora przypomniała sobie, że Di Blythe pożyczyła jej jakąś bardzo ciekawą książkę i oczywiście zatonęła w niej aż do zmroku. Una zaniosła Karolkowi gorącą herbatę, a ponieważ chłopiec spał, więc i ona położyła się na łóżku Jerry'ego i zasnęła. Tymczasem po całym Glen rozniosła się historia sprzątania na plebanii i parafianie poczęli się zastanawiać, co począć z tymi nieznośnymi Meredithami.

— To już nie są żarty! — rzekła panna Kornelia do męża z głębokim westchnieniem. — Z początku nie chciało mi się wierzyć, gdy Miranda Drew przyniosła te wiadomości z niedzielnej szkółki metodystów, wyśmiałam ją, ale pani Abrahamowa Clow mówiła, że ona i jej mąż widzieli to na własne oczy.

— Co właściwie? — zapytał pan Elliott.

— Wyobraź sobie, że Flora i Una Meredith nie poszły dzisiaj do szkółki niedzielnej, tylko wzięły się do sprzątania mieszkania! — zawołała panna Kornelia z rozpaczą. — Gdy Abraham wracał z kościoła, ujrzał je trzepiące dywany na cmentarzu metodystów. Od dzisiaj żadnemu metodyście nie będę mogła spojrzeć w oczy. Wyobrażasz sobie, jaki to będzie skandal?

Istotnie, skandal był wielki i historia ta przebiegała z ust do ust, aż wkrótce wszyscy mieszkańcy Glen dowiedzieli się, że dzieci nie tylko robiły wielkie porządki i pranie w niedzielę, ale urządziły piknik na cmentarzu metodystów w czasie szkółki niedzielnej. Wieść o skandalu nie dotarła tylko do samej plebanii, bo przez następne trzy dni deszcz nie przestawał padać, więc Flora i Una nie wychodziły zupełnie, a i do plebanii nikt z sąsiadów nie zaglądał. Na domiar wszystkiego rodzina Blythe'ów, z wyjątkiem Zuzanny i doktora, wybrała się z wizytą do Avonlea, więc nawet codzienne spotkania w Dolinie Tęczy zostały przerwane.

— Już chleb nam się kończy i baraniny więcej nie ma — narzekała Flora. — Co zrobimy, jeżeli ciotka Marta i jutro nie wstanie?

— Chleb kupimy w sklepie, a oprócz tego mamy jeszcze suszonego sztokfisza — uspokajała Una. — Będziesz umiała go ugotować?

— Och, nic łatwiejszego — zaśmiała się Flora. — Zwyczajnie kładzie się do wody i gotuje.

Niestety, sztokfisz po ugotowaniu był tak słony, że nie nadawał się do jedzenia. Tego wieczoru głód zaczął dokuczać dziewczynkom, lecz nazajutrz zmartwienia ich pierzchły. Słońce zajaśniało znowu na przezroczystym błękicie nieba, Karolek czuł się już zupełnie dobrze, a ciotkę Martę nareszcie opuściły bóle. Rzeźnik zawitał na plebanię i odgonił widmo głodu. A na dodatek Blythe'owie wrócili do domu i wszyscy, nie wyłączając Marysi Vance, spotkali się znowu w Dolinie Tęczy, gdzie rozkwitły świeże stokrotki i słodko dzwoniły dzwoneczki w świątyni Leśnych Kochanków, a w rozłożystych konarach klonów szemrał ciepły, wieczorny wiaterek.

STRASZNE ODKRYCIE

— No, nareszcie was znowu widzę! — zawołała Marysia, witając się z przyjaciółmi.

Panna Kornelia poszła do Złotego Brzegu, aby się podzielić nowymi ploteczkami z Anią i Zuzanną, więc Marysia, korzystając z wolnego czasu, postanowiła przybiec do ukochanej Doliny Tęczy, gdzie już nie była przeszło dwa tygodnie.

— Aleście nabroiły — dodała.

— Co takiego? — zapytali wszyscy chórem, z wyjątkiem Waltera, który jak zwykle siedział w zamyśleniu.

— Mam na myśli Unę i Florę — rzekła Marysia. — Oszalałyście chyba. Doprawdy, do tego trzeba się urodzić i wychować na plebanii!

— Co takiego? — zapytała Flora niepewnie.

— Jeszcze się pyta! Opowiadają straszne rzeczy. Ojcu narobiłyście wstydu na całą parafię. Chyba nie będzie tu mógł dłużej pozostać! Wszyscy mają do niego urazę. Mogłybyście się wstydzić.

— Co takiego zrobiłyśmy? — zapytała Una z rozpaczą. Flora milczała, obrzucając Marysię niechętnym spojrzeniem.

— Jakie mi niewiniątka! — zaśmiała się Marysia. — Wszyscy już o tym wiedzą.

— Ja nie wiem — wtrącił Kuba Blythe z oburzeniem. — Nie doprowadzaj Uny do płaczu, Marysiu Vance. Powiedz, co masz na myśli.

— Oczywiście, że ty nic nie wiesz, bo dopiero wróciłeś do Glen — zauważyła dziewczynka nieco łagodniej. Kuba wpływał na nią uspokajająco. — Ale wierzcie mi, że cała wieś o tym mówi.

— Ale o czym?

— Że Flora i Una nie poszły w niedzielę do szkółki, tylko sprzątały mieszkanie.

— Nieprawda! — zawołały Meredithówny w zgodnym, namiętnym proteście.

Marysia spojrzała na nie znacząco.

— Nie myślałam, że będziecie zaprzeczać po tym wszystkim, jak mnie samą odwodziłyście od kłamstwa — rzekła. — Co z tego, że wy się zapieracie? Wszyscy już o tym wiedzą. Widzieli was państwo Clow. Niektórzy mówią, że parafianie przestaną przychodzić do kościoła, co prawda ja w to wątpię. Przyjemniaczki z was.

Nan Blythe wstała i otoczyła ramionami Florę i Unę.

— Marysiu Vance, nie pamiętasz, jakie one były dla ciebie dobre, gdyś umierała z głodu w szopie pana Taylora? — rzekła z wyrzutem. — Ładnie okazujesz swą wdzięczność.

— Właśnie że jestem wdzięczna — odparła Marysia. — Przekonałabyś się, gdybyś słyszała, jak stanęłam w obronie pana Mereditha. Wystrzępiłam sobie język, broniąc go w tym tygodniu. W kółko powtarzałam, że przecież nic się strasznego nie stało, jeżeli nawet dziewczęta sprzątały mieszkanie w niedzielę. Jego nie było — ale oni wszystko wiedzą lepiej.

— Ależ to nieprawda — zaprotestowała Una. — Myśmy sprzątały w poniedziałek, prawda Flora?

— Naturalnie — przytaknęła Flora z błyszczącymi oczyma. — Mimo deszczu poszłyśmy do szkółki niedzielnej, ale nikogo tam nie było, nawet Abraham Clow się nie zjawił, chociaż udaje takiego pobożnego.

— Deszcz padał w sobotę — rzekła Marysia — w niedzielę była piękna pogoda. Nie poszłam do szkółki niedzielnej, bo mnie strasznie bolał ząb, ale wszyscy tam byli i przechodząc, widzieli, jak trzepałyście dywany na cmentarzu.

Una usiadła na trawie i wybuchnęła głośnym płaczem.

— Słuchajcie! — zawołał rezolutnie Kuba. — To trzeba stanowczo wyjaśnić. Ktoś tutaj popełnił błąd. W niedzielę naprawdę była prześliczna pogoda, Floro. Jak mogłyście myśleć, że sobota to właśnie niedziela?

— W czwartek wieczorem było zebranie kościelne! — zawołała płaczliwie Flora. — W piątek Adam wpadł do garnka z zupą i kot ciotki Marty o mało go nie zadusił! W sobotę Karolek znalazł w piwnicy węża i przyniósł go do jadalni, a w niedzielę strasznie lało.

— Zebranie kościelne było w środę wieczorem — rzekła Marysia. — Ponieważ pan Baxter wyjeżdżał we czwartek, więc zebranie musiało się odbyć w środę. Pokręciłyście wszystkie dni, moje drogie, i dlatego sprzątałyście w niedzielę.

Nagle Flora wybuchnęła głośnym śmiechem.

— Wiesz, że masz rację. A to świetna historia!

— Dla twego ojca nie będzie to takie wesołe — rzekła Marysia z przekąsem.

— Przecież wreszcie wszyscy się dowiedzą, że to była tylko omyłka — rzekła Flora beztrosko. — Ludziom się jakoś wytłumaczy.

— Nie wiem, czy to się wam uda — zauważyła Marysia. — Ja lepiej znam ludzi niż wy. Nie wszyscy uwierzą, żeście się tylko pomyliły.

— Uwierzą, jak im powiemy szczerze — upierała się Flora.

— Nie zdołacie wszystkim tego wytłumaczyć — mówiła Marysia. — Po prostu skompromitowałyście waszego ojca.

Una nie odzyskała już humoru do końca dnia, tylko Flora zapatrywała się na całą sprawę dość pogodnie. Poza tym miała plan, dzięki któremu wszystko musiało się jakoś ułożyć. Postanowiła więc nie martwić się tym, co było, lecz używać do syta swobody i radować się wraz z innymi. Kuba poszedł łowić ryby, a Walter otrząsnął się z zamyślenia i postanowił coś przeczytać. Marysia skupiła na nim całą swoją uwagę. Pomimo tego, że chłopiec ją onieśmielał, uwielbiała wsłuchiwać się w jego „uczone słowa". Zawsze odczuwała przy tym niewysłowioną wprost radość i przyjemność. Tego dnia Walter zagłębił się akurat w Coleridge'a i roztoczył przed nią wizję niebiańskiego raju:

(...) w środku sady i strumienie
Kręte, nad nimi kwitną wonne drzewa,
A tam znów bory stare jak wzgórz cienie
*Gdzie w plamach słońca zieleń się przelewa**.

Marysia słuchała go z uwagą. Mimo dziwnego lęku, jakim przejmował ją zawsze Walter, ogromnie lubiła jego opowieści. Wczoraj właśnie przeczytał jakąś baśń o dziewczynce, która dostała się do nieba i błądziła w tamtejszych lasach, pełnych kwiatów i śpiewających ptaków.

— Nigdy nie przypuszczałam, że w niebie są lasy — rzekła Marysia z głębokim westchnieniem. — Myślałam, że tam są tylko ulice, ulice, ulice.

— Oczywiście, że muszą być lasy — wtrąciła się Nan. — Mamusia i ja nie mogłybyśmy żyć, gdybyśmy nie miały

---

* Samuel Taylor Coleridge, fragment utworu *Kubla Chan* w przekładzie Jerzego Pietrkiewicza (przyp. red.).

drzew dokoła. Po co by ludzie się tak garnęli do nieba, gdyby tam nie było ani odrobiny zieleni?

— Miasta są tam także — mówił młody marzyciel — piękne, wspaniałe miasta, o domach zabarwionych kolorem zachodzącego słońca, z szafirowymi wieżami i świątyniami ze strzępów tęczy. Wszystko jest zbudowane ze złota i diamentów, całe ulice diamentowe, połyskujące w słońcu. Na skwerach biją kryształowe fontanny i wszędzie rosną kwiaty niebiańskie.

— Fantazja! — wyszeptała Marysia. — Widziałam główną ulicę w Charlottetown, jest naprawdę wspaniała, ale przecież takiej na pewno w niebie nie ma. To wszystko ślicznie brzmi, co ty mówisz, ale jakoś nie chce mi się w to wierzyć.

— Och, jakie by to było zabawne, gdyby aniołowie tu kiedyś zeszli do nas i o wszystkich tych cudach opowiedzieli! — zawołała swobodnie Flora.

— Niebo jest jednym wielkim cudem — oświadczyła Di.

— W Biblii wcale o tym nie ma mowy! — zawołała Marysia, która ostatnio co niedzielę czytała Biblię pod okiem panny Kornelii i uważała się już za prawdziwy autorytet pod tym względem.

— Mama twierdzi, że język biblijny jest symboliczny — zauważyła Nan.

— To znaczy, że nie jest prawdziwy? — podchwyciła Marysia.

— Nie, niezupełnie, ale wątpię, czy w niebie jest tak, jak sobie wyobrażacie.

— Chciałabym, żeby tam było tak jak tutaj w Dolinie Tęczy — rzekła Marysia — żeby można się było tak wesoło bawić i śmiać tak głośno. Zupełnie mi to wystarczy. Niestety, do nieba można dopiero pójść po śmierci, więc po co się mamy teraz głowić, jak tam jest naprawdę? O, Kuba już wraca z nałapanymi pstrągami, dzisiaj jest moja kolej, by je usmażyć.

— Właściwie my powinnyśmy najwięcej wiedzieć o niebie, więcej od Waltera, bo jesteśmy przecież córkami pastora — mówiła Una, gdy obydwie z Florą wracały tego wieczoru do domu.

— My wiemy, a Walter umie sobie to wszystko wyobrazić — odparła Flora. — Pani Elliott twierdzi, że odziedziczył to po swojej matce.

— Boże, jaka szkoda, żeśmy się tak pomyliły co do tej niedzieli — westchnęła Una.

— Nie martw się. Już obmyśliłam, w jaki sposób wytłumaczymy to wszystkim — uspokajała Flora. — Zaczekaj tylko do jutra.

WYJAŚNIENIE

Nazajutrz wieczorem kościół prezbiteriański przepełniony był po brzegi podczas nabożeństwa, które odprawiał wielebny doktor Cooper. Doktor Cooper znany był jako najlepszy kaznodzieja i kierował się zawsze dewizą, że pastor winien prezentować najlepsze stroje w mieście, a najlepsze kazanie na wsi. Lecz po powrocie do domu parafianie nie o dzisiejszym kazaniu mówili. Coś zupełnie innego absorbowało ich umysły.

Gdy doktor Cooper na zakończenie odchrząknął, starł pot z czoła i zaintonował *Módlmy się*, nastała krótka chwila ciszy. W prezbiteriańskim kościele Glen St. Mary przyjął się zwyczaj, że nabożeństwo odbywało się zawsze po kazaniu, a to tylko dlatego, że dawny zwyczaj odprawiania modłów przed kazaniem przyjęli metodyści. Ani panna Kornelia, ani pobożny Abraham Clow nie znieśliby, żeby w prezbiteriańskim kościele porządek rzeczy był taki sam jak u metodystów. Karol Baxter i Tomasz Douglas zamierzali wstać i zebrać wśród parafian zwykłą składkę na potrzeby kościoła, organista zasiadł już do organów, a członkowie chóru chrząkali głośno przed rozpoczęciem dziękczynnej pieśni, gdy w tej właśnie chwili z ławki powstała Flora Meredith, wstąpiła na stopnie głównego ołtarza i śmiałym spojrzeniem objęła zdziwiony tłum.

Panna Kornelia uniosła się ze swojego miejsca, po czym znowu przysiadła. Ławka jej znajdowała się dość daleko od ołtarza, więc lękała się, że cokolwiek Flora powie, nie dotrze wyraźnie do jej uszu. Nie należało jednak wywoływać jeszcze większej sensacji. Obrzuciła przestraszonym wzrokiem panią doktorową Blythe i panią diakonową Warren z kościoła metodystów, pewna, że nastąpić musi jakiś skandal.

„Gdyby chociaż ta mała była przyzwoicie ubrana" — pomyślała w duchu.

Flora, poplamiwszy atramentem swoją najlepszą sukienkę, beztrosko włożyła starą, pocerowaną. Oberwany brzeg sukni przyczepiony był szkarłatną nitką, przy czym fastryga nie została wyjęta. Lecz w tej chwili Flora nie myślała zupełnie o swym stroju, była zbyt podniecona. To, co wydawało się łatwe w wyobraźni, okazało się nieco trudniejsze do zrealizowania. Gdy się znalazła w obliczu tych przypatrujących jej się ze zdumieniem ludzi, odwaga zupełnie ją opuściła. Kościół był rzęsiście oświetlony, a cisza panująca w nim przejmowała ją dziwnym lękiem. Przez chwilę zdawało jej się, że nie zdoła nic powiedzieć. Jednak to było konieczne, musi ojca oczyścić z wszelkich podejrzeń. Tylko jakoś nie mogła wykrztusić z siebie ani słowa.

Pobladła twarzyczka Uny spoglądała ku niej z pierwszej ławki. Dzieci Blythe'ów oniemiały ze zdziwienia. Tuż pod galerią chóru Flora widziała słodko uśmiechającą się pannę Rosemary West i rozbawioną pannę Ellen, ale żadna nie przyszła jej z pomocą. Wyręczył je w tym wypadku Bertie Szekspir Drew, który siedząc w jednej z pierwszych ławek, począł robić ucieszne miny do Flory. Flora odpowiedziała mu taką samą miną i tak się rozzłościła na Bertie Szekspira, że zapomniała zupełnie o swoim przerażeniu. Opanowała się i poczęła mówić prosto i wyraźnie.

— Chciałam coś wyjaśnić — rzekła — a pragnę to uczynić teraz, gdy wszyscy są tutaj w kościele. W Glen rozniosła się pogłoska, że ja i Una w zeszłą niedzielę pozostałyśmy w domu, aby sprzątać mieszkanie, zamiast pójść do szkółki niedzielnej. Istotnie tak było, ale nie z naszej winy. Pokręciłyśmy wszystkie dni w tygodniu.

Winę przypisać należy panu Baxterowi — (podniecenie w ławce rodziny Baxterów) — dlatego że zwołał zebranie kościelne w środę wieczorem, nic więc dziwnego, że czwartek wzięłyśmy za piątek, a sobotę za niedzielę. Karolek i ciotka Marta leżeli chorzy, więc nie było komu naprawić naszego błędu. Poszłyśmy w sobotę podczas strasznego deszczu do szkółki niedzielnej i nikogo tam nie zastałyśmy. Potem postanowiłyśmy sprzątnąć dom w poniedziałek, żeby wszystkie stare plotkarki przestały gadać, że na plebanii jest brudno — (ogólne podniecenie). — Trzepałam dywany na cmentarzu metodystów, bo tam mi było najwygodniej, lecz nie miałam wcale zamiaru profanować pamięci zmarłych. Zresztą to nie oni mają do nas pretensje, tylko ludzie żywi. Niesłusznie obwiniacie o to wszystko naszego ojca, bo on o niczym nie wie, a nam także powinniście wybaczyć naszą pomyłkę. Ojciec nasz jest najlepszym ojcem na świecie i wszyscy bardzo serdecznie go kochamy.

Głos Flory się załamał i przeszedł w spazmatyczny szloch. Zbiegła szybko ze stopni, kierując się pędem w stronę bocznych drzwi kościoła. Gdy znalazła się przed świątynią, owionął ją ciepły letni wietrzyk, który ukoił ból w jej serduszku. Była teraz najzupełniej szczęśliwa. Wyjaśniła dokładnie wszystko i parafianie zrozumieli chyba, że w tej całej sprawie nie było absolutnie winy ojca i że obydwie z Uną zupełnie bezwiednie wzięły się do sprzątania w niedzielę.

Tymczasem w kościele ludzie zaczęli niemo spoglądać na siebie i dopiero Tomasz Douglas przerwał milczenie, przechodząc do nawy bocznej dla spełnienia zwykłego swego obowiązku. Przecież mimo wszystko nabożeństwo musiało się odbyć. Chór ze spokojem zaintonował swą pieśń, a doktor Cooper opanowanym głosem zaczął powtarzać słowa litanii. Wielebny pastor miał niezwykłe poczucie humoru i wystąpienie Flory ubawiło go ogromnie. Poza tym John Meredith znany był dobrze w gronie prezbiterian.

Pan Meredith wrócił do domu nazajutrz po południu, lecz przed jego powrotem Flora poruszyła znowu całe Glen nowym swym wystąpieniem. Po chwilowym wybuchu w niedzielę wieczorem i po wypowiedzeniu słów prawdy w kościele dziewczynka już w poniedziałek dała upust swojej niespożytej energii. Nic więc dziwnego, że właśnie w poniedziałek na głównej ulicy Glen ukazał się Walter Blythe jadący na oklep na prosięciu, a za nim na drugim prosięciu Flora Meredith.

Prosięta były duże i świetnie wypasione. Nic dziwnego: należały do ojca Bertie Szekspira Drew, który specjalną uwagę zwracał na zewnętrzny wygląd swego inwentarza. Walterowi właściwie ta eskapada nigdy nie przyszłaby na myśl, ale skoro Flora tak postanowiła, to trudno się było jej sprzeciwiać. Zjechali z pagórka i pomknęli w stronę wsi, Flora pochylona na grzbiecie zwierzęcia, z roześmianą twarzyczką, Walter purpurowy ze wstydu. Minęli właśnie pastora wracającego z dworca. Pastor był dzisiaj jakoś bardziej przytomny niż zwykle, co zawdzięczał pogawędce w pociągu z panną Kornelią, która od czasu do czasu zwykła była sprowadzać go na ziemię. Chciał nawet zganić Florę za tę eskapadę, lecz po powrocie do domu wkrótce o tym wszystkim zapomniał. Dzieci przemknęły tuż obok zgorszonej pani Aleksandrowej Davis i wpadły prawie pod nogi pannie

Rosemary West, która wybuchnęła głośnym śmiechem na ten dziwaczny widok. Wreszcie, nim zdenerwowane prosięta zdołały wbiec na dziedziniec pana Drew, Flora i Walter zręcznie z nich zeskoczyli, lecz w tej chwili natknęli się na przechodzących ulicą państwa Blythe'ów.

— Ładnie wychowujesz naszych chłopców — zwrócił się Gilbert z udaną surowością do żony.

— Może ich psuję nieco — szepnęła Ania w zamyśleniu — ale gdy pomyślę o latach swego dzieciństwa, zanim jeszcze przybyłam na Zielone Wzgórze, nie mogę być dla naszych dzieci zbyt sroga. Jakże wtedy łaknęłam miłości i zabawy! Nasze dzieciaki świetnie spędzają czas w towarzystwie dzieci z plebanii.

— A co z biednymi prosiętami? — zapytał Gilbert.

Ania usiłowała nadać swej twarzy wyraz zatroskania.

— Sądzisz, że naprawdę stała im się krzywda? Ja przypuszczam, że nic im nie będzie. Przez całe lato były istną plagą dla sąsiadów i państwo Drew nie mogli sobie z nimi dać rady. Pomówię o tym poważnie z Walterem, jeżeli się tylko będę mogła zdobyć na to, żeby się nie roześmiać, bo ta cała historia wydaje mi się niezwykle komiczna.

Panna Kornelia przybyła tego popołudnia do Złotego Brzegu, aby podzielić się z przyjaciółmi wrażeniami z niedzielnego wieczoru. Ku jej wielkiemu zdziwieniu Ania miała całkiem inne zdanie o wystąpieniu niedzielnym Flory.

— Uważam, że zdobyła się na nadzwyczajną odwagę, wyznając to wszystko w obecności tylu osób — zauważyła. — Niech pani weźmie pod uwagę, jaki lęk musiał ogarnąć to biedactwo, lecz postanowiła uniewinnić swego ojca. Bardzo ją za to cenię.

— Och, oczywiście, mała chciała postąpić jak najlepiej — westchnęła panna Kornelia — ale to jej wystąpienie odniosło wręcz przeciwny skutek i więcej się o tym mówi niż o niedzielnych porządkach. O tamtym skandalu na pewno wkrótce by zapomniano. Rosemary West jest tego samego zdania co ty i powiada, że ogromnie jej było żal Flory. Panna Ellen uważa to za wspaniały żart i twierdzi, że od lat nie miała tyle zabawy w kościele. Tylko, że one należą do Kościoła episkopalnego, więc nic dziwnego, że bagatelizują całą sprawę. Za to prezbiterianie są bardzo poruszeni tym incydentem. Tamtego wieczoru przyszło mnóstwo gości hotelowych i bardzo wielu metodystów. Pani Leandrowa Crawford aż się popłakała z przejęcia. A pani Aleksandrowa Davis nazwała Florę zuchwałą pannicą, której należałoby spuścić tęgie lanie.

— Pani Leandrowa Crawford zawsze płacze w kościele — wyraziła się pogardliwie Zuzanna. — Jak tylko pastor powie coś chwytającego za serce, ona natychmiast zaczyna ronić łzy. Za to rzadko widzi się jej nazwisko na liście darczyńców, droga pani doktorowo. Najwidoczniej taniej jest sobie popłakać. Któregoś dnia zaczepiła mnie, żeby porozmawiać o ciotce Marcie i wspólnie ponarzekać, jaka to z niej marna gospodyni. W pierwszej chwili miałam ochotę powiedzieć jej: „Pani Crawford, wszyscy doskonale wiedzą, że to właśnie pani ma w zwyczaju zagniatać ciasto w tej samej misce, w której zmywa się brudne naczynia!" Powstrzymałam się jednak, droga pani doktorowo, z szacunku do samej siebie — nie zwykłam wdawać się w dyskusje z takimi jak ona. Mogłabym powiedzieć o niej jeszcze gorsze rzeczy, ale nie bawi mnie głoszenie plotek. A jeśli idzie o panią Aleksandrową Davis, to gdyby przy mnie odezwała się w ten sposób, droga pani doktorowo, wie pani, co bym jej rzekła? Powiedziałabym tak: „Wcale nie wątpię, że miałaby pani ogromną ochotę spuścić lanie córce pastora, ale na szczęście nigdy do tego nie dojdzie — ani na tym świecie, ani na tamtym".

— Gdybyż tylko ta biedna Flora była nieco lepiej ubrana — lamentowała znowu panna Kornelia — może nie wyglądałoby to aż tak źle. Ale ta sukienczyna, w której wystąpiła w kościele, na oczach wszystkich, była naprawdę w opłakanym stanie.

— Chyba była czysta, droga pani doktorowo? — wtrąciła Zuzanna. — Trzeba przyznać, że dzieci są ubrane biednie, ale czysto. Zawsze są umyte i porządnie uczesane.

— Jak taka Flora mogła zapomnieć, że to właśnie jest niedziela — martwiła się panna Kornelia. — Wyrośnie z niej taki sam niepraktyczny człowiek jak ojciec, wierzcie mi. Sądzę, że Karolek nigdy by na to nie pozwolił, gdyby nie był tego dnia chory. Nie wiem, co mu wtedy było, ale przypuszczam, że zaszkodziły mu te porzeczki, których się najadł na cmentarzu. Nic dziwnego, że mu zaszkodziły. Gdybym była metodystką, nigdy bym nie pozwoliła, aby w ten sposób profanowano cmentarz.

— Sądzę, że Karol najadł się raczej zielonych jabłek — próbowała tłumaczyć Zuzanna. — Nie widziałam jeszcze, aby syn pastora objadał się porzeczkami wyrosłymi na mogiłach nieboszczyków.

— Najtragiczniejsze było to, że Flora, nim jeszcze zaczęła mówić w kościele, robiła jakieś nieprzyjemne miny do któregoś z parafian — dorzuciła panna Kornelia. — Abraham Clow twierdzi, że miny te były skierowane do niego. A słyszeliście, że Flora dzisiaj jechała na prosięciu?

— Widziałam ją. Mój Walter dotrzymywał jej towarzystwa. Dałam mu za to porządną burę. Nie tłumaczył się, ale odniosłam wrażenie, że to był jego pomysł, a nie Flory.

— W to już stanowczo nie uwierzę, droga pani doktorowo! — zawołała Zuzanna, wznosząc w górę ramiona. — Walter zawsze przyjmuje na siebie winę. Obydwie dobrze wiemy, droga pani doktorowo, że nasz kochany chłopak nie wpadłby nigdy na pomysł przejechania się na prosięciu, pomimo iż pisze poezje.

— Bezwarunkowo ta myśl mogła się zrodzić tylko w głowie Flory Meredith — przyznała panna Kornelia. — Z drugiej strony, jestem zadowolona, że taki koniec spotkał prosięta pana Drew. Jaki to wstyd dla nas, żeby coś podobnego robiła córka pastora!

— I syn doktora! — dorzuciła Ania, naśladując ton panny Kornelii. Po chwili roześmiała się. — Droga panno Kornelio, przecież to są jeszcze dzieci. Właściwie nic złego nie robią. Ja także kiedyś byłam bardzo psotna, a jednak wyrosłam na stateczną niewiastę.

Panna Kornelia zaśmiała się także.

— Czasami, droga Aniu, widzę po twoich oczach, że chętnie zrzuciłabyś z siebie kostium dostojnej matrony i zrobiła znowu coś szalonego, tak jak ci się to często zdarzało w młodości. Ja w każdym razie nabieram przy tobie ochoty do życia. Zawsze tak się czuję po rozmowie z tobą. Za to gdy spotykam się z Barbarą Samson, jest dokładnie odwrotnie. Przy niej zawsze świat wygląda ponuro i wydaje mi się, że ten stan rzeczy będzie trwał wiecznie. Rozumiem jednak, że życie u boku takiego mężczyzny jak Joe Samson niekoniecznie musi nastrajać optymistycznie.

— To naprawdę dziwne, że ona zdecydowała się wyjść właśnie za Joego Samsona, mimo że wokół było tylu innych — zauważyła Zuzanna. — Jako młoda dziewczyna miała wielkie powodzenie u mężczyzn. Kiedyś lubiła się przechwalać, że starało się o nią dwudziestu jeden adoratorów, nie licząc pana Pethicka.

— A kto to taki, ten pan Pethick?

— Jakby to rzec, droga pani doktorowo, on ciągle się koło niej kręcił, ale nie był oficjalnym narzeczonym. Nigdy nie składał bowiem żadnych poważnych deklaracji. Dwudziestu jeden narzeczonych — a ja nigdy nie miałam nawet jednego! Tylko że Barbara tak długo przebierała, że w końcu trafiło jej się zgnite jabłko. Mimo to ludzie mówią, że jej mąż potrafi upiec lepsze ciasteczka niż ona, i że to on zabiera się za pieczenie, gdy mają przyjść do nich goście.

— No proszę, przypomniało mi się, że ja również mam jutro gości. Muszę lecieć do domu i dopilnować, żeby ciasto na chleb odpowiednio wyrosło — powiedziała panna Kornelia. — Marysia wprawdzie mówiła, że chętnie mnie wyręczy i bez wątpienia świetnie dałaby sobie radę, ale póki żyję i mam się dobrze, sama potrafię o wszystko zadbać, możecie mi wierzyć.

— A jak się Marysia sprawuje? — zapytała Ania.

— Nie mam jej nic do zarzucenia — odrzekła panna Kornelia ponuro. — Troszkę utyła, jest czysta i posłuszna, tylko nigdy z niej nic wydobyć nie można. To idealna pracownica. Ta dziewczyna urodziła się do pracy. Wyobraźcie sobie, że tak ze wszystkim potrafi szybko się uwinąć, że ja po prostu nie mam nic do roboty. Chciałabym, żeby już jak najprędzej rozpoczęła się szkoła, bo może wreszcie wtedy mogłabym sama wrócić do gospodarstwa. Marysia wprawdzie nie chce chodzić do szkoły, ale ja ją do tego zmuszę. Później jeszcze wśród metodystów rozniosłaby się pogłoska, że trzymam u siebie biedną dziewczynę i zamęczam ją na śmierć.

DOM NA WZGÓRZU

W Dolinie Tęczy, w jednym z najodleglejszych zakątków, znajdowało się małe źródło ukryte między drzewami, z którego tryskała zawsze czysta i lodowato zimna woda. Nie wszyscy znali to źródło, ale za to wiedziały o nim dzieci z plebanii i dzieci ze Złotego Brzegu, jak zresztą wiedziały o wszystkim, co dotyczyło czarownej doliny. Często piły wodę z tego źródełka, a podczas zabaw służyło im ono za fontannę. Ania również wiedziała o nim i lubiła je, bo przypominało jej dawne czasy przeżyte na Zielonym Wzgórzu. Wiedziała o nim także Rosemary West i źródełko to było dla niej również romantyczną fontanną. Osiemnaście lat temu siadywała tutaj i słuchała wyznań Marcina Crawforda o jego gorącej, chłopięcej miłości. Wyszeptała i swoje wzajemne wyznanie i przypieczętowała je pocałunkiem i przyrzeczeniem. Odtąd nigdy się nie zobaczyli — Marcin wyruszył wkrótce potem w ową tragiczną podróż na morze, ale dla Rosemary West miejsce to pozostało na zawsze uświęcone dzięki nieśmiertelnej godzinie miłości i młodzieńczym wspomnieniom. Szła tam zawsze jak na tajemną schadzkę z dawnym wspomnieniem — wspomnieniem, z którego uleciał ból, a pozostała jedynie niezapomniana słodycz.

Wiosna jest najczarowniejszą porą roku. Wszystko budzi się do nowego życia, podczas gdy lato jest niejako spełnieniem młodzieńczych wiosennych marzeń. Ukryte źródełko przetrwać już musiało długie lata w otoczeniu rozłożystych jodeł i wysokich klonów. Widziało już niejednokrotnie, jak liście z drzew opadają i jak potem drzewa okrywają się świeżą zielenią. I tego roku, gdy nadszedł wrzesień, dokoła źródełka rozkwitły smutne jesienne astry, nadające temu ustroniu wygląd jeszcze bardziej czarowny.

John Meredith, wracając ze wsi, obrał sobie najkrótszą drogę, przez Dolinę Tęczy, i zatrzymał się na chwilę przy źródle, aby ugasić pragnienie. Dopiero przed kilku dniami źródło to pokazał mu Walter Blythe i owego popołudnia obydwaj długo rozmawiali, siedząc pod wysokim klonem. John Meredith, pomimo całej swojej nieśmiałości i ciągłego zaabsorbowania problemami nie z tego świata, miał duszę chłopca. Kiedyś w młodości nazywano go Jack, chociaż na pewno nikt teraz w Glen St. Mary w coś podobnego by nie uwierzył. Walter Blythe przypadł mu ogromnie do gustu i pan Meredith, dzięki umiejętności wnikania w psychikę ludzi, potrafił zgłębić dno duszy chłopaka i poznać takie tajniki jego myśli, których nawet Di nie znała. Od chwili tej pierwszej rozmowy stali się obydwaj serdecznymi przyjaciółmi i Walter doszedł do wniosku, że nigdy już nie będzie odczuwał lęku na widok pastora.

— Nie przypuszczałem, abym się mógł zaprzyjaźnić z pastorem — wyznał matce tego samego wieczoru.

John Meredith pił chłodną wodę, zaczerpniętą swą białą dłonią, która wzbudzała zazwyczaj taki zachwyt we wszystkich niemal parafianach, po czym przysiadł pod tym samym wysokim klonem. Do domu się nie śpieszył. Było mu tu dobrze i mógł swobodnie myśleć po przemęczeniu długą rozmową z kilku poczciwymi, lecz niezbyt rozgarniętymi członkami swej parafii. Na granatowym niebie ukazała się tarcza księżyca. W Dolinie Tęczy panowała cisza pełna tajemniczych czarów i tylko z dala dobiegały wesołe głosy rozbawionej dziatwy.

Pastelowe barwy astrów w poświacie księżyca, srebrzysty połysk wody bijącej ze źródła, szum pobliskiego strumyka, wszystko to wywierało magiczny wpływ na duszę Johna Meredítha. Zapomniał o swych codziennych troskach, zapomniał o rozwikływaniu dziejowych problemów. Lata pozostały daleko za nim i był znowu młodym studentem, pochylonym nad ciemną główką swojej ukochanej Cecylii. Siedział rozmarzony jak młody, budzący się do życia chłopak. I nagle w tej chwili stanęła przed nim Rosemary West, którą właściwie John Meredith ujrzał dziś naprawdę po raz pierwszy.

Widywał ją kilkakrotnie w kościele, parę razy witał się z nią i żegnał, lecz zawsze był myślą gdzie indziej, gdy ona przechodziła tuż obok i niknęła w bocznej nawie. Nigdzie więcej nie miał okazji jej spotkać. I gdyby do dzisiaj ktoś zapytał Johna Meredítha, jak wygląda Rosemary West, na pewno nie potrafiłby jej określić. Teraz dopiero ukazała mu się w całej pełni, w blasku srebrzystego księżyca, pochylona nad źródełkiem.

Właściwie niczym nie przypominała Cecylii, która dla niego była wyśnionym ideałem kobiecej piękności. Cecylia była mała, ciemnowłosa i ruchliwa; Rosemary West z kolei — wysoka, jasna i spokojna, a jednak John Meredith pomyślał, że nigdy jeszcze nie widział podobnie pięknej kobiety. Była bez kapelusza i złote włosy koloru świeżego lnu — jak mówiła Di Blythe — splecione w warkocze, ciasno okalały jej głowę, miała duże, piękne, niebieskie oczy, które zawsze zdawały się przyjaźnie spoglądać, wysokie, białe czoło i piękny owal twarzy. Rosemary West uchodziła za uroczą kobietę. Była tak czarująca, że chociaż trzymała się z dala od mieszkańców Glen St. Mary, nigdy nikt nie nazywał jej zarozumiałą. Życie nauczyło ją być dzielną, cierpliwą, kochać i przebaczać. Długo wypatrywała statku, na którym jej narzeczony wyruszył na morze z Przystani Czterech Wiatrów, ale nigdy go nie ujrzała powracającego. Czuwanie to w dziwny sposób utrzymało ją w młodości. Wydawało się, że na zawsze zachowała radosną świeżość wobec zagadnień życia, którą zazwyczaj tracimy w wieku dojrzałym — i to nie tylko uczyniło Rosemary jak gdyby wiecznie dziewczęcą, ale dawało przyjemne złudzenie młodości każdemu, kto miał z nią do czynienia.

John Meredith zaskoczony był urodą Rosemary, tak samo jak ona była zaskoczona jego obecnością. Nie przypuszczała, aby mogła spotkać kogokolwiek przy źródle, a tym bardziej kogoś z plebanii. Trzymała pod pachą kilka książek, które wypożyczyła z czytelni, i usiłowała ukryć wyraz zmieszania, jaki się pojawił na jej twarzy.

— Miałam... straszne pragnienie — rzekła, zająknąwszy się nieco, w odpowiedzi na obojętne na pozór pozdrowienie pana Mereditha. Czuła, że w tej chwili była intruzem i pragnęła nade wszystko wycofać się stąd jak najprędzej. To jej zmieszanie jednak dodało odwagi panu Meredithowi; zapomniał o swej zwykłej nieśmiałości, a może srebrzysty księżyc tak go dziwnie usposobił.

— Pozwoli pani sobie przynieść kubeczek — zaproponował z uśmiechem. Wiedział o kubeczku ukrytym pod wysokim klonem przez dzieci ze Złotego Brzegu. Po chwili zaczerpnął wody ze źródła i podał kubeczek Rosemary.

Rosemary zaczęła pić wolno, bo właściwie wcale nie miała pragnienia, a przyszła tu tylko dlatego, że właśnie tego wieczoru dawne wspomnienia powróciły z większą jeszcze mocą. Po wypiciu wody oddała kubeczek pastorowi i tak się jakoś dziwnie stało, że on, pijąc wodę po chwili, przyłożył usta do tego samego miejsca, na którym przed momentem spoczywały jej usta. Ten drobny szczegół wywarł na nich obojgu wielkie wrażenie. Panna Rosemary przypomniała sobie nagle, że jedna z jej starych ciotek twierdziła, iż ludzie pijący z jednego naczynia łączą się potem na całe życie, znosząc wspólnie dolę i niedolę.

John Meredith niepewnym ruchem odjął kubek od ust, jakby nie wiedząc, co ma z nim zrobić. Właściwie powinien był zanieść go tam, skąd go wziął, lecz jakaś dziwna siła nie pozwalała mu ruszyć się z miejsca. Rosemary wyciągnęła rękę.

— Pan pozwoli, że ja go odniosę — wyszeptała.

Gdy ukryła kubek na dawnym miejscu pod klonem i wróciła po chwili, zastała pastora w głębokiej zadumie. Otrząsnął się jednak szybko z zamyślenia i zwrócił się do niej uprzejmie:

— Zaniosę pani te książki do domu, panno West.

Rosemary znów poczuła się zakłopotana i na poczekaniu zmyśliła małe kłamstewko.

— Och — powiedziała — one wcale nie są ciężkie.

Mimo to pastor zdecydowanym ruchem sięgnął po książki i oboje ruszyli w dalszą drogę. Po raz pierwszy Rosemary nie pomyślała o Marcinie Crawfordzie. Źródełko przestało być jej tajemnym miejscem schadzek z utraconym ukochanym.

Wąska, mało uczęszczana ścieżka okrążała mokradła, by potem wspiąć się na wysokie lesiste wzgórze, gdzie znajdował się dom panny Rosemary. Zza drzew prześwitywał księżyc, którego blask opromieniał widoczne w oddali, rozległe płaskie pola. Ścieżka była zacieniona i wąska. Gęsto rosnące drzewa nachylały nad nią swe gałęzie, lecz wcale nie wydawały się tak przyjazne jak za dnia. Po zapadnięciu zmroku drzewa stają się obce. Szepczą do siebie ukradkiem, jakby coś knuły. Gdy wyciągają ku nam swe konary, ich dotyk jest wrogi i nieprzyjemny, jakby chciały wybadać, kim jesteśmy. Ludzie spacerujący wśród drzew nocną porą, podświadomie i instynktownie lgną do siebie; wytwarza się między nimi poczucie bliskości, fizycznej i duchowej, jakby zwierali szyki przeciwko otaczającym ich złowrogim siłom. Suknia Rosemary raz po raz ocierała się o ubranie Johna Mereditha, gdy podążali razem drogą. Nawet roztargniony pastor, który ciągle jeszcze był przecież młodym człowiekiem — choć przekonanym, że wszystkie romanse tego świata ma już bezpowrotnie za sobą — nie mógł się oprzeć urokowi tej nocy, krętej wąskiej dróżki i towarzyszącej mu kobiety.

Nigdy nie należy być pewnym, że życie nasze dobiega już kresu, bo kiedy nam się nawet zdaje, że los skończył pisać swą historię, to gdy odwracamy stronicę księgi naszego życia, widzimy ze zdziwieniem świeżo napisany rozdział. Ci dwoje również myśleli, że przyspieszone bicie ich serc należy do przeszłości, i przekonali się, że tak nie jest, teraz dopiero, gdy szli wolnym krokiem w stronę odległego pagórka. Rosemary myślała o tym, że pastor jednak nie jest taki nieśmiały i tak małomówny, jak jej się to dotychczas wydawało, on zaś ze swej strony stał się nagle wymowny i zdawał się pokonywać wszelkie trudności, które dotychczas wydawały mu się nieprzezwyciężone. Mieszkanki Glen byłyby zdumione, gdyby tego wieczoru słyszały pastora, lecz rzadko kiedy interesowały się czymś innym niż cenami jajek i masła, a Johna Mereditha temat ten absolutnie nie obchodził. W tej chwili opowiadał Rosemary o książkach, muzyce, o tym, co się na szerokim świecie dzieje, coś niecoś o sobie i doszedł do wniosku, że ona go jednak doskonale rozumie. Okazało się, że Rosemary ma książkę, którą już przeczytała, a którą pan Meredith chętnie by poznał. Zaznaczyła, że z przyjemnością mu ją pożyczy, i w tym celu pan Meredith wszedł do wnętrza starego domostwa Westów.

Sam dom sprawiał wrażenie dość ponure, obrośnięty był dzikim winem, przez co słońce rzadko kiedy zaglądało do obszernej jadalni. Staroświecki ten budynek, zawieszony niejako tuż nad przystanią, połyskiwał teraz w srebrzystej poświacie księżyca, spoglądając oczodołami swych okien na piaszczyste wybrzeże i na spokojne fale morza.

Szli niewielkim ogródkiem, pachnącym stale różami, chociaż już róże teraz dawno przekwitły. Przy bramie jaśniały blade kielichy lilii, opasane szeroką wstęgą rozkwitłych astrów, biegnącą aż do werandy.

— Ma pani cały świat u progu swego mieszkania — zauważył John Meredith, oddychając pełną piersią. — Cóż za cudowny widok! Czasami czuję, że duszę się w Glen. Tu może pani swobodnie wdychać świeży powiew morskiego wiatru.

— Dzisiaj jest spokojnie — uśmiechnęła się Rosemary. — Na szczęście nie ma wiatru, bo wtedy dopiero mógłby pan ocenić całą rozkosz, jaką ten zakątek posiada. Uważam, że raczej nasz dom powinien nosić nazwę Czterech Wiatrów, bo bardziej tu wietrzno niż w przystani.

— Ja lubię wiatr — odparł pastor. — Dzień pozbawiony podmuchu wiatru jest dla mnie dniem martwym. Wiatr budzi mnie z uśpienia, podczas gdy w ciszy zapadam w letargiczny sen. Pani pewnie zna mnie z tej strony, panno West. Jeżeli następnym razem spotkam panią i nie zauważę, to proszę nie kłaść tego na karb moich złych manier. Prawdopodobnie będę tylko znowu tonął w swojej zwykłej zadumie, więc niech mi pani wybaczy i pierwsza zagada do mnie.

Ellen West zastali w saloniku. Zdjęła binokle i położyła je na książce, którą czytała, po czym spojrzała na wchodzących ze zdziwieniem zabarwionym czymś jeszcze. Przyjaźnie jednak uścisnęła dłoń pana Mereditha i zaczęła zabawiać go rozmową, podczas gdy Rosemary szukała książki.

Ellen West była o dziesięć lat starsza od Rosemary i tak do niej niepodobna, że trudno było uwierzyć, aby te dwie kobiety były siostrami. Wysoka, tęga, o ciemnych włosach, ciemnych brwiach i oczach, połyskujących błękitem wzburzonych fal morskich, miała jakiś dziwnie surowy wyraz twarzy, lecz w istocie była wesoła, serdeczna, często się śmiała, a głos miała niski, przyjemny, jak gdyby męski. Kiedyś zwierzyła się Rosemary, że chciałaby pogadać z tym prezbiteriańskim pastorem z Glen, aby się przekonać, czy on potrafi w ogóle mówić z kobietą. W tej chwili nadarzyła się właśnie ta okazja i Ellen natychmiast skierowała rozmowę na tematy polityczne. Była kobietą niezwykle oczytaną, a ponieważ właśnie studiowała książkę o cesarzu Niemiec, była ciekawa, jakie zdanie o nim ma pan Meredith.

— Niebezpieczny człowiek — brzmiała odpowiedź.

— Ma pan słuszność — skinęła głową panna Ellen. — Proszę zapamiętać moje słowa, panie Meredith, ten człowiek szykuje się do jakiegoś czynu. Coś go pcha naprzód. Musi na świecie rozniecić pożar.

— Jeżeli pani myśli o wszczęciu wielkiej wojny, to przyznam, że ja tego nie przewiduję — zauważył pan Meredith. — W naszych czasach trudno byłoby coś podobnego rozniecić.

— Daj Boże, żeby pan miał słuszność — uśmiechnęła się Ellen. — Nigdy nie wiadomo, co tli się w duszy jednostki, a cóż dopiero w duszy drzemiącego narodu. Będziemy żyli, to sami się przekonamy, panie Meredith. Niestety, temu nikt nie będzie mógł zapobiec. Co do cesarza, proszę zapamiętać moje słowa: będzie z nim wiele kłopotu — i panna Ellen uroczyście wskazała palcem na książkę — tak, jeżeli nie stłumi się tego w zarodku, narobi kłopotu. No, zobaczymy. A kto to stłumi? Anglia, gdyby chciała, ale nie zechce, więc kto, kto?

Pan Meredith nie mógł znaleźć na to odpowiedzi i rozwinęła się mimowolna dyskusja o militaryzmie Niemiec, która trwała jeszcze dość długo po powrocie Rosemary ze znalezioną książką. Rosemary nie wtrącała się do rozmowy, siedząc tuż obok Ellen i głaszcząc wielkiego czarnego kota. Roztrząsając z Ellen tak ważkie zagadnienia państw europejskich, John Meredith częściej spoglądał na Rosemary niż na jej siostrę, co nie uszło uwagi spostrzegawczej Ellen. Gdy wreszcie młodsza siostra odprowadziła gościa do drzwi i wróciła do salonu, Ellen spojrzała na nią z wyrzutem.

— Rosemary West, ten człowiek zaczyna cię wyraźnie adorować.

Rosemary zadrżała. Słowa Ellen uderzyły w nią jak obuchem. Czar minionego wieczoru prysł. Postanowiła jednak nie okazać siostrze, jak bardzo ją ona zraniła.

— Bredzisz — rzekła, śmiejąc się trochę nienaturalnie. — Ty w każdym mężczyźnie widzisz mojego adoratora. Wyobraź sobie, że przez cały czas opowiadał mi o swojej żonie.

— Może taki jest sposób jego adoracji — odparła Ellen. — Mężczyźni mają rozmaite metody. Nie zapomnij jednak o swym przyrzeczeniu, Rosemary.

— Nie mam potrzeby o nim pamiętać — odparła Rosemary znużonym głosem. — Zapominasz, że jestem już starą panną. Tylko w twoich siostrzanych oczach pozostałam jeszcze ciągle młoda, kwitnąca i niebezpieczna. Pan Meredith jest wymarzonym typem na przyjaciela, ale ręczę ci, że zanim znajdzie się na plebanii, zupełnie o nas zapomni.

— Nie mam nic przeciwko waszej przyjaźni — zgodziła się Ellen — ale poza przyjaźnią nic więcej być nie może, pamiętaj. Jestem dziwnie podejrzliwa, jeżeli idzie o wdowców. Oni na przyjaźni się nie znają, nie są tak bardzo romantyczni. Nie wiem, dlaczego tego pastora wszyscy uważają za człowieka nieśmiałego? Przyznam, że jest roztargniony, bo zapomniał się ze mną pożegnać, tak był wpatrzony w ciebie. Ale tak jest mało teraz mężczyzn, z którymi można poważnie pomówić, że byłam niezwykle zadowolona dzisiejszego wieczoru. Chciałabym poznać go bliżej. Tylko ostrzegam cię, Rosemary, żebyś się przypadkiem nie zakochała.

Rosemary przyzwyczajona była do podobnych ostrzeżeń siostry nawet w wypadkach, jeżeli chodziło o mężczyzn poniżej lat osiemnastu lub powyżej lat osiemdziesięciu. Nic więc dziwnego, że dotychczas te spostrzeżenia przyjmowała ze śmiechem, ale tym razem słowa siostry zirytowały ją.

— Możesz spać zupełnie spokojnie, Ellen — rzekła dziwnie ostro, zabierając ze stołu lampę. Poszła na górę bez słowa pożegnania.

Po jej wyjściu Ellen potrząsnęła w zamyśleniu głową, po czym przeniosła wzrok na swego ulubieńca, czarnego kota.

— Czemu ona jest taka zła, George? — zapytała. — Przecież przyrzekła, a my, Westowie, zawsze dotrzymujemy słowa. Mniejsza o to, czy się zakocha: ślubowała, i to jest najważniejsze.

Na górze w swym pokoju Rosemary długo jeszcze siedziała przy oknie, wpatrzona w ogród tonący w poświacie księżyca. Była zmęczona dzisiejszym wieczorem. A w ogrodzie poczęły opadać z drzew pierwsze liście, zwiastuny zbliżającej się jesieni.

PANI ALEKSANDROWA DAVIS SKŁADA WIZYTĘ

John Meredith szedł wolnym krokiem do domu. Z początku myślał jeszcze trochę o Rosemary, lecz gdy dotarł do Doliny Tęczy, zapomniał o niej zupełnie, pogrążony w teologii niemieckiej, która była tematem rozmowy jego z Ellen. Nie zauważył nawet, kiedy Dolina Tęczy pozostała już daleko za nim. Czar doliny nie był widocznie silniejszy od potęgi, jaką wywierała nań niemiecka teologia. Znalazłszy się na plebanii, wszedł natychmiast do swego gabinetu i sięgnął po gruby, oprawny tom, aby się przekonać, kto miał rację — on czy Ellen. Zagłębiony w czytaniu, przesiedział do świtu, pochłonięty nowymi dogmatami, zapomniawszy zupełnie o całym świecie, o parafii i o własnej rodzinie. Czytał dniami i nocami i nie pamiętałby na pewno nawet o jedzeniu, gdyby nie Una, która za każdym razem siłą wyciągała go do jadalni. Nic dziwnego, że o Rosemary i Ellen nie pomyślał ani przez chwilę. Stara pani Marshall, mieszkająca za przystanią, zachorowała nagle i przysłała po niego, lecz list jej leżał nie otwarty na biurku pastora, pokryty już warstwą kurzu. Pani Marshall wyzdrowiała, lecz nigdy nie wybaczyła pastorowi. Jakaś młoda para zgłosiła się na plebanię z prośbą, aby pastor odprawił ceremonię ślubną. Pan Meredith wyszedł do zakrystii z potarganą czupryną, w nocnych pantoflach i szlafroku. Przez roztargnienie począł uroczyście odczytywać modlitwę pogrzebową i dopiero przy słowach: „Popiół do popiołu, proch do prochu", zorientował się, że coś jest nie w porządku.

— Boże święty — szepnął do siebie — jakie to dziwne, jakie dziwne...

Panna młoda, osoba bardzo nerwowa, zaczęła rzewnie płakać. Pan młody, człowiek pozbawiony nerwów, zachichotał:

— Ksiądz, zamiast nam dawać ślub, pragnie nas żywcem pogrzebać — zauważył.

— Bardzo przepraszam — rzekł pan Meredith, jakby się nic ważnego nie stało.

Przeprowadził do końca ceremonię ślubną i wyszedł z zakrystii, lecz panna młoda już przez całe życie nie czuła się prawdziwie zamężna.

Zapominał o zebraniach kościelnych, lecz na szczęście panowała słota i nikt na zebrania i tak nie przychodził. Z pewnością zapomniałby również o odprawieniu niedzielnego nabożeństwa, gdyby Opatrzność nie zesłała mu pani Aleksandrowej Davis. W sobotę po południu do gabinetu weszła ciotka Marta i zameldowała, że pani Davis czeka na pastora w salonie. Pan Meredith westchnął niechętnie. Pani Davis była niemal jedyną kobietą w całej parafii Glen St. Mary, której pastor zdecydowanie nie lubił. Na nieszczęście była również najbogatsza i pan Meredith lękał się ją obrazić. Co prawda sam John Meredith rzadko kiedy myślał o tak materialnych rzeczach, jak składki kościelne, ale kierownicy zboru byli ludźmi praktyczniejszymi od niego, więc i wobec pani Davis mieli pewne zastrzeżenia. Gdyby nie ten ważny czynnik — lęk, że pani Davis może się obrazić — pastor zapomniałby o jej obecności w salonie natychmiast po wyjściu z gabinetu ciotki Marty. Pomny jednak rozkazów płynących z góry, zamknął tom teologii Ewalda i wolnym krokiem skierował się przez hall do salonu.

Pani Davis siedziała na kanapie, rozglądając się z wyrazem niechęci i obrzydzenia. Cóż za straszny pokój! W oknach nie było rolet. Pani Davis nie wiedziała, że Flora i Una zdjęły je poprzedniego dnia, gdyż rolety były im potrzebne do zabawy, a potem zapomniały je zawiesić na nowo. Firanki w oknach były podarte, obrazy wisiały na ścianach krzywo, dywany były pomięte; w wazonach sterczały zwiędłe kwiaty, a kurz na wszystkich meblach leżał grubą warstwą.

— I to jest plebania! — mówiła do siebie pani Davis, wykrzywiając z niechęcią swe grube wargi.

Jerry i Karolek przeskakiwali przez poręcz schodów i zjeżdżali po niej na dół, gdy pani Davis przechodziła przez hall; widocznie nie widzieli jej, bo kontynuowali swą zabawę, a pani Davis była pewna, że czynią to jej na złość. Ulubiony kogut Flory spacerował po korytarzu, a teraz stanął w drzwiach do salonu i przyglądał się uważnie gościowi. Nie mogła znieść tego koguciego wzroku. Z ust jej wyrwało się coś w rodzaju niechętnego syknięcia. Ładna plebania, jeśli koguty paradują po hallu i ośmielają się nawet zaglądać do salonu!

— Sio! — zawołała pani Davis, podnosząc na niesfornego koguta parasolkę.

Adam przeraził się i pomknął przez korytarz, właśnie w chwili gdy pastor wchodził do salonu.

Pan Meredith pojawił się na progu w nocnych pantoflach, w szlafroku i jak zwykle z potarganą czupryną. Mimo to wyglądał na dżentelmena, którym był; a pani Aleksandrowa Davis, wystrojona w jedwabną suknię, aksamitny kapelusz, rękawiczki glacé i złoty łańcuch, wyglądała na istotę wulgarną, nieokrzesaną, jaką była. Tych dwoje ludzi poczuło w tej chwili do siebie wyraźną wzajemną niechęć. Pani Davis jednak od razu pomyślała, że przyszła na plebanię w określonym celu i że nie powinna tracić czasu na zbyteczne uwagi. Uczyniła pastorowi wielki zaszczyt i im prędzej sprawę swą załatwi, tym lepiej. Myślała o tej sprawie przez całe lato, aż wreszcie podjęła ostateczną decyzję. Poza tym nie powinno ją nic więcej obchodzić, myślała. To, co ona postanowi, musi być załatwione. Nikt nie ma prawa stawiać pod tym względem żadnych sprzeciwów, takie było jej zdanie. Gdy postanowiła poślubić Aleksandra Davisa, uczyniła to już po miesiącu. Wprawdzie Aleksander nie zdawał sobie sprawy, jak do tego doszło, ale przecież to nie odgrywało żadnej roli. Tak samo i w tym wypadku pani Davis ułożyła sobie wszystko według własnego widzimisię. Należało tylko poinformować o tym postanowieniu pana Mereditha.

— Zechce pan łaskawie zamknąć drzwi — rzekła pani Davis, wydymając usta z godnością. — Mam coś ważnego do powiedzenia, a ten hałas w hallu nie pozwala mi zebrać myśli.

Pan Meredith posłusznie zamknął drzwi, po czym usiadł naprzeciw gościa. Był jeszcze niezupełnie przytomny, bo umysł jego wciąż błądził dokoła dogmatów Ewalda.

Pani Davis zgorszona była nieco zachowaniem pastora, lecz postanowiła i na to nie zwracać uwagi.

— Panie Meredith — rzekła, przystępując od razu do rzeczy — przyszłam, żeby panu zakomunikować, że postanowiłam zaadoptować Unę.

— Zaadoptować... Unę! — Pan Meredith patrzył na gościa oniemiały, nie pojmując, o co chodzi.

— Tak. Myślałam o tym dłuższy czas. Po śmierci męża chciałam już niejednokrotnie zaadoptować jakieś dziecko, ale tak trudno znaleźć coś odpowiedniego. Niewiele jest dzieci, które bym mogła przyjąć do mego domu. Jeden z rybaków w przystani umarł i pozostawił aż sześcioro drobiazgu. Namawiano mnie, bym przyjęła któreś z nich, lecz dałam sąsiadom do zrozumienia, że nie mam zamiaru adoptować pierwszego lepszego włóczęgi. Jak się dowiedziałam, dziadek tych dzieci skradł kiedyś w Glen konia. Poza tym byli to sami chłopcy, a ja chciałam mieć dziewczynkę, spokojną, potulną dziewczynkę, z której mogłabym uczynić w przyszłości prawdziwą damę. Una bardzo się do tego nadaje. Byłaby całkiem miła, gdyby ją ktoś odpowiednio wychował; jest zupełnie inna niż Flora. Nigdy by mi nie przyszło na myśl adoptować Florę. Lecz wezmę Unę i dam jej odpowiednie wychowanie, panie Meredith, a jeżeli się będzie dobrze sprawować, zapiszę jej cały swój majątek po śmierci. Nikt z moich krewnych nie dostanie ani centa. To jest właśnie jedna z ważnych przyczyn, dla której chcę zaadoptować dziecko. Una będzie porządnie ubrana, otrzyma wykształcenie i wychowanie, panie Meredith, podejmie naukę muzyki i malarstwa, jakby była moim własnym dzieckiem.

Przemowa ta trwała wystarczająco długo, aby pan Meredith zdołał się zupełnie uwolnić ze swej zadumy. Na bladych jego policzkach ukazał się rumieniec, a w pięknych czarnych oczach zabłysły dziwne jakieś płomyki. Więc ta wstrętna kobieta, którą tolerował tylko dzięki jej bogactwu, chciała mu zabrać Unę, jego delikatną, ukochaną Unę, która mu tak przypominała Cecylię! Przed śmiercią Cecylia przyciskała Unę do piersi i spoglądając ponad jej główką w oczy męża, prosiła słabym głosem: „Pamiętaj o niej, John. Ona jest taka mała i delikatna. Tamci potrafią sobie wszystko w życiu wywalczyć, ona jest słaba. Och, John, nie wiem doprawdy, jak ty i ona dacie sobie radę. Oboje tak bardzo mnie potrzebujecie. Pamiętaj, nie oddalaj jej od siebie, nie oddalaj!".

Były to niemal jej ostatnie słowa, z wyjątkiem tych kilku niezapomnianych, przeznaczonych tylko dla niego. I chodziło właśnie o to dziecko, o którym pani Davis zimno mu zakomunikowała, że chciałaby je zabrać. Siedział sztywno wyprostowany na krześle, spoglądając już całkiem przytomnie na gościa. Mimo przydeptanych nocnych pantofli, mimo zniszczonego szlafroka wiało w tej chwili od pastora taką godnością, że nawet pani Davis poczuła się nagle zmieszana.

— Serdecznie pani dziękuję za dobre chęci, pani Davis — powiedział pan Meredith z wyszukaną uprzejmością — lecz, niestety, nie mogę pani oddać mego dziecka.

Pani Davis patrzyła nań zdziwiona. Nigdy nie przypuszczała, że będzie śmiał jej odmówić.

— Dlaczego, panie Meredith?! — zawołała po chwili. — Pan widocznie o... o czymś innym myślał. Powinien się pan zastanowić, bo taka okazja nieczęsto się trafia.

— Nie ma się nad czym zastanawiać, łaskawa pani. Wszystkie okazje na świecie powinny być wyzyskiwane, z wyjątkiem tej, gdzie idzie o miłość ojcowską. Jeszcze raz pani serdecznie dziękuję, lecz naprawdę nie ma się nad czym zastanawiać.

Rozczarowanie rozgniewało panią Davis do tego stopnia, że poczęła już tracić nad sobą kontrolę. Jej szeroka, czerwona twarz stała się nagle purpurowa, a głos drżał dziwnie.

— Sądziłam, że pan będzie uszczęśliwiony moją propozycją — syknęła.

— Dlaczego pani tak sądziła? — zapytał spokojnie pan Meredith.

— Bo przecież wiadomo, że pan wcale nie dba o swoje dzieci — odparła pani Davis z pogardą. — Wychowuje je pan skandalicznie, wszyscy o tym mówią. Ani nie są ubrane przyzwoicie, ani najedzone i w ogóle nikt się nimi nie zajmuje. Maniery mają nie lepsze od dzikich Indian. Nigdy pan nie pomyślał o swoich ojcowskich obowiązkach. Wpuścił pan do domu tę małą włóczęgę, dziewuchę, która klęła jak zwykły żołnierz. Nie troszczył się pan o to, czego dzieci pańskie mogą się od niej nauczyć. Nic dziwnego, że Flora, otrzymawszy takie wychowanie, zdobyła się na czelność publicznego wystąpienia w kościele! A potem na pańskich oczach wybrała się na przejażdżkę na prosięciu. Zachowanie pańskich dzieci jest niżej wszelkiej krytyki, a pan nawet nie kiwnie palcem, żeby je czegokolwiek nauczyć. I na domiar wszystkiego teraz, kiedy ja chcę pańskiemu dziecku dać dom i porządne, ludzkie wychowanie, pan odmawia i obraża mnie. Ładny z pana ojciec, który nie dba o własne dzieci!

— To do pani nie należy! — zawołał pan Meredith. Wstał i spoglądał na panią Davis groźnym wzrokiem. — Nie należy — powtórzył. — Więcej nic nie chcę o tym słyszeć, pani Davis. I tak już pani powiedziała za wiele. Możliwe, że zaniedbałem moje obowiązki, lecz pani nie ma prawa mi o nich przypominać. Żegnam panią.

Pani Davis nie znalazła już słowa odpowiedzi, tylko pośpiesznie zabrała się do wyjścia. Gdy przechodziła obok pastora, wskoczyła jej pod nogi wielka, spasiona ropucha, którą Karolek w tajemnicy ukrył pod kanapą. Pani Davis wydała okrzyk przestrachu i chcąc ominąć ropuchę, straciła nagle równowagę i upuściła parasolkę. Nie przewróciła się, lecz pośliznęła się na dywanie i uderzyła o drzwi z takim łoskotem, że pan Meredith, nie zauważywszy ropuchy i będąc pewny, że gość uległ nagle jakiemuś atakowi apoplektycznemu, skoczył na pomoc. Lecz pani Davis odzyskała już równowagę i odsunęła go od siebie niechętnym ruchem ręki.

— Proszę mnie nie dotykać! — zawołała podniesionym głosem. — To też sprawka pańskich dzieci. Ten dom nie jest odpowiednim miejscem dla przyzwoitej kobiety. Proszę mi podać parasolkę i pozwolić stąd wyjść. Nigdy już noga moja nie przestąpi pańskich progów ani też progu kościoła.

Pan Meredith posłusznie podniósł parasolkę i podał ją właścicielce. Nie oglądając się, pani Davis wymaszerowała z pokoju. Jerry i Karolek, znudzeni już długim zjeżdżaniem po poręczy, siedzieli teraz na balustradzie werandy w towarzystwie Flory. Właśnie w chwili gdy pani Davis wychodziła, śpiewali pełnymi głosami swoją ulubioną pieśń, którą pani Davis również uznała za skierowaną do siebie. Zatrzymała się i pogroziła im parasolką.

— Wasz ojciec jest idiotą — zawołała — a wy, wszyscy troje, powinniście codziennie dostawać baty! Co za hołota!

— Nieprawda! — zawołała Flora.

— Nieprawda! — krzyczeli chłopcy, lecz pani Davis już zniknęła za bramą.

— Boże, ona zwariowała — rzekł Jerry. — I właściwie dlaczego mamy dostawać codziennie baty?

John Meredith przez chwilę spacerował po salonie, po czym wrócił do swego gabinetu i usiadł przy biurku. Nie powrócił jednak do czytania niemieckiej teologii. Był zbytnio zaabsorbowany inną myślą. Słowa pani Davis zbudziły go z uśpienia. Czy istotnie był tak nieobowiązkowym ojcem? Czy zarzuty tej kobiety były słuszne? Czy zaniedbywał swe biedne dzieci, dla których był jedynym opiekunem? Czy istotnie ludzie tak ganili jego postępowanie, jak o tym mówiła pani Davis? Widocznie tak, skoro pani Davis postanowiła zaadoptować Unę i była pewna, że on się na to zgodzi. A jeżeliby się nawet zgodził, to cóż wtedy?

John Meredith począł znowu spacerować po swym zaniedbanym pokoju. Co miał począć? Kochał swoje dzieci, jak tylko ojciec mógł je kochać, i był pewny, że i one darzyły go prawdziwą, serdeczną miłością. Czy jednak miał możność czulej się nimi opiekować? Znał najlepiej swoją słabość — roztargnienie. Niezbędna była obecność jakiejś dobrej niewiasty, która potrafiłaby wejrzeć we wszystko. Ale jak to załatwić? Mógł wprawdzie wziąć odpowiedzialną gospodynię, lecz to musiałoby dotknąć do żywego ciotkę Martę. Staruszka wierzyła, że sama sobie potrafi doskonale dać radę, że podoła obowiązkom, jakich się podjęła. Nie mógł przecież dopuścić, aby biedna kobieta doznała takiego rozczarowania. Była niegdyś tak bardzo przywiązana do Cecylii! I Cecylia przed śmiercią prosiła go, aby nie opuszczał ciotki Marty. W tej chwili przyszło mu na myśl, że ciotka Marta wspominała niegdyś, iż dobrze byłoby, aby się powtórnie ożenił. Widocznie przyszła żona pastora nie zawadzałaby jej w gospodarstwie. O tym nie mogło być mowy — nie mógł się ożenić, nie mógł się przywiązać do żadnej kobiety. Więc co miał robić? Zapragnął nagle pójść do Złotego Brzegu i omówić tę sprawę z panią Blythe. Pani Blythe, sympatyczna i rozumna, była jedną z tych niewielu kobiet, w obecności których nie odczuwał onieśmielenia. Może ona zdoła rozwiązać te męczące go zagadnienia. Pan Meredith czuł wyraźnie w tej chwili, po wizycie pani Davis, potrzebę kobiecego towarzystwa.

Ubrał się pośpiesznie i jeszcze prędzej niż zwykle zjadł podaną sobie kolację. Wyjątkowo dzisiaj zwrócił uwagę, że potrawy nie były smacznie przyrządzone. Spojrzał na dzieci. Wyglądały zdrowo z wyjątkiem Uny, ale ona przecież była zawsze blada, nawet za życia matki. Dzieci miały świetne humory, śmiały się i gawędziły, widocznie były szczęśliwe. Karolek był najweselszy, prawdopodobnie ze względu na dwa piękne pająki, spacerujące teraz po jego talerzu. Głosy dzieci były radosne, usposobienia beztroskie, kochały ojca i kochały się wzajemnie. A jednak pani Davis wspomniała o litości parafian.

Pan Meredith, wychodząc z bramy, ujrzał na drodze powozik państwa Blythe'ów, jadący w stronę Lowbridge. Twarz pastora spochmurniała. Pani Blythe wyjeżdżała z domu, więc nie miał po co chodzić do Złotego Brzegu. A towarzystwo ludzi było mu dzisiaj bardziej potrzebne niż kiedykolwiek. Gdy wodził tak beznadziejnym wzrokiem wokoło, nagle blask zachodzącego słońca odbił się w jednym z okien starego domostwa Westów, stojącego na wzgórzu. Blask ten zapalił się w duszy pastora iskierką nadziei. Przypomniał sobie nagle siostry West. Pomyślał, że dobrze byłoby teraz pogawędzić z Ellen, przyjemnie byłoby ujrzeć Rosemary, jej słodki uśmiech i błękitne oczy. Tęsknił za czyimś współczuciem. Dlaczego nie miałby złożyć im wizyty? Przypomniał sobie, że Ellen zapraszała go serdecznie, a przy tym powinien był odnieść książkę Rosemary, o czym zupełnie zapomniał. Miał niemiłe uczucie, że w jego bibliotece nagromadziło się dużo książek, a on już nie pamiętał, od kogo je pożyczał. Musiał bezwarunkowo tę sprawę uporządkować. Wrócił do swego gabinetu, odnalazł książkę i wolnym krokiem skierował się ku Dolinie Tęczy.

WIĘCEJ PLOTEK

Wieczorem, po pogrzebie pani Miry Murray zza portu, panna Kornelia i Marysia Vance zjawiły się w Złotym Brzegu. Nagromadziło się kilka spraw, o których panna Kornelia pragnęła pomówić z przyjaciółmi.

Oczywiście, przede wszystkim omawiano sam pogrzeb, o którym mówiły przeważnie tylko Zuzanna z panną Kornelią, gdyż Ania prawie wcale nie brała udziału w rozmowie. Siedziała nieco na uboczu, obserwując pożółkłe liście rosnących w ogrodzie dalii i uśpioną przystań w blasku wrześniowego zachodzącego słońca.

Marysia Vance siedziała tuż przy niej, szydełkując zawzięcie. Myśli dziewczynki wybiegły daleko, do Doliny Tęczy, skąd dochodziły głośne śmiechy dzieci, lecz palce jej pracowały pilnie pod okiem panny Kornelii. Musi jeszcze zrobić kilka rzędów pończochy, a będzie mogła także wybiec do doliny. Marysia szydełkuje, milczy, lecz nastawia uszu.

— Nigdy jeszcze nie widziałam, żeby ktoś po śmierci wyglądał równie ładnie jak ona — bezstronnie oświadczyła panna Kornelia. — Mira Murray zawsze była piękną kobietą — pochodziła z Coreyów z Lowbridge, a oni słynęli z urody.

— Gdy przechodziłam obok jej ciała, szepnęłam: „biedactwo, mam nadzieję, że naprawdę jesteś teraz taka szczęśliwa, na jaką wyglądasz" — westchnęła Zuzanna. — Mira niewiele się zmieniła. Ubrana była w tę samą sukienkę z czarnej satyny, którą kupiła na ślub córki, czternaście lat wcześniej. Jej ciotka powiedziała wówczas, że powinna zatrzymać ją raczej na pogrzeb, ale wtedy Mira roześmiała się i zażartowała: „Dobrze, ciociu, mogę w niej wystąpić choćby na własnym pogrzebie, ale najpierw zamierzam dobrze się bawić". Bez wątpienia umiała to robić. Nie była typem kobiety, która dałaby się pogrzebać jeszcze za życia. Ilekroć ją później widywałam w towarzystwie, roześmianą i szczęśliwą, myślałam sobie w duchu: „Piękna z ciebie kobieta, Miro Murray, a w tej sukni bardzo ci jest do twarzy, ale w końcu i tak posłuży ci ona za pogrzebowy całun. Jak widać, moje słowa się ziściły, pani Elliott.

Zuzanna znowu ciężko westchnęła. Sama również nieźle się bawiła. Przecież pogrzeb zawsze stanowił świetną okazję do wciągającej rozmowy.

— Zawsze lubiłam spotykać się z Mirą — rzekła panna Kornelia. — Była taka wesoła i pełna radości życia, że człowiek w jej towarzystwie zapominał o swych troskach. Przy tym miała złote serce.

— To prawda — przyznała Zuzanna. — Szwagierka jej opowiadała mi, że gdy doktor wreszcie utracił nadzieję i wyznał, że Mira już nigdy nie wstanie, ona uśmiechnęła się i zawołała wesoło: „Jeżeli tak już ma być, jestem zadowolona, że wszystko już uczyniłam na świecie i wszystko pozostawiam w porządku! Dzięki Bogu, że zdążyłam na wiosnę sprzątnąć dokładnie mieszkanie". Niektórzy nazwaliby to lekkomyślnością, pani Elliott, i mam wrażenie, że jej szwagierka była również trochę tym zawstydzona. Zaznaczyła, że Mira w chorobie postradała nieco zmysły. Ja jednak powiedziałam: „Nie, pani Murray, niech się pani nie martwi. Mira zawsze miała taki pogląd na życie".

— Jej siostra Luella była zupełnie inna — oznajmiła panna Kornelia. — Ona niczym nie potrafiła się cieszyć — wszystko widziała w czarnych, ponurych barwach. Przez całe lata mawiała, że pożyje pewnie nie dłużej niż tydzień. „Wkrótce przestanę być dla was ciężarem" — zadręczała rodzinę jękliwym głosem. A jeżeli ktokolwiek z nich ośmielał się snuć jakieś plany na przyszłość, znowu zaczynała wzdychać i dodawała: „Tak, ale ja tego już nie dożyję". Gdy przychodziłam do niej z wizytą, zawsze się z nią zgadzałam w kwestii umierania, czym doprowadzałam ją do szewskiej pasji. W rezultacie zaraz wracała do zdrowia przynajmniej na kilka dni. Ostatnio trochę lepiej się czuje, lecz nadal chodzi ponura i przygnębiona. Mira była całkiem inna. Zawsze starała się wszystkim pomagać i dla każdego znalazła miłe słowo. Możliwe, że mężczyźni, których poślubiły obie siostry, wywarli pewien wpływ na ich osobowość. Mąż Luelli jest Tatarem, możecie mi wierzyć, natomiast Jim Murray to rzeczywiście bardzo przyzwoity człowiek, przynajmniej jak na mężczyznę. Wyglądał dzisiaj na kompletnie załamanego. Mężowie uczestniczący w pogrzebach swoich żon rzadko wzbudzają mój żal, ale jemu naprawdę serdecznie współczułam.

— Nie ma się co dziwić, że wyglądał na bardzo przygnębionego. Szybko nie uda mu się znaleźć drugiej takiej kobiety jak Mira — stwierdziła Zuzanna. — Może wcale nie będzie rozglądał się za nową żoną. Jego dzieci są już przecież dorosłe, a Mirabel z pewnością umiałaby poprowadzić dom. Tylko że z wdowcami nigdy do końca nic nie wiadomo, więc nie zamierzam bawić się w zgadywanki.

— Będzie nam bardzo brakować Miry, zwłaszcza w kościele — powiedziała panna Kornelia. — Ona tak wiele robiła na rzecz naszej parafii. Dla niej nie było rzeczy niemożliwych. Gdy pojawiały się trudności, zawsze potrafiła je usunąć, obejść, albo zwyczajnie zignorować — i zazwyczaj dobrze na tym wychodziła. „Do końca zamierzam trzymać się dzielnie i nie narzekać" — powiedziała mi kiedyś. No cóż, jej podróż właśnie dobiegła końca.

— Tak pani uważa? — spytała nagle Ania, która właśnie powróciła z obłoków na ziemię. — Jakoś nie mogę uwierzyć, że jej podróż dobiegła kresu. Czy pani może ją sobie wyobrazić siedzącą bezczynnie, ze złożonymi rękami? Właśnie ją, osobę tak pełną energii i chęci do życia, tego niespokojnego ducha? Nie, jestem przekonana, że po śmierci otworzyła kolejną furtkę i wyruszyła na... na... spotkanie nowych wspaniałych przygód.

— No cóż, całkiem możliwe — zgodziła się panna Kornelia. — Ja sama, droga pani Aniu, nie mogłam się nigdy jakoś przekonać do tej doktryny o wiecznym odpoczywaniu i mam tylko nadzieję, że nie głoszę teraz herezji. Tam, w niebie, podobnie jak tutaj, chciałabym się krzątać i mieć coś do zrobienia. Mam nadzieję, że istnieje niebiański odpowiednik dla naszych szarlotek i pączków — coś, czym można by się zająć. Naturalnie, każdy z nas bywa czasami potwornie zmęczony, a im jesteśmy starsi, tym dotkliwiej to odczuwamy. Myślę jednak, że nawet ci najbardziej zmęczeni potrzebowaliby odpoczywać nieco krócej niż całą wieczność, no chyba że trafiłby się pośród nich jakiś wyjątkowo leniwy mężczyzna.

— Gdy kiedyś znowu się spotkam z Mirą Murray — powiedziała Ania — chciałabym ją ujrzeć dziarską i roześmianą, taką, jaką zawsze była tutaj.

— Ależ, droga pani doktorowo — zgorszonym głosem odezwała się Zuzanna — chyba nie sądzi pani, że Mira, przebywając na tamtym świecie, będzie zanosić się śmiechem?

— A dlaczegóż by nie, Zuzanno? Uważasz, że wszyscy będziemy tam płakać?

— Skądże znowu, pani doktorowo, proszę mnie źle nie zrozumieć. W ogóle nie sądzę, byśmy tam mieli się śmiać albo płakać.

— Cóż więc będziemy robić?

— Jakby to rzec — powiedziała Zuzanna przyparta do muru — myślę sobie, że będziemy wyglądać dostojnie i tak, jak na świętych przystało.

— I ty naprawdę myślisz, Zuzanno — odparła Ania z najbardziej poważną miną, na jaką było ją stać — że Mira Murray albo ja przez cały ten czas zdołałybyśmy zachować śmiertelną powagę? Przez cały czas?

— No cóż — przyznała niechętnie Zuzanna. — Myślę, że nie byłoby w tym nic złego, gdybyście się od czasu do czasu uśmiechnęły, ale żeby tam zaraz śmiać się do rozpuku? To byłoby chyba zupełnie niestosowne, droga pani doktorowo.

— Wróćmy może na ziemię — wtrąciła się panna Kornelia. — Kto mógłby przejąć po Mirze obowiązek prowadzenia szkółki niedzielnej? Odkąd Mira się rozchorowała, Julia Clow ciągle ją zastępowała, ale na zimę wyjeżdża do miasta i będziemy musieli rozejrzeć się za kimś nowym.

— Słyszałam, że pani Laura Jamieson reflektuje na to — rzekła Ania. — Jamiesonowie przychodzą systematycznie do kościoła, od czasu gdy przenieśli się z Lowbridge do Glen.

— Nowe miotły zawsze dobrze zamiatają — rzekła panna Kornelia z powątpiewaniem. — Zobaczymy, czy przez cały rok będą przychodzić regularnie.

— Na pani Jamieson nie można polegać, droga pani doktorowo — rzekła uroczyście Zuzanna. — Już raz umierała i brali jej nawet miarę na trumnę, a potem znowu wróciła do życia! Widzi pani, droga pani doktorowo, że do takiej kobiety nie można mieć zaufania.

— Mogłaby przejść w każdej chwili na stronę metodystów — dorzuciła panna Kornelia. — Mówiono mi, że oni chodzili w Lowbridge równie często do kościoła metodystów, jak i prezbiterianów. Nie byłabym zachwycona, gdyby pani Jamiesonowa objęła szkółkę niedzielną. Chociaż nie należałoby jej zniechęcać. Zbyt wiele osób straciliśmy wskutek śmierci albo dlatego, że się obrazili. Pani Aleksandrowa Davis chociażby, nie wiadomo dlaczego przestała przychodzić do kościoła. Zarządowi zboru oświadczyła, że nie ma zamiaru płacić ani centa pensji panu Meredithowi. Podobno dzieci z plebanii obraziły ją, chociaż ja o tym śmiem wątpić. Próbowałam wyciągnąć coś z Flory, ale zdołałam dowiedzieć się tylko tyle, że wstąpiła do nich pani Davis, żeby porozmawiać z ich ojcem. Wydawało się, że była w świetnym nastroju, jednakże gdy opuszczała plebanię, z jej oczu leciały gromy, a ich wszystkich nazwała „hołotą".

— „Hołota", no wiecie państwo! — zdenerwowała się Zuzanna. — A czy pani Aleksandrowa Davis czasem nie zapomniała, że jej wujek ze strony matki był podejrzewany o otrucie własnej żony? Wprawdzie nigdy tego nie udowodniono, droga pani doktorowo, i na pewno nie należy wierzyć wszystkim plotkom, ale gdybym to ja miała takiego wujka, którego żona zmarłaby nagle bez żadnego wyraźnego powodu, nigdy bym się nie odważyła biegać po wsi i nazywać czyjeś niewinne dzieci „hołotą".

— Najważniejsze — dodała panna Kornelia — że pani Davis była dość szczodrą ofiarodawczynią i nie wiem, jak się teraz obejdziemy bez jej datków. Jeżeli jeszcze przeciągnie Douglasów na swoją stronę i zbuntuje ich przeciwko panu Meredithowi, o co się bezwarunkowo postara, biedak będzie musiał ustąpić.

— Pani Aleksandrowa Davis nie cieszy się zbyt dobrą opinią w rodzie Douglasów — wtrąciła Zuzanna — więc wątpię, czy będzie mogła wywrzeć na nich wpływ.

— Douglasowie uzależnieni są jeden od drugiego. Jak się obrazi jednego, to wszyscy są obrażeni. Bez nich nie damy sobie rady. Płacą połowę pensji proboszcza, a Norman Douglas płacił setkę rocznie do chwili swego ustąpienia.

— Dlaczego właściwie się wycofał? — zapytała Ania.

— Twierdził, że go wykluczono z zebrania. Od dwudziestu lat nie zjawia się w kościele. Żona jego za życia systematycznie przychodziła, biedactwo, lecz on nigdy nie pozwalał jej dać więcej niż jednego marnego centa w niedzielę. Czuła się ogromnie upokorzona. Wątpię, czy on był dla niej dobrym mężem, chociaż nigdy na niego nie narzekała, ale zawsze miała wzrok dziwnie wylękniony. Norman ożenił się wbrew swojej woli przed trzydziestu laty. Myślał wówczas o innej kobiecie.

— Kim była ta, o której myślał?

— Ellen West. Nie byli jeszcze formalnie zaręczeni, ale ich przyjaźń trwała już dwa lata. Potem nagle zerwali, choć nikt nie znał przyczyny. Na pewno pod wpływem jakiejś drobnej sprzeczki. Norman w porywie złości poślubił Hester Reese, żeby zrobić na przekór Ellen. Iście po męsku! Hester wprawdzie była ładna, ale nie grzeszyła zbytnią inteligencją i oczywiście on zabił w niej tę resztkę woli, którą posiadała. Była zbyt potulna. Jemu potrzebna była żona energiczna i silna. Ellen potrafiłaby go utrzymać przy sobie i na pewno kochałby ją do ostatniej chwili. Pogardzał Hester, bo zbytnio mu ulegała. Niejednokrotnie słyszałam, jak mówił, gdy był jeszcze kawalerem: „Dajcie mi żywą kobietę". A potem ożenił się z dziewczyną pozbawioną wszelkiej energii. Wszyscy Reesowie nie posiadali woli. Przechodzili przez życie, właściwie nie żyjąc wcale.

— Russel Reese nałożył swojej drugiej żonie tę samą obrączkę, którą nosiła jego poprzednia wybranka — wspominała Zuzanna. — Rozumiem, że należy być oszczędnym, ale w tym wypadku to już chyba gruba przesada, droga pani doktorowo. Jego brat John, z kolei, wybudował sobie za życia grobowiec, na cmentarzu koło przystani. Pomnik ten jest prawie zupełnie wykończony, brakuje na nim tylko daty śmierci. W każdą niedzielę John przychodzi na cmentarz, żeby go oglądać. Pewnie nikt inny nie uznałby tego za rozrywkę, ale jemu wyraźnie sprawia to przyjemność. No cóż, każdy spędza czas tak, jak lubi. Jeśli idzie o Normana Douglasa — z niego jest zupełny poganin. Kiedy poprzedni pastor zapytał go, dlaczego nie chodzi do kościoła, odparł krótko: „Jest tam zbyt wiele brzydkich kobiet, stanowczo zbyt wiele". Najchętniej podeszłabym do takiego przyjemniaczka, droga pani doktorowo, i wygarnęła prosto z mostu: „Proszę więc udać się do piekła!"

— Och, Norman nie wierzy w takie rzeczy — wyjaśniła panna Kornelia. — Mam tylko nadzieję, że przed śmiercią zrozumie, jak bardzo się mylił. No dobrze, Marysiu, wydziergałaś dość spory kawałek, możesz więc teraz iść się pobawić z dziećmi na pół godziny.

Dziewczynka nie czekała na kolejne zaproszenie. Pobiegła do Doliny Tęczy, jakby jej ktoś przypiął skrzydła do Floramion, a spotkawszy się z przyjaciółmi, opowiedziała Florze Meredith wszystko o pani Aleksandrowej Davis.

— Pani Elliott twierdzi, że zbuntuje ona Douglasów przeciw waszemu ojcu i że będzie musiał wyjechać z Glen, bo parafianie nie będą mu płacić pensji! — kończyła Marysia. — Naprawdę nie wiem, jaka jest na to rada. Gdyby chociaż stary Norman Douglas nawrócił się i zaczął płacić, byłoby pół biedy. Ale on się nie zgodzi, więc wszyscy Douglasowie odpadną, a wy będziecie musieli wyjechać.

Tego wieczoru Flora kładła się do łóżka z ciężkim sercem. Myśl o opuszczeniu Glen była nie do zniesienia. Gdzie na świecie będzie można znaleźć takich przyjaciół jak

Blythe'owie? Z wielką rozpaczą opuszczała kiedyś Majowe Wody i dużo łez wylała, żegnając się ze starą plebanią, gdzie matka jej żyła i gdzie umarła.

Nie mogła teraz myśleć o drugim takim rozstaniu, o wiele jeszcze cięższym. Nie mogła przecież rozstać się z Glen St. Mary, z drogą Doliną Tęczy i z ukochanym cmentarzem.

— Najgorzej być córką pastora! — jęczała Flora wtulona w poduszkę. — Jak tylko się przyzwyczaisz do miejsca, już cię stamtąd zabierają. Nigdy w życiu nie wyjdę za pastora, chociażby był najpiękniejszy.

Usiadła na łóżku i wyjrzała przez okno zarośnięte dzikim winem. Noc była spokojna, ciszę przerywał tylko głęboki oddech Uny. Flora poczuła się strasznie samotna na świecie. Widziała Glen St. Mary, tonące w granatowym błękicie łąk i wysokich drzew, poruszanych podmuchami jesiennego wiatru. Spoza doliny zerkało ku niej światełko z pokoiku dziewcząt w Złotym Brzegu i drugie z pokoju Waltera. Flora zastanawiała się, czy biednego Waltera ciągle jeszcze boli ząb. Potem westchnęła, przejęta zazdrością w stosunku do Nan i Di. One mają matkę i własny dom, nie liczą się z niechęcią obcych ludzi, nikt nie ma prawa zwracać im uwagi. Ponad polami Glen, które tonęło w głębokim uśpieniu, płonęło jeszcze jedno światełko. Flora wiedziała, że płonie ono w mieszkaniu Normana Douglasa. Znany był z tego, że po nocach dużo czytał. Marysia wspominała, że wszystko byłoby w porządku, gdyby stary Douglas wrócił na łono Kościoła. A dlaczegóż by nie? Flora spojrzała na wielką, błyszczącą gwiazdę, zawieszoną tuż nad bramą kościoła metodystów, i nagle w główce jej zaświtał zbawienny pomysł. Wiedziała, jak należało postąpić, Flora Meredith niczego się nie ulęknie. Musi wszystko doprowadzić do porządku. Z westchnieniem ulgi otrząsnęła się z przykrych myśli i przytuliwszy się do twarzyczki Uny, zapadła w głęboki sen.

WET ZA WET

U Flory powzięcie decyzji oznaczało dokonanie czynu. Nie traciła czasu na niepotrzebne rozmyślania. Jak tylko nazajutrz wróciła ze szkoły, wyszła z plebanii, kierując się w stronę Glen. Przechodząc koło poczty, spotkała Waltera Blythe'a.

— Idę do pani Elliott z poleceniem od mamy — rzekł. — A ty dokąd idziesz, Floro?

— Muszę załatwić coś w kościele — rzekła na pozór obojętnie. Zaniechała dalszych wyjaśnień, dzięki czemu Walter poczuł się nieco urażony. Przez chwilę szli w milczeniu. Był ciepły jesienny wieczór, a powietrze przezroczyste. Poza piaszczystym wybrzeżem spokojnie ułożyły się do snu fale morskie. Wąski strumyk, przepływający przez Glen, błyszczał teraz blaskiem szczerego złota. Za parkanem ogrodu pana Jamesa Reese'a rosła brunatnoczerwona gryka, upragniony przysmak wron z całej okolicy.

Flora zerwała gałązkę wikliny i uderzyła w parkan. Nagle wśród ciszy załopotały skrzydła spłoszonych wron.

— Czemu to zrobiłaś? — zapytał Walter zgorszony. — Siedziały sobie tak spokojnie, a ty im przeszkodziłaś.

— Och, nienawidzę wron! — zawołała Flora. — Są takie czarne i podstępne, zawsze mam wrażenie, że to fałszywe stworzenia. Kradną jajka małym ptakom, jak ci wiadomo. Zeszłej wiosny widziałam, jak wykradały jajka z gniazda na naszym podwórzu. Walterze, czemu dzisiaj jesteś taki blady? Znowu cię w nocy bolał ząb?

Walter zadrżał.

— Okropnie. Nie mogłem zmrużyć oka, więc spacerowałem po pokoju i wyobrażałem sobie, że jestem jednym z tych chrześcijańskich męczenników, torturowanych przez Nerona. To mi pomogło na chwilę, a potem ból wzrósł jeszcze bardziej, tak że nie mogłem sobie już nic wyobrazić.

— Płakałeś? — zapytała Flora niespokojnie.

— Nie, tylko leżałem na podłodze i jęczałem — wyznał Walter. — Potem przyszły dziewczęta i Nan włożyła mi do zęba trochę pieprzu. Zrobiło mi się jeszcze gorzej, wówczas Di dała mi zimnej wody, aż wreszcie zawołały Zuzannę. Zuzanna twierdzi, że ten ból powstał wskutek tego, że siedziałem wczoraj w zimnie na poddaszu i pisałem wiersze. Zaraz poszła do kuchni, rozpaliła ogień i dała mi butelkę z gorącą wodą. Zrobiło mi się trochę lepiej. Jak tylko ból minął, powiedziałem Zuzannie, żeby się nie wtrącała do moich poezji, że to nie jej interes, a ona odpowiedziała mi, że, dzięki Bogu, na poezji się nie zna, ale wie na pewno, że to są same kłamstwa. Ty, Floro, wiesz najlepiej, że tak nie jest. Tylko dlatego lubię pisać wiersze, że można w nich zawrzeć wiele różnych rzeczy, które w poezji są prawdą, a w prozie byłyby kłamstwem. Powiedziałem to Zuzannie, lecz ona nie chciała słuchać i radziła mi zasnąć, nim woda w butelce ostygnie. Zapowiedziała, że jeżeli nie zasnę natychmiast, to już mi nigdy nie przyniesie gorącej wody, bo chce mi raz na zawsze dać nauczkę.

— Dlaczego nie pójdziesz do dentysty w Lowbridge, żeby ci usunął ten ząb?

Walter zadrżał znowu.

— On już chciał mi go wyrwać, ale ja nie mogłem, bałem się.

— Boisz się takiego drobnego bólu? — zapytała Flora wzgardliwie. Walter zarumienił się.

— To będzie straszny ból. Nie znoszę bólu. Nawet ojciec nie namawia mnie na to; czeka, aż sam się zdecyduję.

— W każdym razie ból ten będzie trwał krótko — argumentowała Flora. — Jak dasz sobie usunąć ząb, będziesz spał w nocy spokojnie. Mnie raz tylko wyrywano ząb. Przez chwilę jęczałam, a potem ból przeszedł, tylko leciała krew.

— Właśnie krew jest najgorszą rzeczą, to takie brzydkie! — zawołał Walter. — O mało nie zemdlałem, gdy Kuba zeszłego lata skaleczył sobie nogę. Zuzanna mówiła, że gorzej wyglądałem od Kuby. Nie mogłem patrzeć na jego ranę. Chciałem wtedy uciekać, uciekać, żeby nie widzieć i nie słyszeć.

— Nie ma sensu robić tyle hałasu z powodu jednego skaleczenia — powiedziała Flora, potrząsając lokami. — Oczywiście, że nieprzyjemnie jest się skaleczyć i nie znoszę patrzeć na czyjś ból. Nie chciałabym wtedy uciekać, lecz nieść pomoc. Twój ojciec bardzo często zadaje ludziom ból, aby ich wyleczyć. Co by zrobili, gdyby uciekł?

— Nie powiedziałem, że chciałbym uciec, tylko że chciałem uciec. To wielka różnica. Ja także bym pragnął nieść ludziom pomoc. Okropne, że jest tyle brzydkich i strasznych rzeczy na świecie. Och, jakbym pragnął, żeby wszyscy byli piękni i szczęśliwi!

— No, nie mówmy już o tym. Ostatecznie wiele jest w życiu przyjemności. Nie miałbyś co prawda bólu zęba, gdybyś nie żył, ale chyba wolisz być żywy niż umarły? Ja wolę sto razy! O, patrz! Tam idzie Dan Reese! — zawołała nagle Flora. — Pewnie wyszedł do przystani po ryby.

— Nienawidzę Dana Reese'a — rzekł Walter.

— Ja także. Wszyscy go nienawidzimy. Często przechodzę tędy, ale nigdy nie zwracam na niego uwagi. Popatrz na mnie!

Flora przechodziła właśnie obok Dana z wysoko podniesioną głową. Dan odwrócił się, spojrzał na nią i zawołał piskliwym głosem:

— Przejedź się na prosięciu! Świniarka, świniarka!

Flora szła dalej, starając się nie zwracać na to uwagi, lecz usta jej drżały z oburzenia. Wiedziała, że nie potrafi odciąć się Danowi Reese'owi tego rodzaju epitetami. Wolałaby, aby w tej chwili zamiast Waltera był przy niej Kuba Blythe. Gdyby Dan Reese ośmielił się mówić do niej w ten sposób w obecności Kuby, chłopiec nie darowałby mu tego. Po Walterze nie mogła się niczego spodziewać ani też nie mogła mieć do niego o to pretensji. Wiedziała, że Walter niezdolny był do stanięcia w jej obronie. Tak samo nie zdobyłby się na to Karolek Clow z przeciwka. Jednak Karolkiem pogardzała, podczas gdy Walter nie wzbudzał w niej takiego uczucia. Był chłopcem z innego świata i nie interesował się tym, co go wokół otaczało. Trudno mieć pretensję do anioła, a Walter Blythe był właśnie dla Flory uosobieniem niebiańskiego zesłannika. Wolałaby jednak mieć teraz przy sobie Kubę albo Jerry'ego, bo ci na pewno daliby nauczkę Danowi.

Walter nie był już teraz blady. Na policzki wystąpił mu rumieniec, a w pięknych oczach zabłysnął płomień gniewu. Rozumiał, że powinien był bronić Flory. Kuba na pewno by to uczynił i wtłoczyłby do gardła te brzydkie słowa Danowi. Rysio Warren obrzuciłby Dana jeszcze gorszymi przezwiskami, lecz Walter nie mógł — po prostu nie umiał nigdy wypowiadać wulgarnych słów, do których Dan Reese był przyzwyczajony. Na pięści również walczyć nie potrafił. Nie lubił tego sposobu — to metoda ordynarna i bolesna, a co najważniejsze — brzydka. Pod tym względem niegdyś nie rozumiał Kuby. Jednak w tej chwili chciałby nauczyć Dana Reese'a rozumu. Było mu ogromnie przykro, że Flora Meredith została obrażona w jego obecności i że nie starał się nawet ukarać napastnika. Czuł, iż ona nim pogardza. Od chwili kiedy Dan obrzucił ją przezwiskami, nie odezwała się doń ani słowem. Był rad, jak się wreszcie rozstali.

Flora również odczuwała zadowolenie, lecz z całkiem innych powodów. Chciała być teraz sama, bo coraz bardziej była zdenerwowana swym postanowieniem. Pierwszy impuls ostygł, szczególnie od chwili gdy Dan ją obraził. Postanowiła dotrzeć do celu, lecz już minął dawny entuzjazm. Szła do Normana Douglasa, chcąc go prosić, żeby wrócił do kościoła, a jednocześnie odczuwała przed nim dziwny lęk. To, co się zdawało takie łatwe w domu, teraz było szalenie trudne do wykonania. Dużo słyszała o Normanie Douglasie i wiedziała, że nawet najsilniejsi chłopcy w szkole bali się go ogromnie. Może powie jej coś nieprzyjemnego, jak to podobno często czynił. Flora bardziej lękała się nieprzyjemnych słów niż czynów. Musi wytrwać, Flora Meredith nie ulęknie się niczego. Jeżeli nie przekona Douglasa, to ojciec będzie musiał wyjechać z Glen.

Przy końcu długiej drogi Flora dotarła wreszcie do wielkiego staroświeckiego domu, okolonego sztywno stojącymi włoskimi topolami. Na bocznej werandzie siedział Norman Douglas, pochłonięty czytaniem gazety. Przy nim leżał jego wielki pies. W kuchni, gdzie gospodyni, pani Wilson, przygotowywała kolację, słychać było brzęk talerzy i stuk rondli, bo Norman Douglas przed chwilą pokłócił się z panią Wilson i z tego powodu obydwoje byli w złych humorach. Toteż gdy Flora weszła na werandę i Norman Douglas odłożył gazetę, wyjrzały ku niej oczy pełne złości i jadu.

Norman Douglas, jak na swój wiek, wyglądał jeszcze młodo. Miał długą, rudą brodę i rude włosy, których było mnóstwo na wielkiej głowie. Wysokie białe czoło i niebieskie oczy o zimnym połysku stali świadczyły o tym, że duszą był jeszcze młody. Umiał być bardzo miły, jak chciał, ale umiał też być straszny. Biedna Flora, którą przywiodła tu tak przykra misja, akurat natrafiła na jeden z jego najgorszych humorów.

Norman Douglas nie wiedział, kim jest ta dziewczynka, i patrzył na nią z wielką niechęcią. Lubił dzieci wesołe, roześmiane, a w tym momencie Flora była blada i przerażona.

— Co tam, u diabła? Coś ty za jedna i czego tutaj szukasz? — zapytał ochrypłym głosem.

Po raz pierwszy w życiu Flora nie miała nic do powiedzenia. Nie spodziewała się, że Norman Douglas jest aż taki. Sparaliżował ją strach. On to zauważył i stał się jeszcze bardziej gniewny.

— O co ci idzie?! — huknął. — Wyglądasz, jakbyś chciała coś powiedzieć, lecz boisz się. Cóż to takiego? Mów, ale prędko!

Nie. Flóra nie mogła mówić. Nie mogła wydobyć głosu. Drżały jej tylko wargi.

— Na miłość boską, nie płacz! — ryknął Norman. — Nie znoszę łez. Jeśli masz coś do powiedzenia, to mów. Nie patrz tak na mnie. Kim jesteś?

Głos Normana słychać było chyba w przystani. W kuchni umilkł brzęk rondli, pani Wilson nasłuchiwała. Norman wsparł wielkie dłonie na kolanach, pochylił się naprzód i patrzył w bladą twarzyczkę Flory. Sprawiał teraz wrażenie olbrzyma z jakiejś okrutnej baśni.

Flora czuła, że za chwilę ten wzrok ją pochłonie.

— Jestem Flora Meredith — zdobyła się na nieśmiały szept.

— Meredith, hę? Córka pastora? Słyszałem o was, słyszałem! Jeździsz na prosięciu i profanujesz niedzielę? Czego tu chcesz, hę? Czego chcesz od starego poganina, co? Nie podlizuję się księżom i nie chcę, żeby się mnie podlizywali! Czego chcesz, pytam?

Flora chciałaby być teraz o tysiąc mil stąd. Poczęła jąkać się, chcąc swe myśli przybrać w słowa:

— Przyszłam... prosić pana... aby pan wrócił do kościoła... i płacił... pensję.

Norman spojrzał na nią, po czym wybuchnął znowu:

— Ach, ty bezczelna! Po co tu przyszłaś, smarkata? Kto cię do tego nakłonił?

— Nikt — odparła Flora szeptem.

— Kłamiesz. Mnie nie kłam! Kto cię tu przysłał? Na pewno nie twój ojciec, bo to człowiek wiecznie nieprzytomny, nie przysyłałby cię po to, czego sam nie może dokonać. To pewno sprawka którejś ze starych panien, co?

— Nie... ja... ja przyszłam sama.

— Masz mnie za idiotę?! — ryknął Norman.

— Nie, myślałam, że pan jest dżentelmenem — rzekła Flora słabym głosem, oczywiście bez żadnej ubocznej myśli.

Norman podskoczył na krześle.

— Opamiętaj się. Nie chcę słyszeć ani słowa więcej. Gdybyś nie była taka mała, nauczyłbym cię, jak się masz zwracać do mnie. Gdybym chciał mieć do czynienia z księżmi, sam bym po nich posłał. Nie chcę ich znać, rozumiesz? Teraz wynoś się, wycieruchu!

Flora cofnęła się. Chwiejnym krokiem zeszła ze schodów werandy, wyszła poza bramę i skierowała się na drogę. W połowie drogi opuścił ją lęk i opanował nieprzezwyciężony gniew. Nim jeszcze weszła na boczną ścieżkę, gniew począł się wzmagać coraz bardziej. Norman Douglas rozniecił w jej duszyczce płomień przekory. Zagryzła wargi i zacisnęła dłonie. Wrócić do domu! Nie! Ona pójdzie z powrotem i powie temu staremu idiocie, co o nim myśli, pokaże mu, o, pokaże! Wycieruch, patrzcie państwo!

Bez wahania zawróciła i poszła w stronę domu Normana Douglasa. Weranda była pusta, a drzwi do kuchni zamknięte. Flora otworzyła je bez pukania i weszła. Norman Douglas siedział właśnie przy kolacji, trzymając w ręku gazetę. Flora przeszła przez pokój, wyrwała mu z rąk gazetę, rzuciła na podłogę i podeptała. Potem spojrzała nań błyszczącymi oczami, z zarumienioną twarzyczką. Była teraz tak piękna w swojej złości, że Norman Douglas nie mógł jej poznać.

— Co cię znowu sprowadza? — wybuchnął, lecz bardziej już przejęty zdziwieniem niż gniewem.

Nieustraszenie spojrzała w zagniewane oczy, których tyle ludzi się ulękło.

— Wróciłam, żeby powiedzieć, co myślę o panu — rzekła spokojnym tonem. — Ja się pana nie boję. Jest pan obrzydliwym tyranem, antypatycznym, niesprawiedliwym człowiekiem. Zuzanna powiada, że pójdzie pan na pewno do piekła, martwiłam się, ale teraz już się nie martwię. Pańska żona od dziesięciu lat nie miała nowego kapelusza, nic dziwnego, że umarła. Będę do pana robić najbrzydsze miny, jak pana zobaczę. Ojciec ma w książce portret diabła, pójdę do domu i napiszę tam pańskie nazwisko. Jest pan starym wampirem i mam nadzieję, że długo pan nie pożyje.

Flora niedokładnie zdawała sobie sprawę, co to jest wampir, słyszała tylko, że Zuzanna użyła tego wyrazu, i z tonu, jakim to Zuzanna wypowiedziała, domyśliła się, że to musi być brzydkie słowo. Lecz Norman Douglas znał jego znaczenie. Słuchał całej tyrady Flory w absolutnym milczeniu. Gdy przerwała dla zaczerpnięcia tchu, wybuchnął nagle głośnym śmiechem. Uderzając ręką w kolano, zawołał:

— Ale masz temperament, mała! Lubię takie żywe istoty. Siadaj tu!

— Ani mi się śni! — oczy Flory zabłysły jeszcze jaśniej. Myślała, że ten stary zaczyna sobie z niej kpić. Wszystko zniesie, ale kpin nienawidzi. — W pańskim domu nie usiądę. Wracam do mojego domu. Jestem zadowolona, że przyszłam i powiedziałam wszystko, co myślę o panu.

— Ja także jestem zadowolony — chichotał Norman. — Jesteś miła i dzielna.. Taka różyczka na plebanii! Siadaj! Gdybyś tak od razu zaczęła, maleńka! Więc napiszesz moje imię na portrecie diabła, prawda? Ależ on jest czarny, a ja jestem rudy, to jakoś nie pasuje! I masz nadzieję, że pójdę do piekła? Siadaj, siadaj, pogadamy chwilkę.

— Nie, dziękuję panu — odparła Flora wyniośle.

— O, musisz usiąść. Chodź tu bliżej, ja cię przepraszam, bardzo przepraszam. Byłem wariat i bardzo mi przykro. Wybacz i zapomnij. Podaj rękę, mała. Nie chcesz, ale musisz! Słuchaj, jeżeli podasz mi dłoń i usiądziesz przy stole, zobowiązuję się płacić pensję i zobowiązuję się chodzić do kościoła każdej pierwszej niedzieli w miesiącu. Zobowiązuję się przy tym zamknąć gębę Kitty Davis, a to jest tylko w mojej mocy. Robimy interes, mała?

Interes był interesem. Flora nie zdążyła się zorientować, jak podała dłoń staremu potworowi i usiadła tuż przy nim za stołem. Gniew jej przeszedł, bo gniew nigdy długo nie mógł płonąć w duszy Flory, lecz podniecenie wciąż świeciło w oczach i paliło się rumieńcem na policzkach. Norman Douglas spoglądał na nią z ukontentowaniem.

— Niech pani da nam tu coś dobrego, pani Wilson! — zawołał rozkazująco. — I niech się pani uspokoi nareszcie. Co z tego, żeśmy się pokłócili? Porządna kłótnia odświeża powietrze. Teraz bez dalszych dąsów, moja pani. Nie mogę tego znieść. Temperament w kobiecie, to rozumiem, ale nie łzy. Tutaj, mała, masz mięso z kartoflami. Zacznij od tego. Z tej karafki nie pij, tu jest mleko dla ciebie. Powiedziałaś, że jak się nazywasz?

— Flora.

— Co za imię! Nie znoszę takich imion. Masz jakieś drugie?

— Nie, proszę pana.

— Nie lubię takich imion, nie ma w nich treści. Poza tym przypomina mi się zawsze moja ciotka Jinny. Nazwała swoje trzy córki: Flora, Fauna i Nadzieja. Flora nie miała nic wspólnego z kwiatem, Fauna nie znosiła zwierząt, a Nadzieja była chmurna i nieprzystępna. Tyś się powinna nazywać Róża. Więc chcesz, żebym ci obiecał, że wrócę na łono Kościoła? Ale tylko raz w miesiącu, pamiętaj, raz w miesiącu. Więcej stanowczo nie mogę, musisz mnie zwolnić z tego. Zawsze płaciłem setkę rocznie na pensję dla pastora i przychodziłem do kościoła. Jeżeli obiecam ci płacić dwa razy tyle, pozwolisz mi do kościoła nie przychodzić? Powiedz!

— Nie, nie, proszę pana — rzekła Flora, rumieniąc się jeszcze bardziej. — Pragnę, żeby pan przychodził do kościoła także.

— Dobrze, interes jest interesem. A więc dwanaście razy do roku. Dopiero będzie sensacja, jak się zjawię pierwszej niedzieli! Więc stara Zuzanna Baker twierdzi, że pójdę do piekła, co? A ty w to wierzysz, że tam pójdę?

— Mam nadzieję, że nie, proszę pana — wyjąkała onieśmielona Flora.

— Dlaczego masz nadzieję, że nie? Powiedz, dlaczego? Podaj mi przyczynę.

— Bo... bo tam musi być bardzo nieprzyjemnie, proszę pana.

— Nieprzyjemnie? Wszystko zależy od gustu, moja mała. Mnie by prędko znudzili aniołowie. Wyobraź sobie starą Zuzannę w aureoli.

Flora na tę myśl wybuchnęła głośnym śmiechem. Norman patrzył na nią z zadowoleniem.

— Więc to takie zabawne? Bardzo cię lubię, bo jesteś dzielna. A co do tej sprawy z kościołem, to powiedz, czy twój ojciec ładnie mówi kazania?

— Jest doskonałym kaznodzieją — odparła Flora z dumą.

— Naprawdę? Zobaczymy. Niech jednak będzie uważny, jak mówi do mnie. Już ja go złapię na czymś. O, pani Wilson niesie nam powidła. Lubisz? Spróbuj!

Flora posłusznie przełknęła porcję powideł, którą Norman jej podał.

Na szczęście były smaczne.

— Najlepsze powidła śliwkowe na świecie — rzekł Norman, nakładając jej na spodeczek wielką porcję. — Cieszę się, że lubisz. Dam ci cały słoik, żebyś zabrała do domu. Chciałem ci jeszcze powiedzieć, że to nie była moja wina, że Hester przez dziesięć lat nie miała nowego kapelusza. Sama sobie była winna: składała pieniądze i posyłała je tym żółtym ludziom do Chin. Ja nigdy w swoim życiu ani centa nie wydałem na misjonarzy.

Przed pożegnaniem Norman podał Florze koszyk napełniony jabłkami, ogórkami, kapustą, kartoflami, dyniami, a w drugą rękę wetknął jej słoik pełen powideł.

— Mam w szopie ślicznego kotka — rzekł. — Mogę ci go dać, jeżeli chcesz. Powiedz tylko.

— Nie, dziękuję panu — rzekła Flora stanowczo. — Nie lubię kotów, zresztą mam koguta.

— Patrzcie państwo! Kto słyszał lubić koguta? Weź lepiej kociaka, radzę ci. Chciałbym oddać go w dobre ręce.

— Nie. Ciotka Marta ma kota i ten na pewno by małego zadusił.

Norman nie nalegał. Odwiózł Florę swym powozikiem do domu, wysadził ją przed plebanią, wraz z całym koszem wiktuałów, a odjeżdżając, zawołał:

— Ale tylko raz na miesiąc, pamiętaj, raz na miesiąc!

Flora kładła się do łóżka z uczuciem, jakby odbyła ciężką kwarantannę. Była szczęśliwa i uradowana. Teraz nie ma obawy, że będzie musiała rozstać się z Glen, ze starym cmentarzykiem i z Doliną Tęczy. Zasnęła jednak z niemiłą myślą o tym, że napastował ją Dan Reese, a ona nie potrafiła mu odpłacić pięknym za nadobne.

PODWÓJNE ZWYCIĘSTWO

Norman Douglas zjawił się w kościele pierwszej listopadowej niedzieli i wzbudził sensację, jakiej się zresztą spodziewał. Pan Meredith po skończonym nabożeństwie uścisnął mu serdecznie dłoń na stopniach kościoła i jak zwykle roztargniony, zapytał o zdrowie pani Douglas.

— Przed dziesięciu laty, gdy ją chowałem na cmentarzu, nie czuła się zbytnio dobrze, ale przypuszczam, że teraz osiągnęła ten spokój, którego tak gorąco pragnęła — odparł Norman ku wielkiemu zgorszeniu wszystkich, z wyjątkiem pana Mereditha, który oczywiście, jak zwykle, myślał o czymś innym i nie umiałby powiedzieć, o co zapytywał Normana i co mu ten odpowiedział.

Norman przyłapał Florę w bramie.

— Dotrzymałem słowa, jak widzisz, Różyczko. Będę miał teraz spokój do pierwszej niedzieli w grudniu. Świetne było nabożeństwo, mała, doskonałe. Twój ojciec więcej ma w głowie, niż się tego po nim można spodziewać. Jednak zaprzecza sam sobie, słowo daję, że zaprzecza. Powiedz mu, że w grudniu chciałbym usłyszeć takie samo siarczyste kazanie. Nasuwają mi się wspomnienia z dawnych lat, ma to dla mnie posmak piekielny. A jak się przedstawia sprawa rozważań o niebie na Nowy Rok? Chociaż na pewno ani w części nie będzie tak ciekawe. Chciałbym wiedzieć tylko, co twój ojciec myśli o niebie. Jest on jednym z tych nielicznych księży, którzy myślą. Ale przeczy sam sobie. Cha, cha, cha! Mam jedno pytanie, które musisz mu zadać, jak się zbudzi ze swego uśpienia: „Czy Bóg może stworzyć tak wielki kamień, którego sam nie mógłby podnieść?". Tylko nie zapomnij. Chciałbym znać jego opinię o tym. Kilku księży zaskoczyłem już tym pytaniem.

Flora była rada, gdy udało jej się wymknąć i wrócić do domu. W gromadce chłopców przy bramie stał Dan Reese i już szykował się do wypowiedzenia pod jej adresem jakiegoś nieprzyjemnego słowa, lecz widocznie zabrakło mu śmiałości. Za to nazajutrz w szkole odzyskał na powrót tupet. Podczas południowej pauzy Flora natknęła się na Dana w szkolnym ogrodzie i chłopiec znowu zawołał:

— Świniarka, świniarka! Kogucia matka!

Nagle Walter Blythe podniósł się z murawy, gdzie leżał, wypoczywając po lekcjach. Twarz miał bladą, lecz oczy mu błyszczały.

— Milcz! — zawołał.

— O, jak się mamy, panie Walterze! — zawołał Dan, zupełnie nie zmieszany. Wyprostował się w całej okazałości i zanucił z ironią:

Widzieliście tchórza
Z tamtego podwórza?
Tchórz, tchórz, tchórz
Stał się nagle anioł stróż!

— Jesteś bezczelny! — krzyknął Walter w oburzeniu, a twarz mu jeszcze bardziej pobladła.

— Tak! Prawdziwy tchórz! — zawołał Dan znowu. — Twoja matka pisze bzdury, a Flora Meredith kocha kury! Kogucia matka! Tchórz, tchórz...

Dan nie dokończył, bo Walter rozpędził się z całych sił i wymierzył mu siarczysty policzek. Czyn ten przyjęty został głośnym śmiechem Flory i radosnym klaśnięciem w dłonie. Dan odskoczył, purpurowy z gniewu, i chciał rzucić się na Waltera, lecz w tej samej chwili zadźwięczał dzwonek szkolny, a Dan wiedział dobrze, jaką karę stosował pan Hazard, gdy któryś z chłopców spóźnił się do klasy.

— Policzymy się, ty tchórzu — pogroził Walterowi.

— Kiedy tylko sobie życzysz — odparł Walter.

— Och, nie, nie, Walter — zaprotestowała Flora. — Nie walcz z nim. Ja nie zwracam uwagi na to, co mówi.

— Obraził ciebie i obraził moją matkę — rzekł Walter z tym samym chłodnym spokojem. — Dziś wieczorem po szkole, Dan.

— Muszę dzisiaj pójść do domu, bo ojciec mi kazał — odparł Dan kwaśno. — Ale jutro wieczorem mogę.

— Doskonale, jutro wieczorem tutaj — zgodził się Walter.

— Zmasakruję twoją wstrętną gębę — obiecał Dan.

Walter zadrżał, nie tyle ze strachu przed przeciwnikiem, ile z obrzydzenia i pogardy. Ale głowę podniósł wysoko i śmiałym krokiem wszedł do klasy. Flora wsunęła się za nim. Z odrazą myślała o pojedynku Waltera z tym niemiłym chłopakiem. Boże, jakiż on był dzielny! Miał bić się o nią, o nią, Florę Meredith, miał ukarać jej napastnika. Musi zwyciężyć, takie oczy wróżą zwycięstwo.

Lecz ufność jej w zwycięstwo przygasła nieco przed wieczorem, bo Walter przez resztę dnia był dziwnie przygnębiony, ale spokojny.

— Gdyby to był Kuba — wzdychała do Uny, gdy siedziały obydwie przed pomnikiem Hezekiaha Pollocka. — On tak świetnie walczy, załatwiłby się z Danem w jednej chwili. Walter nigdy jeszcze się nie bił.

— Tak się boję, że będzie ranny — westchnęła Una, która nienawidziła wszelkich bójek i nie mogła zrozumieć zachwytu Flory.

— Nic mu się nie stanie — rzekła Flora z pozorną obojętnością. — Przecież nie jest mniejszy od Dana.

— Ale Dan jest o wiele starszy — przekonywała Una. — Prawie o cały rok.

— Dan także się nigdy nie pojedynkował — uspokajała ją Flora. — Mam wrażenie, że straszny z niego tchórz. Nie przypuszczał, że Walter zgodzi się na pojedynek. Och, gdybyś widziała twarz Waltera, jak patrzył na Dana. Uczułam nagły dreszcz, ale dreszcz taki jakiś przyjemny. Przypomniał mi się Galahad, z tych poezji, które ojciec czytał nam w sobotę.

— Wolę nie myśleć o tym pojedynku, bardzo bym chciała, żeby do tego nie doszło — rzekła Una.

— Teraz już nie ma na to żadnej rady! — krzyknęła Flora. — To przecież sprawa honorowa. Ale nie mów o tym nikomu, Uno, bo nigdy już nie powierzę ci żadnej tajemnicy.

— Na pewno nie powiem — zgodziła się Una. — Nie chciałabym jednak obserwować tej walki. Zaraz po lekcjach wracam do domu.

— Doskonale. Ja muszę być przy tym, przecież Walter pojedynkuje się o mnie. Zawiążę mu szarfę na ramieniu, bo jest moim rycerzem. Jak to dobrze, że pani Blythe podarowała mi na urodziny śliczną błękitną wstążkę do włosów! Nosiłam ją tylko dwa razy, więc jest prawie zupełnie nowa. Chciałabym być pewna, że Walter zwycięży, bo porażka byłaby dla niego bardzo upokarzająca.

Flora miałaby jeszcze większe wątpliwości, gdyby mogła widzieć w tej chwili swego rycerza. Walter wrócił ze szkoły pełen gniewu, lecz jednocześnie bardzo przygnębiony. Miał się bić nazajutrz z Danem Reese'em, a przecież tak nienawidził nawet myśli o pojedynku. Mimo to jednak nie mógł myśleć o czymś innym. Czy to będzie bardzo bolało? Lękał się, że tak. Czy pojedynek ten przyniesie mu wstyd i porażkę?

Nie miał apetytu przy kolacji, chociaż Zuzanna podała na stół jego ulubione potrawy. Kuba za to pochłaniał wszystko, co mu włożono na talerz. Walter dziwił się, skąd nagle brat miał taki apetyt. Jak ktokolwiek mógł jeść dzisiaj kolację? I jak mogli tak wesoło gawędzić? Przy stole siedziała matka z błyszczącymi oczami i zarumienionymi policzkami. Nie miała pojęcia, że jej syn będzie się jutro pojedynkował. Walter zastanawiał się, czy byłaby w tak dobrym humorze, gdyby zdawała sobie z tego sprawę. Kuba sfotografował Zuzannę swoim nowym aparatem i zdjęcie obiegało teraz stół dokoła ku wielkiemu zgorszeniu Zuzanny.

— Wiem, że nie jestem pięknością, droga pani doktorowo, zawsze o tym wiedziałam — przyznawała — ale żebym była tak szpetna jak na tej fotografii, w to już nigdy nie uwierzę.

Kuba wybuchnął głośnym śmiechem, a Ania mu sekundowała. Walter nie mógł tego znieść. Wstał od stołu i umknął do swego pokoju.

— Ten dzieciak ma coś na sercu, droga pani doktorowo — rzekła Zuzanna. — Nawet nie tknął kolacji. Myśli pani, że kombinuje jakiś nowy wiersz?

Biedny Walter był w tej chwili bardzo daleki od „kombinowania wierszy". Wsparł łokieć na parapecie otwartego okna i pochylił głowę na piersi.

— Walter, chodź na wybrzeże! — zawołał Kuba, zaglądając przez okno. — Chłopcy mają dziś wieczorem palić trawę na wzgórzu. Ojciec pozwolił nam iść, chodźmy.

W każdym innym wypadku Walter byłby uszczęśliwiony tą propozycją. Ogromnie lubił patrzeć na buchający w górę płomień. Teraz jednak odmówił bratu i żadne nalegania nie zdołały go przekonać.

Rozczarowany Kuba, któremu nie chciało się iść samemu do Przystani Czterech Wiatrów, zrezygnował z wycieczki i wyniósł się z książką do swego muzeum na poddaszu. Wkrótce zapomniał o zawodzie, pochłonięty losami bohaterów powieści, wyobrażając sobie, że sam jest generałem prowadzącym wojsko do walki, która miała przynieść zwycięstwo.

Walter długo jeszcze siedział przy oknie.

W pewnej chwili do pokoju wsunęła się Di, chcąc się dowiedzieć, co takiego zaszło, lecz Walter nawet z nią nie mógł dzisiaj mówić. Rozmowa o tym, co miało nastąpić, przejmowała go jeszcze większym przerażeniem. I tak już same myśli sprawiały mu dotkliwy ból. Wiatr szumiał w gałęziach klonów przed oknem, ściemniło się zaróżowione niebo na zachodzie, a srebrzysta tarcza księżyca zawisła zwycięsko ponad Doliną Tęczy. W dali ukazał się płomień sponad pagórków i ubarwił granatowy horyzont swą wspaniałą czerwienią. Był spokojny wieczór, tylko z dala dochodziły dźwięki nie uśpionej jeszcze wsi. Pies szczekał nad strumykiem, lokomotywa sapała na stacji w Glen, co pewien czas dobiegały głośne śmiechy z podwórza plebanii. Jak ludzie mogą się śmiać? Jak psy mogą szczekać, jakby nie wiedziały, że jutro ma się stać coś tak ważnego...

— Och, żeby już było po wszystkim! — jęczał Walter.

Mało spał tej nocy i z trudem zjadł nazajutrz swe zwykłe śniadanie. Zuzanna jakby na złość nałożyła mu większą niż codziennie porcję owsianki. Pan Hazard był dziś również niezadowolony ze swego ucznia. Flora Meredith siedziała w ławce posępna, a Dan Reese ustawicznie podczas lekcji rysował dziewczynkę przytuloną do głowy koguta i wszystkim pokazywał swój rysunek. Wiadomość o pojedynku rozniosła się szybko, nic więc dziwnego, że po lekcjach Dan i Walter zastali kilku uczniów i kilka uczennic w szkolnym ogrodzie. Una poszła do domu, tylko Flora została i zawiązała na ramieniu Waltera błękitną szarfę. Walter był zadowolony, że w gromadzie widzów nie było nikogo z jego rodzeństwa. Widocznie nie dotarła do nich wiadomość o pojedynku i zaraz po lekcjach wrócili do domu. Ze spokojem spoglądał w twarz Dana. W ostatniej chwili cały lęk gdzieś pierzchnął, lecz czuł jeszcze niechęć do walki. Dan był dzisiaj bledszy od Waltera. Wreszcie jeden ze starszych chłopców dał znak i Dan uderzył Waltera w twarz.

Walter zachwiał się na chwilę. Wymierzony policzek oszołomił go, lecz po chwili nie czuł już bólu. Nie znane dotychczas uczucie zawładnęło nim całym. Twarz mu się zaczerwieniła, oczy zapłonęły ogniem. Uczniowie szkoły w Glen St. Mary nigdy sobie nie wyobrażali, że Walter może tak wyglądać. Odskoczył kilka kroków w tył i niby dziki tygrys rzucił się na Dana.

W walce tej nie stosowano się do żadnych prawideł. Każdy walczył jak chciał i każdy jak chciał odpierał atak przeciwnika. Walter bił się z zapałem i z jakąś dziką furią, a Dan z trudem dotrzymywał mu placu. Sama walka trwała niedługo. Walter nie zdawał sobie dokładnie sprawy z tego, co czynił, bo wzrok zasłoniła mu krwawa mgła, i zorientował się dopiero, gdy klęczał na powalonym ciele Dana, któremu z nosa — o zgrozo! — ciekła krew.

— Masz już dość? — indagował przez zaciśnięte zęby.

Dan pokornie skinął głową.

— Moja matka nie pisze bzdur?

— Nie.

— Flora Meredith nie jest świniarką?

— Nie.
— Ani kogucią matką?
— Nie.
— Ja nie jestem tchórzem?
— Nie.

Walter miał ochotę zapytać: „A ty jesteś kłamcą?" — lecz litość zwyciężyła i nie chciał już więcej upokarzać Dana. Zresztą krew była taka okropna.

— Możesz pójść — rzekł po namyśle.

Rozległy się głośne oklaski chłopców, a kilka dziewcząt płakało. Były przerażone. Już niejednokrotnie widziały, jak uczniowie walczą ze sobą, lecz żaden nie robił tego tak zawzięcie jak Walter. Myślały, że zabije Dana. Teraz, kiedy wszystko już minęło, poczęły głośno szlochać, z wyjątkiem Flory, która stała podniecona na uboczu.

Walter nie czekał na gratulacje. Wybiegł z ogrodu i spiesznym krokiem schodził z pagórka w stronę Doliny Tęczy. Nie odczuwał radości zwycięstwa, ale był zadowolony, że spełnił obowiązek i uratował swój honor. Chciał jedynie nie myśleć o krwawiącym nosie Dana. To było takie brzydkie, a Walter kochał piękno.

Nagle zdał sobie sprawę, że i on jest pokaleczony. Warga mu spuchła, a jedno oko wyglądało też jakoś nienaturalnie. W Dolinie Tęczy spotkał się z panem Meredithem, który wracał z popołudniowej wizyty u panien West. Pastor spojrzał poważnie na chłopaka.

— Zdaje mi się, że walczyłeś?

— Tak, proszę pana — rzekł Walter w oczekiwaniu nagany.

— O cóż to poszło?

— Dan Reese powiedział, że moja matka pisze bzdury i że Flora jest świniarką — odparł chłopiec, opuszczając wzrok ku ziemi.

— Och, miałeś zupełną słuszność, Walterze.

— A więc walka nie jest grzechem, proszę pana? — zapytał ciekawie.

— Nie zawsze i nieczęsto, ale czasami, czasami — nie — odparł John Meredith. — Na przykład gdy kobiety są napastowane, jak w tym wypadku. Ja, Walterze, rządzę się tą zasadą, że nie trzeba walczyć, dopóki nie masz tej pewności, że powinieneś. Myślę, że zwyciężyłeś.

— Tak. Musiał wszystko odwołać.

— Doskonale, doskonale. Nie przypuszczałem, że jesteś taki odważny.

— Nigdy dotychczas nie walczyłem — rzekł Walter w zamyśleniu. — Nie lubiłem walki, a polubiłem ją dopiero w ostatniej chwili.

Oczy wielebnego Johna Mereditha zabłysły.

— A bałeś się trochę z początku?

— Strasznie się bałem — odparł chłopak szczerze. — Ale teraz już nigdy się nie będę lękał, proszę pana. Strach ma wielkie oczy. Poproszę ojca, żeby mnie zabrał do Lowbridge, żeby mi dentysta usunął ząb.

— Bardzo słusznie. „Strach stwarza większy ból niż ból, którego się boi". Czy wiesz, kto to napisał? Szekspir. Czy istnieje jakieś ludzkie uczucie czy doświadczenie, którego by ten człowiek nie znał? Jak wrócisz do domu, powiedz swej matce, że jestem z ciebie dumny.

Walter jednak tego matce nie powtórzył, lecz opowiedział jej o swej całej przygodzie, a ona przyznała mu słuszność, zadowolona z jego odwagi, i opatrzyła natychmiast zranioną wargę.

— Czy wszystkie matki są tak dobre jak ty? — zapytał Walter, obejmując ją. — Niewarci jesteśmy ciebie.

Panna Kornelia i Zuzanna siedziały w bawialni, gdy Ania zeszła na dół i opowiedziała im całą historię. Słuchały opowiadania z radosnym zainteresowaniem. Szczególnie Zuzanna przejęła się opowieścią o pojedynku.

— Jestem szczerze zadowolona, że zwyciężył, droga pani doktorowo. Może to mu wreszcie wybije te wiersze z głowy. Nigdy nie znosiłam tego łobuza Dana Reese'a. Może by się pani przysunęła do ognia, pani Elliott? Listopadowe wieczory są bardzo chłodne.

— Dziękuję, Zuzanno, nie jest mi zimno. Byłam przedtem na plebanii i ogrzałam się, chociaż musiałam wejść do kuchni, bo w żadnym pokoju jeszcze nie palą. Kuchnia sprawia wrażenie bazaru, wierzcie mi. Pana Mereditha nie było w domu. Nie wiem, dokąd poszedł, ale mam wrażenie, że wybrał się do panien West. Wiesz, moja Aniu, powiadają, że często tam zachodzi, i ludzie zaczynają już myśleć, że celem tych odwiedzin jest Rosemary.

— Miałby czarującą żonę, gdyby ożenił się z Rosemary — odparła Ania, dorzucając drewna do ognia. — Jest to najmilsza w świecie dziewczyna i należy do ludzi z rodu Józefa.

— Owszem, tylko że ona należy do kościoła episkopalnego — powiedziała panna Kornelia z pewnym wahaniem. — Oczywiście, to i tak lepiej, niż gdyby była metodystką — myślę jednak, że pastor bez problemu znalazłby równie dobrą kandydatkę wśród naszych współwyznawców. A w ogóle, jest wielce prawdopodobne, że to tylko bezpodstawne plotki. Zaledwie miesiąc temu radziłam Johnowi Meredithowi: „Powinien pan się powtórnie ożenić, panie Meredith". Wyglądał na zupełnie zaskoczonego, tak jakbym powiedziała coś niestosownego. „Moja żona spoczywa w grobie, pani Elliott" — odparł tym swoim łagodnym świątobliwym głosem. „Tak myślę — odparłam — w przeciwnym razie nie namawiałabym pana do ponownego ożenku". John Meredith jeszcze nigdy nie był bardziej zszokowany. Dlatego bardzo wątpię w to, co mówią o nim i o Rosemary. Jak już się zdarzy, że nieżonaty pastor wstąpi ze dwa razy do domu, w którym mieszka panna, plotkarze zaraz ruszają do ataku, wróżąc rychłe zaślubiny.

— Moim skromnym zdaniem — jeśli mogę się wtrącić — pan Meredith jest zbyt nieśmiały, żeby iść do kogokolwiek w konkury — poważnym głosem oświadczyła Zuzanna.

— Kiedy on wcale nie jest nieśmiały, możecie mi wierzyć — zaprzeczyła panna Kornelia. Bywa roztargniony, to prawda, ale nieśmiały? Skądże znowu. Przede wszystkim ciągle buja w obłokach i chodzi zamyślony, dlatego pewnie ma o sobie takie wysokie mniemanie, jak wszyscy mężczyźni. Nawet gdy już udaje mu się wyrwać z letargu, to i tak nigdy nie przyszłoby mu do głowy, żeby zakręcić się wokół jakiejś kobiety i zapytać, czy by go czasem nie chciała. Problem polega na tym, że on wmówił sobie, że jego serce nie zabije już dla nikogo, podczas gdy w rzeczywistości jest przecież takim samym, zdolnym do miłości człowiekiem, jak my wszyscy. Być może Rosemary rzeczywiście wpadła mu w oko, ale pewności nie ma. Jeśli rzeczywiście zapałał do niej sympatią, już nasza w tym głowa, żeby nim odpowiednio pokierować. Rosemary jest przemiłą osobą i doskonałą gospodynią, z pewnością byłaby dobrą matką dla tych biednych, zaniedbanych dzieci. W końcu — dorzuciła z rezygnacją panna Kornelia — moja babka również należała do kościoła episkopalnego.

MARYSIA PRZYNOSI ZŁE WIADOMOŚCI

Marysia Vance, którą pani Elliott posłała z poleceniem na plebanię, wracała do Złotego Brzegu przez Dolinę Tęczy. Miała spędzić całe popołudnie z Nan i Di. Nan i Di wraz z Florą i Uną zbierały żywicę z pni sosen przed plebanią, a teraz wszystkie cztery siedziały na przewróconym drzewie nad strumykiem, prowadząc ożywioną rozmowę i żując gumę. Co prawda bliźniaczki ze Złotego Brzegu zabronione miały żucie gumy, więc tylko zabawiały się tym w ustronnej Dolinie Tęczy. Za to Flora i Una żuły gumę nieustannie, w domu i poza domem, ku wielkiemu zgorszeniu całego Glen. Podobno Florę widziano nawet, jak zabierała się do tej czynności kiedyś w kościele, lecz Jerry zapobiegł temu, udzielając siostrze takiej braterskiej nagany, że już nigdy tego nie robiła.

— Byłam taka głodna, że nie mogłam się opamiętać — zaprotestowała wówczas. — Wiesz przecież, jakie nam dano śniadanie. Trudno było zjeść tę przypaloną owsiankę, dlatego nic dziwnego, że mój żołądek upomniał się o swoje prawa. Guma trochę pomaga na głód. Zresztą przecież robię to po cichu, więc nikogo nie powinno to obchodzić.

— W kościele nie wypada żuć gumy — upierał się Jerry. — Lepiej staraj się, abym cię nie złapał na tym po raz drugi.

— A ty w zeszłym tygodniu żułeś gumę na zebraniu kościelnym! — zawołała Flora.

— To zupełnie co innego — odparł Jerry z powagą. — Zebranie kościelne nie odbywało się w niedzielę. Siedziałem w kącie i nikt mnie nie widział, podczas gdy ty usiadłaś w pierwszym szeregu ławek. Przy tym podczas ostatniej pieśni wyjąłem gumę z ust i przylepiłem ją do ławki, a potem wyszedłem i zupełnie o niej zapomniałem. Nazajutrz wróciłem po nią, lecz już jej nie było. Sądzę, że Rod Warren ją świsnął. A szkoda, bo była świetna.

Marysia Vance szła przez dolinę z głową podniesioną do góry. Miała nowy, błękitny aksamitny beret z czerwoną różyczką i granatowy płaszcz. Dłonie ukryła w małej futrzanej mufce. Była ogromnie dumna z tego stroju i zadowolona z siebie. Włosy miała porządnie uczesane, twarzyczkę zarumienioną, a jasne oczy błyszczące jak nigdy. Nie sprawiała już teraz wrażenia opuszczonej włóczęgi w łachmanach, którą kiedyś Meredithowie znaleźli w szopie starego Taylora. Una usiłowała przygasić w sobie uczucie zazdrości. Marysia miała nowy beret, gdy tymczasem ona i Flora skazane były na noszenie swych starych czapeczek przez całą zimę. Nikt nigdy nie pomyślał, żeby im sprawić coś nowego, one zaś lękały się mówić o tym ojcu, bo na pewno i tak nie miał pieniędzy. Marysia wspomniała kiedyś, że wszyscy księża chorują na brak pieniędzy. Toteż nie mogą sobie pozwolić na żadne nadzwyczajne wydatki. Od tego czasu Flora i Una wolałyby raczej chodzić w łachmanach, niż prosić ojca o kupienie czegoś. Właściwie nie troszczyły się nigdy o swój wygląd zewnętrzny, ale przykro było patrzeć na Marysię Vance tak pięknie ubraną i tak dumnie zadzierającą głowę. Nowa mufka z wiewiórki była naprawdę imponująca. Ani Flora, ani Una nie miały nigdy mufek i zadowalały się zwykłymi rękawiczkami, przeważnie podartymi. Ciotka Marta nie miała czasu na cerowanie, a choć Una usiłowała niektóre rzeczy reperować, jednak nie zawsze to jej się udawało. Nie wiadomo dlaczego, nie mogły odpowiedzieć serdecznie na ukłon Marysi, lecz ona tego nie zauważyła, nie była na tym punkcie zbytnio wrażliwa. Swobodnie usiadła na przewróconym pniu i położyła mufkę na kolanach. Una zauważyła, że mufka była podbita czerwoną satyną i wykończona czerwonymi chwościkami. Spojrzała na swoje zaczerwienione ręce, zastanawiając się, czy kiedykolwiek będzie miała możność włożyć je do takiej ciepłej mufki.

— Dajcie no gumy — rzekła Marysia swobodnie.

Nan, Di i Flora jednocześnie wyjęły po kawałku gumy z kieszeni i podały Marysi. Una siedziała w milczeniu. Miała w kieszeni aż cztery kawałki, ale z jakiej racji miała je oddać Marysi Vance? Niech sama się o gumę postara! Ludzie posiadający mufki nie powinni nic więcej żądać od świata.

— Śliczny dzień, prawda? — powiedziała Marysia, wyciągając nogi, prawdopodobnie po to, aby pokazać swe nowe buciki. Una podwinęła nogi pod siebie. W jednym trzewiku pojawiła się dziura, poza tym obydwa były już porządnie zniszczone. A to przecież najlepsze obuwie, jakie posiadała. Ach, ta Marysia Vance! Dlaczego nie pozostawili jej wtedy w starej szopie?

Una nigdy nie czuła się źle z tego powodu, że bliźniaczki ze Złotego Brzegu lepiej były ubrane niż ona i Flora. Nosiły swe piękne sukienki z obojętną dystynkcją i zdawały się nigdy o nich nie myśleć. W każdym razie strojem swym nie upokarzały innych, biedniej ubranych. Ale gdy Marysia Vance ubrała się przyzwoicie, to każdemu dała to odczuć. Siedząc w blasku słonecznego grudniowego popołudnia, Una była do głębi rozżalona i zastanawiała się, co właściwie z jej ubrania wyglądało jeszcze jako tako: czy obcisły żakiet, noszony już trzy zimy, czy podarta spódniczka i buty, których się tak wstydziła? Oczywiście, Marysia składała wizyty, a ona nie. Ale gdyby nawet zdarzyła się okazja, nie miałaby i tak nic lepszego do włożenia.

— Mówię wam, doskonała guma. W Przystani Czterech Wiatrów nie można takiej dostać — rzekła Marysia. — Czasami tęsknię za gumą. Pani Elliott nigdy by mi na to nie pozwoliła. Mówi, że kobiecie to nie wypada. Una, co ci się stało? Dlaczego się nie odzywasz? Ugryzłaś się w język?

— Nie — odparła Una, nie mogąc oderwać zachwyconego wzroku od wiewiórczej mufki.

Marysia pochyliła się, podniosła mufkę i cisnęła ją na kolana Uny.

— Schowaj ręce na chwilę — rozkazała. — Masz strasznie czerwone. Powiedzcie, nie piękna mufka? Pani Elliott podarowała mi ją w zeszłym tygodniu na urodziny. Na gwiazdkę mam dostać kołnierz. Słyszałam, jak mówiła o tym do pana Elliotta.

— Pani Elliott jest dla ciebie bardzo dobra — zauważyła Flora.

— Żebyście wiedziały. I ja jestem dobra dla niej — odparła Marysia. — Pracuję jak murzyn, aby jej tylko pomóc, i staram się dogodzić jej pod każdym względem. Jesteśmy dla siebie stworzone. Nie każdy by sobie z nią tak dał radę jak ja. Jest straszną pedantką, ale i ja też, więc rozumiemy się jakoś.

— Mówiłam ci, że bić cię nie będzie.

— To prawda. Nawet palca nigdy na mnie nie podniosła, a ja ani razu jej nie skłamałam, ani razu. Czasami krzyczy, ale to po mnie spływa jak woda po gęsi. Una, podoba ci się mufka? Dlaczego nie schowasz rąk?

Una położyła mufkę na pniu.

— Nie jest mi zimno, dziękuję ci — rzekła sztywno.

— Jak chcesz, mnie tam wszystko jedno. Wiecie, stara Kitty Davis wróciła na łono Kościoła, potulna jak baranek, i nikt nie wie dlaczego. Wszyscy mówią, że to ty Floro nawróciłaś Normana Douglasa. Gospodyni jego opowiadała, że poszłaś tam i dałaś mu porządną nauczkę. Czy to prawda?

— Poszłam i prosiłam, żeby wrócił do kościoła — rzekła Flora nieco zmieszana.

— Patrzcie państwo! — zawołała Marysia z uznaniem. — Ja bym się na to nie zdobyła. Pani Wilson opowiadała, żeście się strasznie kłócili, ale ty go wreszcie przekonałaś i potem nie mógł od ciebie oderwać oczu. Słuchaj, czy wasz ojciec będzie jutro odprawiał nabożeństwo?

— Nie. Ma go zastąpić pan Perry z Charlottetown. Tato wyjechał dziś rano do miasta, a pan Perry ma przyjechać wieczorem.

— Czułam, że coś jest w powietrzu, chociaż stara Marta nie chciała mi nic powiedzieć. Wiedziałam, że bez powodu nie zabijałaby koguta.

— Koguta? O jakim kogucie mówisz? — zawołała Flora, blednąc nagle.

— Nie wiem, jaki kogut. Nie widziałam go. Jak odbierała masło, które przyniosłam od pani Elliott, powiedziała, że musi zabić koguta na jutrzejszy obiad.

Flora zerwała się z pnia.

— To na pewno Adam, nie mamy innego koguta... zabiła Adama!

— Uspokój się. Marta mówiła, że rzeźnik nie będzie miał mięsa w tym tygodniu, a wszystkie kury są za chude na zabicie.

— Jeżeli zabiła Adama... — Flora biegła szybko w kierunku pagórka.

Marysia wzruszyła ramionami.

— Oszaleje biedaczka. Tak lubiła Adama. Powinien był już pójść do garnka od dawna, bo teraz będzie twardy jak podeszwa. Nie chciałabym w tej chwili być w skórze Marty. Flora aż zbladła z gniewu. Una, może byś poszła za nią i uspokoiła ją trochę.

Marysia oddaliła się już nieco z dziewczynkami Blythe'ów, gdy nagle Una zawróciła i podbiegła do niej.

— Masz tu kawałek gumy, Marysiu — rzekła drżącym głosem, podając wszystkie cztery kawałki. — Bardzo się cieszę, że masz taką ładną mufkę.

— Dziękuję ci — odpowiedziała Marysia, nieco zaskoczona, po czym, gdy Una odeszła, zwróciła się do towarzyszek: — Czy to nie dziwne stworzenie? Ale zawsze mówiłam, że ma dobre serce.

BIEDNY ADAM!

Gdy Una weszła do mieszkania, Flora leżała na łóżku z twarzą ukrytą w poduszkach. Ciotka Marta zabiła Adama. Spoczywał teraz na wielkim półmisku w spiżarni, odarty z pięknych swych piórek. Ciotka Marta nie współczuła Florze.

— Musieliśmy przecież mieć coś na obiad dla tego obcego pastora — rzekła. — Za duża jesteś, żeby robić takie awantury o jednego starego koguta. Prędzej czy później trzeba go było zabić.

— Powiem o wszystkim ojcu, jak wróci do domu! — szlochała Flora.

— Lepiej nie zawracałabyś głowy swemu biednemu ojcu. On ma i tak dosyć zmartwień. Zresztą ja jestem tu gospodynią.

— Adam był mój, pani Johnson mi go dała. Nie wolno go było dotykać! — krzyczała Flora.

— Nie wrzeszcz tak. Kogut jest już zabity, i koniec. Nie mogę przecież obcemu pastorowi dać na obiad zimnej baraniny. Mnie wychowano inaczej.

Flora tego wieczoru nie zeszła na kolację, a nazajutrz rano nie poszła do kościoła. Lecz na obiad zjawiła się przy stole z oczami spuchniętymi od płaczu.

Wielebny James Perry miał gładko wygoloną, zarumienioną twarz, sterczące, siwe wąsiki, krzaczaste brwi i błyszczącą łysinę. Zaprawdę nie należał do przystojnych mężczyzn i był nudną, pompatyczną osobistością. Lecz choćby wyglądał jak archanioł Michał i przemawiał anielskim językiem, Flora i tak na pewno by go znienawidziła. Uroczyście krajał biednego Adama swymi małymi, pulchnymi rękami z połyskującym brylantem na palcu. Przez cały czas tej ceremonii czynił jowialne uwagi. Jerry i Karolek zanosili się od śmiechu i nawet Una uśmiechała się blado, sądząc, że tego wymaga grzeczność. Tylko Flora siedziała ponura. Wielebny James Perry pomyślał, że jest źle wychowana.

W pewnej chwili, kiedy zwrócił się z jakąś uwagą do Jerry'ego, Flora bezczelnie mu zaprzeczyła. Wielebny James Perry zmarszczył swe krzaczaste brwi i spojrzał w jej stronę.

— Małe dziewczynki nie powinny przerywać — rzekł — i nie powinny przeczyć ludziom starszym, którzy wiedzą o wiele więcej od nich.

Słowa te wprowadziły Florę w jeszcze gorszy humor. Ją nazwać „małą dziewczynką", jakby nie była o wiele większa od Rilli Blythe ze Złotego Brzegu! To było nie do zniesienia. A jak ten szkaradny pan Perry jadł! Gryzł nawet kostki biednego Adama. Flora i Una nie tknęły ani kawałka, a na chłopców patrzyły jak na ludożerców.

Flora czuła, że jeżeli ceremonia obiadu potrwa dłużej, to w końcu zerwie się z krzesła i rzuci czymś ciężkim w błyszczącą łysinę pana Perry'ego. Na szczęście pan Perry skonstatował, że jabłeczny tort ciotki Marty jest za twardy nawet na jego zęby, i obiad się skończył po dłuższej, uroczystej dziękczynnej modlitwie pobożnego pastora.

— Pan Bóg na pewno nie chciał uraczyć cię biednym Adamem — mruknęła Flora pod nosem.

Chłopcy w chwilę potem wybiegli na dwór, Una poszła do kuchni, aby pomóc ciotce Marcie w zmywaniu talerzy. Flora zaś przeniosła się do gabinetu, gdzie na kominku płonął wesoły ogień. Była pewna, że umknie tu od znienawidzonego pana Perry'ego, który zdradzał ochotę ucięcia krótkiej drzemki w swoim pokoju. Jednak gdy tylko zdążyła usadowić się w kącie z książką, nagle gość wszedł do gabinetu, stanął przed ogniem i począł wyrażać swoje niezadowolenie.

— Książki twego ojca są trochę za poważne dla ciebie, moja mała dziewczynko — rzekł z naganą.

Flora wcisnęła się jeszcze głębiej w kąt fotela i nie odpowiedziała ani słowem. Z kimś takim nie miała zamiaru rozmawiać.

— Powinnaś je tylko trzymać w porządku — ciągnął dalej pan Perry, bawiąc się piękną dewizką od zegarka i uśmiechając się ojcowsko do Flory. — Jesteś już dość duża, aby podołać tym obowiązkom. Moja córeczka ma dopiero dziesięć lat, a jest już świetną gospodynią i w wielu wypadkach wyręcza swą matkę. Miłe z niej dziecko. Chciałbym, żebyś ją poznała. Mogłaby ci pomóc w wielu sprawach. Oczywiście, ty masz to na swe usprawiedliwienie, że pozbawiona jesteś opieki matczynej. Smutny los, bardzo smutny. Kilkakrotnie mówiłem o tym z twoim ojcem i wskazywałem mu jego obowiązki, lecz zazwyczaj bez rezultatu. Uważam, że powinien powrócić do rzeczywistości, żeby potem nie było za późno. Tymczasem ty powinnaś starać się zająć miejsce swej nieboszczki matki, usiłować wywrzeć wpływ na swych braci i siostrzyczkę, powinnaś być dla nich troskliwą matką. Lękam się, że nigdy ci to na myśl nie przychodzi. Moje drogie dziecko, pozwól otworzyć sobie na to oczy.

Monotonny głos pana Perry'ego stawał się coraz mocniejszy. Był w swoim żywiole. Nic nie sprawiało mu takiej satysfakcji, jak nauczanie i strofowanie nieletnich. Nie miał zamiaru zamilknąć i nie zamilkł. Stał na dywanie przed ogniem z nieco zgiętą nogą i wylewał z siebie potok wzniosłych słów. Flora nie słyszała ani jednego wyrazu. Nie słuchała w ogóle, co mówił, lecz obserwowała jego długi, czarny surdut z błyskiem zadowolenia w oczach. Pan Perry stał bardzo blisko ognia. Poły jego surduta zaczęły skwierczeć. On jednak zajęty był tylko tym, co mówił. Surdut począł dymić coraz obficiej. Maleńka iskra sfrunęła z rozpalonej głowni i przysiadła na surducie. Wreszcie rozgorzała jasnym płomieniem. Flora nie wytrzymała już dłużej i wybuchnęła nagle głośnym chichotem.

Pan Perry zamilkł, rozgniewany tą impertynencją. Nagle zorientował się, że pokój jest przesiąknięty wonią spalenizny. Rozejrzał się dokoła, lecz nic nie dostrzegł. Wreszcie sięgnął dłonią do poły i cofnął rękę natychmiast. W surducie wypalona już była duża dziura, a przecież ubranie miał zupełnie nowe, włożył je po raz pierwszy. Flora wybuchnęła jeszcze głośniejszym śmiechem na widok jego dziwnej pozy i panicznego przerażenia.

— Czy nie widziałaś, że się pali mój surdut? — zawołał gniewnie.

— Owszem, proszę pana — odparła Flora z niewinną minką.

— Dlaczego mi nic nie powiedziałaś? — indagował, spoglądając na nią groźnie.

— Sam pan mówił, że nie wolno przerywać starszym, proszę pana — rzekła Flora jeszcze bardziej niewinnie.

— Gdybym... gdybym był twoim ojcem, dałbym ci taką nauczkę, że popamiętałabyś ją przez całe życie! — zawołał z wściekłością, wybiegając z gabinetu.

Surdut pana Mereditha nie pasował do figury pana Perry'ego, więc musiał udać się na nabożeństwo w swoim własnym przepalonym. Nigdy już potem nie chciał zastąpić pana Mereditha i nawymyślał mu siarczyście, gdy nazajutrz spotkali się na stacji.

Tylko Flora miała prawdziwą satysfakcję. Biedny Adam był pomszczony.

FLORA ZAWIERA PRZYJAŹŃ

Następny dzień w szkole był dla Flory bardzo przykry. Marysia Vance opowiedziała uczniom historię o biednym zarżniętym Adamie i wszyscy z wyjątkiem Blythe'ów śmiali się do rozpuku. Dziewczynki, chichocząc po cichu, wyrażały Florze co prawda swoje współczucie, za to chłopcy pisali do niej pełne ironii liściki kondolencyjne.

Nieszczęśliwa Flora wróciła do domu przygnębiona i rozżalona na kolegów.

— Muszę pójść do Złotego Brzegu i opowiedzieć wszystko pani Blythe — szlochała. — Ona na pewno nie będzie się ze mnie śmiać jak inni. Muszę wygadać się przed kimś, kto mnie zrozumie.

Szybkim krokiem biegła wzdłuż Doliny Tęczy, która podczas ostatniej nocy zupełnie zmieniła swój wygląd. Przed kilku godzinami spadł śnieg, pokrywając delikatnym puszkiem gałęzie drzew, śniących o dalekiej wiośnie. Małe pagórki sterczały teraz nago ku niebu, porośnięte drzewami odartymi z liści. Purpurowy blask zachodzącego słońca zdawał się pokrywać ostatnimi pocałunkami ziemię. Ze wszystkich zakątków Glen Dolina Tęczy posiadała w tej chwili czar najbardziej przemożny. Lecz zrozpaczona Flora piękna tego nie widziała.

Tuż nad strumykiem natknęła się nagle na pannę Rosemary West siedzącą na grubym pniu drzewa. Wracała ze Złotego Brzegu do domu po skończonej lekcji muzyki z bliźniaczkami. Zatrzymała się na chwilę w Dolinie Tęczy, podziwiając jej nieskalaną biel i tonąc w marzeniach. Sądząc z wyrazu jej twarzy, marzenia te musiały być dość przyjemne, a może delikatny dźwięk dzwoneczków, zawieszonych opodal Leśnych Kochanków, wywołał ten pogodny uśmiech na jej twarzy. Możliwe również, że uśmiech ten spowodowały częste wizyty Johna Mereditha w szarym, staroświeckim domu na wzgórzu.

Flora zatrzymała się nagle na widok panny West. Zbyt dobrze jej nie znała, ale zazwyczaj zamieniała z nią kilka słów przy spotkaniu. W tej chwili nie miała ochoty widzieć się z nikim, z wyjątkiem pani Blythe. Wiedziała, że oczy ma zaczerwienione od płaczu, więc lepiej, żeby nikt obcy tego nie zauważył.

— Dobry wieczór, panno West — rzekła niechętnie.

— Co się stało, Floro? — zapytała łagodnie Rosemary.

— Nic — odparła Flora krótko.

— Och! — uśmiechnęła się Rosemary. — Prawdopodobnie nic takiego, co byś mogła komukolwiek powiedzieć, prawda?

Flora spojrzała na pannę West z nagłym zainteresowaniem. Widocznie Rosemary potrafiła zrozumieć ludzki ból. A jaka była śliczna! Jak pięknie połyskiwały jej złociste włosy! Jak świeżo rumieniły się jej policzki! Jakie błękitne były jej oczy! Flora poczuła, że panna West mogłaby być bardzo miłą przyjaciółką, gdyby nie była dla niej zupełnie obcą kobietą.

— Idę właśnie opowiedzieć wszystko pani Blythe — rzekła Flora. — Ona potrafi mnie zrozumieć, nigdy się nie wyśmiewa. Dlatego zawsze opowiadam jej wszystko, jak mam tylko jakieś zmartwienie. To pomaga.

— Bardzo mi przykro, kochanie, ale muszę ci powiedzieć, że pani Blythe nie ma w domu — powiedziała z miłym uśmiechem panna West. — Wyjechała dzisiaj do Avonlea i ma wrócić dopiero w końcu tygodnia.

Wargi Flory zadrżały.

— Więc właściwie mogę sobie pójść do domu — rzekła zrezygnowana.

— Przypuszczam. Chyba że ja w tym wypadku mogłabym panią Blythe zastąpić — zauważyła panna Rosemary łagodnie. — Zwierzenie się komuś ze swych zmartwień sprawia wielką ulgę. Nie wiem, czy potrafię cię tak zrozumieć jak pani Blythe, lecz przyrzekam ci, że śmiać się nie będę.

— Może na zewnątrz — zawahała się Flora — ale w duchu na pewno.

— Nie, przypuszczam, że nie ma powodu do śmiechu. Nigdy nie śmieszą mnie ludzkie zmartwienia. Jeżeli zechcesz opowiedzieć mi, jaka cię spotkała przykrość, chętnie i uważnie wysłucham. Ale może nie masz do mnie zaufania, to lepiej nie mów, kochanie.

Flora spojrzała poważnie w oczy panny West. Wzrok panny Rosemary był bardzo poważny, pozbawiony śladu uśmiechu. Z głębokim westchnieniem dziewczynka przysiadła na pniu obok swej nowej przyjaciółki i opowiedziała jej o tragicznym losie ukochanego Adama.

Rosemary wysłuchała opowieści z uwagą. Widocznie rozumiała i współczuła Florze. Przyjęła to prawie w taki sam sposób jak pani Blythe, istotnie, równie serdecznie.

— Pan Perry jest księdzem, ale powinien być rzeźnikiem! — zawołała Flora z goryczą. — Z taką satysfakcją krajał nieszczęsnego koguta. Jadł go potem z wielkim apetytem, jakby to wcale nie był mój ukochany Adam.

— Mówiąc między nami, Floro, i ja nie czuję zbytniej sympatii do pana Perry'ego — rzekła Rosemary, uśmiechając się blado. („Na pewno śmieje się z pana Perry'ego, nie z Adama" — pomyślała Flora.) — Nigdy go nie lubiłam. Chodziłam z nim kiedyś razem do szkoły, bo jak ci wiadomo, pan Perry pochodzi z Glen, i już wtedy był dostatecznie przemądrzały. Żadna z dziewcząt nie darzyła go wówczas zbytnią sympatią. Jednak należy wziąć pod uwagę, kochanie, że on właściwie nie wiedział nic o tym, że Adam był twoim ulubieńcem. Przypuszczał, że kraje pierwszego lepszego koguta. Musimy być sprawiedliwi, chociaż byśmy byli najbardziej zrozpaczeni.

— I ja tak myślę — przyznała Flora. — Ale dlaczego wszyscy śmieją się z tego, że tak bardzo byłam przywiązana do Adama? Gdyby Adam był starym, obrzydliwym kotem, nikt by się temu nie dziwił. Jak kociakowi Ludki Warren obcięto siekierą nogi, każdy wyrażał jej swe współczucie. Przez dwa dni płakała w szkole i nikt jej nie dokuczał, nawet Dan Reese. Wszyscy koledzy poszli na pogrzeb i pomagali jej zakopać kota, tylko nie mogli zagrzebać jego łapek, bo gdzieś się zawieruszyły. Oczywiście, to było naprawdę bardzo przykre, ale niech pani sobie wyobrazi, jak okropnie jest patrzeć, gdy ktoś zjada ulubieńca. Mimo to jednak wszyscy mi dokuczają i śmieją się z mojej rozpaczy.

— Pewnie dlatego, że sam wyraz „kogut" jest bardzo śmieszny — tłumaczyła Rosemary. — Co innego, gdy się mówi „kurczę". To nie jest takie komiczne słowo.

— Adam był najmilszym moim kurczęciem, panno West. Przychodził zawsze do mnie i jadł z ręki. Przy tym był bardzo ładny, biały jak śnieg, z długim, ślicznym ogonem, chociaż Marysia Vance zawsze utrzymywała, że ogon ma za krótki. Wiedział, jak się nazywa, i za każdym razem biegł do mnie, gdy go wołałam. To był bardzo inteligentny kogut. Ciotka Marta nie powinna go zabijać. On należał do mnie. Nie powinna była, prawda, panno West?

— Oczywiście — odparła z przekonaniem Rosemary. — Bezwarunkowo nie miała racji. Pamiętam, że jak byłam dziewczynką, również miałam ukochaną kurę. Była śliczna, a piórka jej połyskiwały w słońcu jak złoto. Bardzo ją kochałam. Nikt nie odważył się jej zabić i sama potem zdechła ze starości. Matka moja nie tknęłaby jej, bo wiedziała, że ją bardzo kocham.

— Gdyby moja matka żyła, na pewno by nie pozwoliła zarżnąć Adama — rzekła Flora. — Ojciec też by się gniewał, gdyby był w domu. Na pewno nie dopuściłby do tego, prawda, panno West?

— Jestem pewna — odparła Rosemary. Policzki jej spłonęły delikatnym rumieńcem, lecz Flora tego nie zauważyła.

— Czy bardzo brzydko było z mojej strony, że nie powiedziałam panu Perry'emu o tym, że mu się surdut palił? — zapytała niespokojnie.

— O, bardzo brzydko — odparła Rosemary, patrząc na nią figlarnie. — Ale ja bym tak samo uczyniła i wątpię, czy miałabym z tego powodu później wyrzuty sumienia.

— Una twierdzi, że powinnam go była ostrzec, bo to przecież ksiądz.

— Kochanie, jeżeli ksiądz nie jest dżentelmenem, nie mamy żadnego obowiązku otaczać go szacunkiem. Ja tam byłabym również zadowolona, gdybym mogła zobaczyć przypalony surdut pana Perry'ego. Musiał to być strasznie zabawny widok.

Obydwie wybuchnęły śmiechem, lecz Flora zaraz głęboko westchnęła.

— Mimo wszystko Adam nie żyje, a ja już nigdy nie pokocham żadnego stworzenia.

— Nie mów tak. Życie nie miałoby dla nas wartości, gdybyśmy nie potrafili kochać. Im mocniej kochamy, tym życie nasze jest bogatsze, nawet jeżeli darzymy uczuciem małego, nierozumnego koguta. Chciałabyś mieć kanarka, Floro? Jeżeli chcesz, to ci podaruję. Mamy aż dwa w domu.

— O, bardzo bym chciała! — zawołała Flora. — Ogromnie lubię ptaki. Tylko czy nie zjadłby go kot ciotki Marty? Tak przykro patrzeć, jak ktoś zjada ukochane stworzenie. Po raz drugi już bym tego nie przeżyła.

— Jeżeli powiesisz klatkę z daleka od ściany, to kot się do niej nie dostanie. Nauczę cię, jak masz opiekować się kanarkiem, i następnym razem przyniosę ci go do Złotego Brzegu.

W tej samej chwili panna Rosemary pomyślała w duchu: „Nowe plotki będą krążyły po Glen, ale nic mnie to nie obchodzi. Muszę uspokoić to zranione serduszko".

Flora istotnie była już teraz spokojniejsza. Współczucie i zrozumienie ukoiło jej ból. Obydwie z panną Rosemary siedziały na przewróconym pniu drzewa, spoglądając na białą dolinę, aż wreszcie pierwsza gwiazda zabłysła na niebie ponad kępą klonów. Flora opowiedziała o swych nadziejach, radościach i smutkach, opowiedziała o życiu na plebanii i o przygodach w szkole. Gdy się rozstawały, były już serdecznie z sobą zaprzyjaźnione.

Pan Meredith jak zwykle siedział w zamyśleniu przy kolacji, lecz nagle wypowiedziane głośno imię przywołało go do rzeczywistości.

Flora opowiadała Unie o swym spotkaniu z Rosemary.

— Nie masz pojęcia, jaka ona miła — entuzjazmowała się. — Podobna trochę do pani Blythe, a jednak zupełnie inna. Miałam ochotę objąć ją i wycałować. Mówiła do mnie „kochanie". Mogłam jej powiedzieć wszystko, co mi leży na duszy.

— Więc podoba ci się panna West, Florciu? — zapytał pan Meredith zmienionym głosem.
— Kocham ją! — zawołała Flora.
— Ach! — westchnął pan Meredith głęboko.

WYZNANIE

John Meredith szedł w zamyśleniu Doliną Tęczy, stąpając niepewnie po śnieżnym kobiercu. Wierzchołki wzgórz ponad doliną połyskiwały srebrnym blaskiem księżyca. W gałęziach iglastych drzew jakąś dziką pieśń zawodził wieczorny wiatr. Dzieci pastora i dzieci Blythe'ów wybrały się nad staw, pokryty szklistą taflą lodu. Bawiły się widocznie doskonale, bo wesołe głosy i radosne śmiechy dobiegały aż do doliny, zamierając w kępach pobliskich drzew. Poprzez konary ośnieżonych klonów przeświecały jasne okna Złotego Brzegu, jakby zapraszając gościnnie przechodniów do domu, w którym panowała miłość, radość życia i pełnia zrozumienia dla tych wszystkich, którzy cierpieli. Pan Meredith lubił spędzać zimowe wieczory na pogawędce z doktorem przy płonącym kominku, na którym bezustannie czuwały chińskie pieski, lecz dzisiaj jakoś nie patrzył w tę stronę. Od zachodu, z wysokiego pagórka spoglądało ku niebu również pewne światełko, które go w tej chwili bardziej pociągało. Pan Meredith szedł w odwiedziny do Rosemary West i zamierzał jej wyznać to, co w sercu jego rozkwitło bujnie po dłuższych rozmyślaniach, właśnie tego wieczoru, kiedy Flora wyraziła swą sympatię dla nowej przyjaciółki.

Zdał sobie wówczas sprawę, że Rosemary nie była mu obojętna. Nie było to takie samo uczucie, jakie żywił dla Cecylii. Prawdziwa miłość zgasła w jego sercu na zawsze i nigdy już wrócić nie miała. Rosemary jednak była miła, posiadała dużo uroku i stała mu się nagle bardzo droga. Potrafiła być nieocenionym towarzyszem. Przy jej boku pan Meredith czuł się zupełnie szczęśliwy, orientował się przy tym, że byłaby dlań najbardziej odpowiednią żoną i najczulszą matką dla jego dzieci.

Odkąd został wdowcem, John Meredith był bezustannie nakłaniany, w mniej lub bardziej zawoalowany sposób, do powtórnego ożenku. Napomykali mu o tym starsi zboru, jak i zwykli parafianie, i to zarówno ci, których trudno byłoby posądzać o jakiekolwiek ukryte zamiary, jak też ci, którzy być może chcieli coś w ten sposób zyskać. Jednakże rozmaite aluzje tego rodzaju nigdy nie robiły na pastorze najmniejszego wrażenia. W powszechnym przekonaniu John Meredith nawet nie był ich świadomy. W rzeczywistości jednak doskonale zdawał sobie ze wszystkiego sprawę. Czasami, w przypływie zdrowego rozsądku, uświadamiał sobie nagle, że faktycznie powinien się ożenić. Jednak zdrowy rozsądek nigdy nie należał do mocnych stron Johna Mereditha. Dlatego wyszukanie sobie odpowiedniej kandydatki na żonę, na chłodno i z rozmysłem, tak jak się wybiera gosposię albo partnera w interesach — zupełnie nie leżało w jego naturze. Nawet samo sformułowanie „odpowiednia kandydatka na żonę" budziło w nim odrazę. Natychmiast przypominał mu się Jakub Perry, także duchownego stanu, który z udawaną troską w głosie i w mało elegancki sposób dał mu kiedyś do zrozumienia, że powinien rozejrzeć się za „odpowiednią kobietą, w odpowiednim wieku". W tym momencie John Meredith miał niepohamowaną wprost ochotę, by wyruszyć natychmiast na poszukiwania i oświadczyć się najmłodszej i najmniej odpowiedniej kandydatce na żonę, jaką udałoby mu się znaleźć.

Pani Elliott była jego dobrą znajomą i pastor miał dla niej sporo sympatii. Jednak gdy bez ogródek wygarnęła mu, że powinien ponownie się ożenić, poczuł się tak, jakby ktoś próbował popełnić świętokradztwo, brutalnie zrywając zasłonę chroniącą jego najbardziej skrywaną prywatność. Od tej pory zaczął się czuć przy pani Elliott dość nieswojo. Wiedział, że wśród wiernych przychodzących do kościoła jest wiele kobiet „w odpowiednim wieku", które chętnie stanęłyby obok niego na ślubnym kobiercu. Fakt ten bardzo szybko przeniknął do jego świadomości, gdy zaczął pełnić posługę duszpasterską w Glen St. Mary. Wszystkie te kandydatki na żonę były dobre i pracowite, lecz niezbyt interesujące. Może jedna lub dwie z nich miały spokojny charakter, lecz pozostałe niekoniecznie — w rezultacie John Meredith prędzej by się powiesił, niż zdecydował poślubić którąś z nich. Hołdował bowiem pewnym ideałom, którym za nic nie chciałby się sprzeniewierzyć. Nigdy nie ośmieliłby się proponować żadnej kobiecie, by zajęła miejsce Cecylii, gdyby nie mógł jej ofiarować choćby cząstki tego uczucia a także czci, które żywił dla swej młodzieńczej wybranki. No i gdzie niby miał taką kobietę znaleźć, skoro znał ich tak niewiele?

Rosemary West pojawiła się w jego życiu tamtego jesiennego wieczoru, wnosząc ze sobą atmosferę ciepła i bliskości, dzięki czemu pastor zobaczył w niej nagle bratnią duszę. Udało się im wówczas przełamać barierę obcości i zawrzeć przyjaźń. Wtedy, przy ukrytym pośród drzew źródełku, w ciągu dziesięciu minut zbliżył się do niej bardziej niż do Emmeline Drew, Elżbiety Kirk lub Amy Annetty Douglas na przestrzeni roku i był pewien, że nawet gdyby upłynęło cale stulecie, nie zdołałby lepiej poznać tamtych kobiet. To do Rosemary udał się, szukając pocieszenia, gdy pani Aleksandrowa Davis do żywego uraziła jego uczucia — i co ważne — znalazł ukojenie. Od tego czasu często zaglądał do domu na wzgórzu, przemierzając pod osłoną nocy Dolinę Tęczy i tak sprytnie klucząc po zacienionych ścieżkach, że żadna plotkarka z Glen nigdy nie mogła być do końca pewna, czy rzeczywiście szedł odwiedzić Rosemary West, czy nie. Raz, może dwa, zastali go w salonie panien West inni goście i tylko na ich relacjach panie z Koła Pomocy mogły oprzeć swe przypuszczenia. Kiedy wiadomość o tajemniczych wizytach pastora dotarła do Elżbiety Kirk, na jej miłej, lecz niezbyt ładnej twarzy nie drgnął nawet mięsień, choć porzuciła wtedy nadzieję na zamążpójście, którą po cichu przez cały czas żywiła. Zaś Emmeline Drew postanowiła, że gdy następnym razem zobaczy się z pewnym starym kawalerem z Lowbridge, nie będzie dla niego aż tak niemiła, jak ostatnio. Nie było wszak wątpliwości, że skoro Rosemary West postanowiła złapać dla siebie pastora, to z pewnością dopnie swego — w końcu wyglądała na młodszą niż wskazywała metryka, mężczyźni uważali, że jest ładna, a na dodatek obie panny West były majętne!

— Można mieć tylko nadzieję, że John Meredith nie będzie jak zwykle roztargniony i nie oświadczy się przez pomyłkę Ellen — była to jedyna złośliwa uwaga, na którą Emmeline pozwoliła sobie w obecności okazującej jej współczucie siostry Drew. Nie chowała już urazy do Rosemary. Koniec końców, nie obciążony rodziną kawaler był przecież daleko lepszą partią niż wdowiec z czwórką dzieci. Tyle że ona nie potrafiła tego wcześniej dostrzec, skuszona perspektywą zamieszkania na plebanii, co zawsze stanowiło pewnego rodzaju nobilitację.

Gdy szedł tak zasypaną śniegiem ścieżką, przemknęły tuż przed nim małe saneczki i trzy pary błyszczących oczu spojrzały w jego stronę. Długie loki Flory powiewały na wietrze, jej wesoły śmiech dźwięczał w czystym wieczornym powietrzu. John Meredith przez chwilę spoglądał za córką z czułością. Był zadowolony, że jego dzieci zyskały sobie przyjaciół w młodych Blythe'ach, radował się, iż opiekowała się nimi taka mądra, wesoła i tkliwa kobieta, jaką była pani Blythe. Lecz dzieciom trzeba było czegoś więcej, a miałyby to wszystko, gdyby Rosemary West zamieszkała na plebanii.

Zazwyczaj sobotnie wieczory poświęcał pastor przygotowaniu niedzielnego kazania, ale dzisiaj chciał skorzystać z nieobecności Ellen West i złożyć wizytę jej siostrze. Tylko raz jeden był sam na sam z Rosemary, bo potem Ellen zawsze im towarzyszyła.

Właściwie nie przeszkadzała mu wcale. Polubił ją bardzo i zaprzyjaźnili się ogromnie. Ellen posiadała prawdziwie męski umysł oraz duże poczucie humoru i rozmowy z nią sprawiały pastorowi wielką satysfakcję. Interesowała się nawet polityką i światowymi wynalazkami. Sam doktor Blythe nie wykazywał większej znajomości rzeczy pod tym względem.

— Jak długo się żyje, trzeba się wszystkim interesować — mawiała — inaczej nie ma różnicy między żywymi a umarłymi.

Pan Meredith lubił sympatyczny, głęboki głos Ellen, lubił jej serdeczny śmiech i dobrze opowiadane anegdotki. Nigdy nie czyniła mu żadnych uwag na temat wychowania dzieci, jak to zwykły robić wszystkie niemal niewiasty w Glen, nigdy nie nudziła go miejscowymi plotkami, nie była złośliwa ani małoduszna. Była zawsze ogromnie szczera. Pan Meredith, który nauczył się od panny Kornelii klasyfikowania ludzi, doszedł do wniosku, że Ellen należała do ludzi z rodu Józefa. Była wymarzonym typem na szwagierkę, jednak rzecz oczywista, że wolał nie przy niej wyznawać swą miłość Rosemary. Podczas jego wizyt Ellen prawie nigdy nie wychodziła z pokoju, chociaż nie zawsze wtrącała się do rozmowy. Siedziała przeważnie przy kominku ze swym ukochanym George'em na kolanach i przysłuchiwała się gawędzie Rosemary z panem Meredithem. Często śpiewali głośno lub czytali książki, często również zapominali o obecności Ellen. Jednak za każdym razem, z chwilą gdy rozmowa przybierała bardziej intymny charakter, Ellen mroziła ich nagle jakimś trzeźwym słowem i Rosemary traciła już humor na resztę wieczoru. Trudno jednak zapobiec subtelnej mowie uśmiechów i spojrzeń, i wymownego milczenia, choćby czuwał najgroźniejszy ze smoków, nic więc dziwnego, że to, co nie zostało wypowiedziane słowami, zarówno pan Meredith, jak i Rosemary rozumieli doskonale i zapadło im głęboko w serca.

Jeżeli jednak chodziło o szczere wyznanie, to mogło ono nastąpić tylko wtedy, gdy Ellen nie było w domu, a tak rzadko dom opuszczała, tym bardziej zimą. Najlepiej się czuła w obszernej bawialni przy kominku. Lubiła towarzystwo, lecz najchętniej przyjmowała gości w domu. Pan Meredith niejednokrotnie myślał już o tym, że będzie musiał napisać do Rosemary to wszystko, co chciał jej powiedzieć, gdy nagle pewnego wieczoru Ellen zapowiedziała, że wybiera się w sobotę na srebrne wesele. Przed dwudziestu pięciu laty była druhną na ślubie, a ponieważ szczęśliwi małżonkowie zapraszali tylko swych dawnych przyjaciół, więc Rosemary zaproszenia nie otrzymała. Na wieść o srebrnym weselu panu Meredithowi zabłysły oczy radośnie. Siostry zauważyły to i były pewne, że pan Meredith w sobotę wieczorem wykorzysta okazję i złoży wizytę w szarym domu Westów.

— Niechaj już będzie po wszystkim, George — zwierzyła się Ellen czarnemu kotu, po wyjściu pana Mereditha i po udaniu się Rosemary do swego pokoju. — Jestem pewna, że się jej oświadczy. Niech się dowie jak najprędzej, że z tego nic nie będzie. Wiem, że ona chętnie przyjęłaby jego propozycję, lecz przysięgła i przysięgi z pewnością dotrzyma. Przykro mi co prawda, George, bo chciałabym mieć właśnie takiego szwagra. Nie mam nic przeciwko niemu, z wyjątkiem tego, że nie widzi, jak Kaiser zagraża bezpieczeństwu Europy. To jego słaba strona. Jednak jest doskonałym towarzyszem i polubiłam go. John Meredith jest jedynym mężczyzną, który potrafi zrozumieć kobietę. Niestety, Rosemary nie zostanie jego żoną. Przypuszczam, że po odmowie przestanie do nas przychodzić. Utracimy go obydwie, George, przykre to będzie, bardzo przykre dla mnie, ale przysięga musi zostać przysięgą.

Twarz Ellen była prawie brzydka w tej chwili. Na górze w pokoiku Rosemary płakała cicho z twarzą wtuloną w poduszkę.

Tak więc pan Meredith zastał swą wybrankę samą, wyglądającą jeszcze piękniej niż zwykle. Rosemary nie ubrała się specjalnie na tę wizytę; początkowo chciała to zrobić, ale wydało jej się niedorzecznością wystroić się dla mężczyzny, którego oświadczyny zamierza się odrzucić. Nosiła swą codzienną ciemną sukienkę, która dodawała jej jeszcze uroku. Policzki miała zaróżowione, a błękitne oczy płonęły wewnętrznym ogniem.

Pragnęła teraz nade wszystko, aby odszedł. Przez cały dzień z dziwnym lękiem oczekiwała tej wizyty. Była pewna, że John Meredith dzisiaj właśnie wyzna jej swą miłość, choć wiedziała, że nie darzy jej takim uczuciem, jakim darzył pierwszą swą żonę. Wiedziała również, iż jej odmowa rozczaruje go po trosze, lecz nie zrani mu serca. Wolałaby jednak nie doprowadzać do ostateczności, chociażby ze względu na samą siebie. Zdawała sobie sprawę, że mogłaby kochać Johna Mereditha, gdyby oczywiście droga do szczęścia stała przed nimi otworem. Zdawała sobie również sprawę, że byłaby przy jego boku szczęśliwa i jemu potrafiłaby dać szczęście. Niestety, droga do szczęścia była zamknięta, odgrodzona nieustępliwą bramą przysięgi, którą złożyła przed laty Ellen.

Rosemary nie pamiętała swego ojca. Umarł, gdy miała zaledwie trzy lata. Ellen, mając już wtedy lat trzynaście, wspominała go często, lecz wspomnienia te były pozbawione wszelkiego uczucia. Stary pan West był człowiekiem srogim i niezbyt mile odnosił się do swej pięknej, młodej żony. Pięć lat po jego śmierci umarł również ich brat w wieku lat dwunastu. Od tego czasu dziewczęta pozostawały pod opieką matki. Nie udzielały się zbytnio w towarzystwie, chociaż wszędzie witane były radośnie. Obydwie w dziewczęcych latach przeżyły tak zwane rozczarowanie. Fale morskie zabrały ukochanego Rosemary, a Norman Douglas, przystojny wówczas młodzieniec, z powodu jakiejś błahej sprzeczki rozstał się z Ellen i ożenił z kobietą, której nie kochał.

Po Marcinie i Normanie zjawiło się jeszcze kilku kandydatów ubiegających się o względy panien West, lecz żaden jakoś nie miał szczęścia. Obydwie poświęciły się dla matki, złożonej chroniczną niemocą. Stworzyły sobie życie ciche w gronie domowym i były z niego zupełnie zadowolone. Śmierć pani West, która nastąpiła akurat w dwudzieste piąte urodziny Rosemary, przejęła obie dziewczyny prawdziwym smutkiem. Zostały zupełnie same. Szczególnie samotność tę odczuła Ellen, która doznała rozstroju nerwowego — całymi dniami płakała i nikt jej nie mógł uspokoić. Stary doktor z Lowbridge powiedział Rosemary, że lęka się nawet, iż Ellen może wpaść w nieuleczalną melancholię.

Pewnego dnia, gdy Ellen siedziała w milczeniu, odmawiając nawet przyjmowania pokarmów, Rosemary uklękła przy niej i czule objęła ją ramieniem.

— Ellen, przecież masz jeszcze mnie — szeptała serdecznie. — Czyż jestem dla ciebie niczym? Wszak zawsze będziemy razem!

— Będziesz przy mnie do czasu — odparła Ellen. — Potem wyjdziesz za mąż, odejdziesz ode mnie. Zostanę zupełnie sama. Nie mogę znieść tej myśli. Wolałabym raczej umrzeć!

— Nigdy nie wyjdę za mąż, Ellen, nigdy! — zawołała Rosemary.

Ellen pochyliła się i z powagą spojrzała w błękitne oczy siostry.

— Możesz mi to uroczyście przysiąc? — zapytała. — Przysięgnij na Biblię, na pamięć naszej matki.

Rosemary przysięgła, aby tylko ukoić ból Ellen. Zresztą jakież to miało znaczenie? Wiedziała, że nigdy nie zatęskni za małżeństwem. Fale morskie pochłonęły jej miłość wraz z Marcinem Crawfordem, a nie kochając, nie mogła poślubić żadnego mężczyzny. Przysięgła więc ochoczo, choć Ellen przyjmowała tę obietnicę z pewną bojaźnią. Skrzyżowały dłonie na Biblii w dawnym pokoju matki i obydwie przysięgły, że nigdy nie wyjdą za mąż i zawsze pozostaną razem.

Stan zdrowia Ellen od tej chwili z każdym dniem się poprawiał. Wkrótce odzyskała swą dawną równowagę i humor. Przez dziesięć lat obydwie z Rosemary były szczęśliwe, nie myśląc zupełnie o małżeństwie. Ellen przez ten czas nigdy nie miała powodu do lęku, aż do owego wieczoru, kiedy do ich domu w towarzystwie Rosemary wszedł John Meredith. Wieczór ten i dla Rosemary był chwilą przełomową, bo właśnie wtedy musiała odwrócić głowę od szczęścia, które się do niej uśmiechało.

Prawda, że tego wiośnianego uczucia, uczucia pierwszej miłości, jakie żywiła dla swego narzeczonego, nie mogła już nikomu darować, lecz wiedziała, że Johna Mereditha darzyłaby uczuciem o wiele bogatszym, uczuciem kobiety dojrzałej. John Meredith obudził w jej duszy to, czego nie zdołał obudzić Marcin w duszy młodziutkiej siedemnastoletniej dziewczyny. Mimo to jednak musiała go dzisiaj odesłać z niczym, aby wrócił do swego samotnego domu, do szarej pustki, do nie rozwiązanych problemów, bo przed dziesięciu laty przysięgła Ellen, że nigdy nikogo nie zaślubi.

John Meredith nie od razu wykorzystał okazję. Przeciwnie, przez dwie godziny usiłował mówić o rzeczach potocznych. W pewnej chwili nawet panna West była pewna, iż popełniła omyłkę, że obawy jej były płonne i śmieszne. Policzki jej przybladły, a oczy przygasły. Widocznie John Meredith nie miał wcale zamiaru proponować małżeństwa.

Nagle całkiem nieoczekiwanie wstał z miejsca, przeszedł przez pokój i stanąwszy przy niej, wypowiedział swą propozycję. W pokoju zaległa grobowa cisza. Nawet czarny kot przestał mruczeć. Rosemary słyszała bicie własnego serca i była pewna, że John Meredith również je słyszy.

Teraz ona powinna była dać odpowiedź łagodną, lecz krótką. Przygotowywała się do tego przez tyle długich dni i nagle głos zamarł w jej piersi. Nie znajdowała słów. Powinna powiedzieć „nie", a w żaden sposób nie mogła się na to zdobyć. Dopiero w tej chwili zdała sobie sprawę, że kocha Johna Mereditha. Myśl o utraceniu go przejmowała ją rozpaczą.

Jednak musi przecież coś powiedzieć. Podniosła głowę i cichym głosem wyraziła prośbę, aby jej zostawił kilka dni do namysłu.

John Meredith był nieco zaskoczony. Nie należał do zarozumialców, lecz był przygotowany na to, że Rosemary West odpowie od razu „tak". Czuł, że darzyła go sympatią, więc po cóż to wahanie? Wszakże wyrosła już z lat dziewczęcych i miała własne zasady. Uczuł nagle coś w rodzaju rozczarowania i przykrego zawodu, lecz zgodził się na to, o co prosiła, i nie mówiąc już nic więcej, wyszedł.

— Dam panu odpowiedź za kilka dni — rzekła Rosemary ze wzrokiem opuszczonym ku ziemi i z płonącą twarzą.

Gdy drzwi się za nim zamknęły, wróciła do bawialni i z rozpaczą załamała dłonie.

GEORGE WIE O WSZYSTKIM

Ellen West wracała o północy do domu ze srebrnego wesela państwa Pollocków. Po wyjściu gości pozostała jeszcze chwilę, aby pomóc gospodyni w sprzątaniu.

Odległość między dwoma domami nie była zbyt wielka, więc Ellen z prawdziwą przyjemnością szła wolnym krokiem, rozkoszując się srebrzystym blaskiem księżyca.

Wieczór bardzo się udał. Ellen już dawno nie była na większym przyjęciu i po dzisiejszej wizycie pozostało w jej duszy bardzo miłe wrażenie. Gośćmi byli przede wszystkim dawni przyjaciele, ludzie starsi (młodzieży nie zaproszono zupełnie, a nawet jedyny syn gospodarzy, kształcący się na wyższej uczelni, na uroczystość nie przyjechał). Przybył również na przyjęcie Norman Douglas, którego Ellen, poza dwukrotnym widzeniem tej zimy w kościele, od lat nigdzie nie spotykała. Na jego widok w jej sercu nie zbudził się dawny sentyment. Dziwiła się nawet, że kiedyś tak bardzo cierpiała z powodu jego nieoczekiwanego małżeństwa. Jednak w głębi duszy zadowolona była, że go ujrzała znowu. Zapomniała już, jak zajmujący potrafił być Norman Douglas. Wszystkich gości zdziwiła obecność Normana, gdyż wiadomo było, iż ostatnio nie udziela się towarzysko. Pollockowie zaprosili go, lecz nie przypuszczali, że zaproszenie to przyjmie. Norman zajął miejsce przy stole obok swej dalekiej kuzynki Anetty Douglas i zdawać się mogło, że rozmowa z nią ogromnie go absorbuje. Naprzeciwko siedziała Ellen. Rozgorzała między nimi bardzo ożywiona dyskusja, w czasie której mimo krzyku i kpin nie udało się Normanowi zmieszać Ellen. Wyszła z tej słownej utarczki zwycięsko i nawet zmusiła skonsternowanego Normana do zamilknięcia na dłuższą chwilę. „Odważna jak zawsze, odważna jak zawsze" — wymamrotał z głębi swej rudej brody i zwrócił się ku Anetcie, śmiejącej się histerycznie z jego ostrych docinków, które Ellen na pewno umiałaby zręcznie odparować.

Ellen rozmyślała o tym wszystkim w powrotnej drodze do domu. Zmarznięty śnieg trzeszczał pod jej stopami. Na niedaleką przystań roztaczał się piękny widok. W jednym z okien na plebanii zapalono światło. Widocznie John Meredith wrócił już do domu. Czy proponował Rosemary, aby została jego żoną? W jakiej formie dała mu ona odmowną odpowiedź? Ellen czuła, że nigdy się o tym nie dowie, choć ciekawiło ją to ogromnie. Była przekonana, że siostra będzie milczała i że właściwie ona sama nie powinna zadawać na ten temat pytań. Musi się zadowolić samym faktem, że odpowiedź Rosemary była odmowna. Zresztą w danej chwili to jedno najbardziej ją interesowało.

— Przypuszczam, że będzie na tyle rozsądny, aby przychodzić do nas w roli przyjaciela — mówiła do siebie. — Przykro byłoby utracić człowieka, z którym tak swobodnie o wszystkim się rozmawia; a może już nigdy nie spojrzy nawet w naszą stronę? Tak samo jak Norman Douglas... Lubię tego człowieka i nieraz chętnie zamieniłabym z nim kilka słów. Jednak o jego odwiedzinach nie ma mowy, lękałby się, że ludzie posądzą go o jakieś zamiary względem mnie. Przyznam, że Norman jest mi teraz bardziej obcy od Johna Mereditha. Trudno sobie nawet wyobrazić, że byliśmy kiedyś w sobie zakochani. W całym Glen jest tylko dwóch ludzi, z którymi mogę porozmawiać do rzeczy, a przez te głupie plotki prawdopodobnie żadnego z nich nigdy nie zobaczę. Ja jakoś lepiej umiałabym ten świat urządzić!

Przystanęła u bramy z niejasnym uczuciem niepokoju. W bawialni widziała jeszcze światło, a na tle zasłony okiennej przesuwał się cień postaci kobiecej, snującej się niespokojnie po pokoju. Co o tak późnej porze robiła Rosemary na dole? I czemu tak biegała po pokoju jak szalona?

Ellen weszła cicho do domu. Gdy otwierała drzwi hallu, Rosemary wybiegła z bawialni. Twarz jej płonęła, a oczy błyszczały. Była niezwykle podniecona.

— Dlaczego do tej pory nie jesteś w łóżku, Rosemary? — zapytała Ellen.

— Wejdź tutaj — powiedziała Rosemary gwałtownie. — Chciałam ci coś powiedzieć.

Ellen wolnymi ruchami zdjęła okrycie i kalosze, po czym weszła za siostrą do ciepłego, oświetlonego pokoju. Wsparłszy się dłońmi o stół, czekała. Wyglądała dzisiaj bardzo ładnie w nowej, czarnej, aksamitnej sukni z trenem i dużym dekoltem, która uwydatniała jej piękną wyniosłą kibić. Na szyi miała bogatą kolię z szafirów, jedyny pozostały klejnot rodzinny. Spacer po mroźnym powietrzu zabarwił jej policzki dziewczęcym rumieńcem, lecz stalowobłękitne oczy były jak noc zimowa. Stała w milczącym oczekiwaniu, które wreszcie odważyła się przerwać Rosemary.

— Ellen, był tu dzisiaj pan Meredith.

— Tak?

— I... zaproponował mi małżeństwo.

— Byłam na to przygotowana. Oczywiście odmówiłaś mu?

— Nie.

— Rosemary! — Ellen zacisnęła dłonie i postąpiła parę kroków naprzód. — Chcesz mi powiedzieć, że przyjęłaś jego oświadczyny?

— Nie... nie.

Ellen odzyskała na nowo równowagę.

— Więc jak postąpiłaś?

— Prosiłam go, żeby mi zostawił kilka dni do namysłu.

— Zupełnie zbytecznie — rzekła Ellen zimno — bo przecież właściwie jest tylko jedna odpowiedź, na jaką się możesz zdobyć.

Rosemary złożyła z rozpaczą ręce.

— Ellen! — zawołała bezdźwięcznym głosem. — Kocham Johna Mereditha i pragnę być jego żoną. Zechcesz mnie zwolnić z danej ci obietnicy?

— Nie — odparła Ellen, drżąc na całym ciele.

— Ellen... Ellen...

— Słuchaj — przerwała starsza siostra. — Nie wymogłam na tobie obietnicy. Sama mi ją dałaś.

— Wiem, wiem. Jednak nie przypuszczałam, że kiedyś będzie mi ona przeszkodą do szczęścia.

— Sama obiecałaś — ciągnęła Ellen niewzruszona. — Przyrzekłaś na Biblię, na prochy naszej matki. To było więcej niż przyrzeczenie, to była przysięga. A teraz chcesz ją złamać?

— Proszę tylko, żebyś mnie z niej zwolniła.

— Tego nie uczynię. Według mnie przysięga musi zostać przysięgą. Nie zwolnię cię z niej. Możesz złamać przysięgę, ale bez mojej aprobaty.

— Jesteś strasznie twarda, Ellen.

— Twarda dla ciebie? A co ze mną? Czy pomyślałaś kiedyś, co się stanie ze mną, jak ty odejdziesz? Nie zniosłabym samotności, oszalałabym, nie mogłabym żyć sama. Czy byłam dla ciebie złą siostrą? Nie spełniałam twoich życzeń?

— Tak, tak.

— I chcesz mnie opuścić dla tego człowieka, którego jeszcze przed rokiem nie znałaś?

— Ja go kocham, Ellen.

— Miłość! Mówisz jak pensjonarka, a przecież jesteś już zupełnie dojrzałą kobietą. Bądź pewna, że on cię nie kocha. Potrzebna mu jest gospodyni i opiekunka do dzieci. Ty go także nie kochasz. Chcesz być mężatką, należysz do tego typu słabych kobiet, które wstydzą się staropanieństwa. To wszystko, co ci mam do powiedzenia.

Rosemary zadrżała. Ellen nie mogła, czy też nie chciała jej zrozumieć. Dalsze argumenty i tak nie zdałyby się na nic.

— Więc nie chcesz mnie zwolnić, Ellen?

— Nie chcę i nie chcę więcej o tym mówić. Przysięgłaś, więc musisz dotrzymać słowa. To wszystko. Idź spać. Spójrz, która godzina! Jesteś zbytnio romantyczna i przewrażliwiona. Mam nadzieję, że jutro będziesz rozsądniejsza. W każdym razie bądź łaskawa nie wspominać mi więcej o tych głupstwach. Idź!

Rosemary bez słowa odeszła. Jeszcze przez kilka minut Ellen spacerowała w zadumie po pokoju, wreszcie zatrzymała się przy krześle, na którym przez cały wieczór spał smacznie jej ulubiony George. Nieprzyjemny uśmiech wykrzywił usta panny West. Raz tylko w życiu, po śmierci matki, Ellen nie mogła zdobyć się na to, aby tragedię przeobrazić w epizod komiczny. Bo nawet po rozstaniu z Normanem Douglasem śmiała się głośno, choć dusza jej przepełniona była bólem.

— Wiem, że będzie trochę przykrości, George, przygotowana jestem na nie. Jednak horyzont wkrótce się wypogodzi. Mamy do czynienia z nieopanowanymi dzieciakami. Rosemary podąsa się trochę, ale potem otrząśnie się i wszystko będzie tak, jak było. Przysięgła, więc musi przysięgi dotrzymać. To jest ostatnie słowo, jakie jej powiedziałam na ten temat.

Mimo to Ellen do rana nie zmrużyła oka.

Nazajutrz Rosemary była spokojna, ale blada, i poza tym Ellen nie dostrzegła w niej żadnej zmiany. Ze względu na straszliwą zadymkę siostry nie poszły do kościoła. Po południu Rosemary zamknęła się w swoim pokoju i napisała list do Johna Mereditha. Nie miała siły powiedzieć mu tego osobiście. Niech sobie myśli, że jest dla niej zupełnie obojętny, skoro załatwia tę sprawę w ten sposób. Napisała mu całkiem chłodną, krótką odmowną odpowiedź.

Czytając ten list nazajutrz w swym mrocznym gabinecie, John Meredith oniemiał. W tej chwili dopiero zdał sobie sprawę ze swego uczucia do Rosemary. Był pewny, że nie kocha jej tak serdecznie, jak kochał Cecylię, lecz teraz dopiero, gdy ją utracił, przekonał się, iż była dlań wszystkim. Mimo to musi zapomnieć o niej i iść samotnie przez dalsze życie. Nawet utrzymywanie przyjaźni było teraz niemożliwe.

Przyszłość ukazała mu się w najbardziej ponurych barwach. Musi zmierzać ku tej przyszłości — ma przecież pracę, ma dzieci, a sercu należy rozkazać, aby zamarło. Przez cały wieczór siedział samotnie w swym ciemnym, zimnym gabinecie, z głową wspartą na dłoniach.

Rosemary tymczasem usprawiedliwiła się migreną i wcześnie udała się na spoczynek, podczas gdy Ellen zwróciła się znowu do czarnego ulubieńca George'a:

— Co robiłyby biedne kobiety, gdyby na świecie nie istniała migrena, George? Nie martw się, kotku. Przymkniemy oczy na kilka tygodni. Przyznam, że sama się niezbyt dobrze czuję. Zupełnie tak, jakbym przed chwilą potopiła małe, niewinne kocięta. Lecz ona przysięgła, a przysięga jest rzeczą świętą.

KLUB DOBREGO ZACHOWANIA

Przez cały dzień padał drobny deszczyk, prawdziwie wiosenny, który przyniósł z sobą woń rozkwitłych pierwiosnków i rozbudzonych fiołków. Port, piaszczyste wybrzeże i okoliczne pola zasnuła szaroperłowa mgła. Dopiero pod wieczór deszcz ustał, a lekki wietrzyk zdmuchnął mgłę w stronę morza. Chmurki szybowały po niebie nad przystanią, tonąc w różowych refleksach zachodzącego słońca. Blask czerwieni rozjaśnił wierzchołki wzgórz, lecz doliny ginęły już w mroku. Na firmamencie zabłysła wielka, srebrzysta wieczorna gwiazda. Z Doliny Tęczy unosiła się woń żywicznych sosen i wilgotnego mchu. Hulał tu wietrzyk, który przenosił się do kęp starych jodeł na cmentarzu metodystów i rozwiewał gęste loki Flory siedzącej na kamiennej płycie grobu Hezekiaha Pollocka i otaczającej ramionami Marysię Vance i Unę. Karolek i Jerry siedzieli naprzeciw na innym nagrobku i wszyscy pięcioro przejęci byli wrażeniami dnia dzisiejszego.

— Piękny wieczór mamy, prawda? Tak się jakoś przetarło na świecie — mówiła Flora z radością.

Marysia Vance spojrzała na nią chmurnie, zatopiona we własnych niewesołych myślach. Doszła do wniosku, że Flora jest stanowczo zbyt lekkomyślnym stworzeniem. Marysia miała coś na sercu, co postanowiła powiedzieć przed wyruszeniem do domu. Pani Elliott przysłała ją na plebanię ze świeżymi jajkami i prosiła, aby zabawiła tam najwyżej pół godziny. Pół godziny już prawie minęło, więc dziewczynka nagle energicznie wyciągnęła skurczone dotychczas nogi i rzekła nieoczekiwanie:

— Mniejsza o pogodę. Mam wam coś do powiedzenia. Powinniście sprawować się teraz lepiej niż zeszłej wiosny. Chciałam wam dzisiaj coś zaproponować. Musicie wiedzieć, że ludzie jak najgorzej o was myślą.

— Co takiego znowu zrobiliśmy? — zawołała Flora ze zdziwieniem, cofając ramię z szyi Marysi. Wargi Uny drżały, a w jej duszyczce zrodził się nagle niepokój. Marysia była zawsze tak brutalnie szczera. Jerry z najobojętniejszą miną począł gwizdać głośno, chcąc pokazać Marysi, że te wszystkie jej tyrady wcale go nie obchodzą. Przecież postępowanie dzieci z plebanii to nie była jej sprawa. Jakim prawem wtrąca się w ich życie?

— Co teraz zrobiliście? To, co robicie ciągle — odparła Marysia. — Nim jeszcze zdoła przebrzmieć jedna historia, już rozpoczynacie drugą. Według mnie nie macie zielonego pojęcia, jak dzieci z plebanii powinny się zachowywać.

— Może ty byś nas mogła oświecić — rzekł Jerry z miną zabójcy.

Ironia ta nie dotarła do świadomości Marysi.

— Mogę wam tylko powiedzieć, co się stanie, jeżeli nie zaczniecie zachowywać się inaczej. Na następnej sesji wasz ojciec będzie musiał zrezygnować z posady. Rozumie pan teraz, panie Geraldzie? Słyszałam, jak pani Aleksandrowa Davis mówiła o tym do pani Elliott. Zawsze nastawiam uszu, ilekroć pani Davis przychodzi do nas na herbatę. Ostatnim razem mówiła, że z każdym dniem stajecie się gorsi i to było do przewidzenia, bo przecież nikt was nie wychowuje, ale parafianie dłużej tego nie zniosą i trzeba będzie temu zapobiec. Metodyści śmieją się z was i oczywiście śmiech ich rani serca prezbiterian. Nie mówię wam tego, ażeby sprawiać wam przykrość. Żal mi was serdecznie. Rozumiem, że nie jesteście temu winni, lecz parafianie nie mogą być tacy pobłażliwi jak ja. Panna Drew opowiadała, że w niedzielę do szkółki Karolek przyniósł w kieszeni ropuchę, która wyskoczyła podczas lekcji. Panna Drew z tego powodu chciała się podać do dymisji. Dlaczego tych swoich gadów nie zostawisz w domu?

— Zaraz ją z powrotem wpakowałem do kieszeni — tłumaczył się Karol. — Nikomu nie wyrządziła żadnej krzywdy, biedactwo! Nic bym nie miał przeciwko temu, gdyby ta stara wariatka przestała uczyć w naszej klasie. Nienawidzę jej. Jej rodzony siostrzeniec miał w kieszeni paczkę tytoniu i dawał nam do żucia, gdy Abraham Clow rozpoczął ranną modlitwę. Sądzę, że to było gorsze od żaby.

— Nie, bo żaby się mniej spodziewano, więc była większą sensacją. Zresztą siostrzeńca panny Drew nikt na tym nie przyłapał. A co do modlitwy, to podobno w zeszłym tygodniu podczas modlitwy zrobiliście jakiś okropny skandal. Już wszyscy o tym mówią.

— Dlaczego? Blythe'owie tak samo byli w to wszystko zamieszani jak i my! — zawołała Flora z oburzeniem. — Przede wszystkim pomysł podrzuciła nam Nan Blythe, a Walter wziął pierwszą nagrodę.

— W każdym razie wy ponosicie za to odpowiedzialność. Nie zwróciłoby to niczyjej uwagi, gdybyście nie urządzili tego na cmentarzu.

— Uważam, że cmentarz jest najbardziej odpowiednim miejscem na odprawianie modlitwy — odparł Jerry.

— Deacon Hazard przejeżdżał właśnie obok cmentarza, gdyście się modlili — ciągnęła dalej Marysia — i widział was wszystkich z rękami skrzyżowanymi na brzuchach. Jęczeliście podobno przy każdym zdaniu. Był pewny, że kpicie z niego.

— I nie mylił się — oznajmił bezczelnie Jerry. — Tylko, niestety, wcale go nie widziałem. Był to po prostu zwykły przypadek. Ja tam nie modliłem się poważnie, bo wiedziałem, że i tak nie dostanę nagrody. Robiłem jak najśmieszniejsze miny. Walter Blythe za to potrafił się modlić prawdziwie, nawet ojcu dotrzymałby placu.

— Z nas wszystkich tylko Una lubi się szczerze modlić — zauważyła Flora w zamyśleniu.

— Jeżeli ludzie gorszą się naszą modlitwą, to więcej tego nie powtórzymy — westchnęła Una.

— Głuptasy! Możecie się modlić, ile się wam podoba, tylko nie na cmentarzu, i nie róbcie z tego szopki. To wszystko ogromnie gorszy parafian, a podobno oprócz tego urządziliście sobie jakiś piknik na nagrobkach.

— Nieprawda.

— Może puszczaliście bańki mydlane, w każdym razie coś w tym rodzaju. Mieszkańcy przystani przysięgają, że to był piknik, ale ja tak bardzo im nie wierzę. Podobno płyta nagrobka Pollocka służyła wam za stół.

— Ciotka Marta nie pozwoliła nam puszczać baniek w mieszkaniu. Była tego dnia wściekła — wyjaśnił Jerry.

— Czyż nie były piękne? — zawołała Flora, a oczy jej zabłysły na samo wspomnienie. — Mieniły się w słońcu i leciały gdzieś aż ponad wierzchołki pagórków. Inne znów poszybowały w stronę Doliny Tęczy.

— Tylko jedna została na cmentarzu metodystów — dorzucił Karol.

— Jestem zadowolona, że uczyniliśmy to tylko jeden raz, nim dowiedzieliśmy się, że nie należy tego robić — rzekła Flora.

— Moglibyście urządzać sobie takie zabawy na podwórzu! — zawołała Marysia niecierpliwie. — Przecież nie mogę wszystkiego kłaść wam do głowy. Już wam kilkakrotnie mówiono, żebyście się nie bawili na cmentarzu. Metodyści są oburzeni.

— Zupełnie zapomnieliśmy — rzekła Flora ze skruchą. — Podwórze jest takie małe i pełno na nim rozmaitych rupieci. Cały dzień nie możemy przecież siedzieć w Dolinie Tęczy, więc dokąd mamy iść?

— Sęk w tym, że cały dzień prawie przebywacie na cmentarzu. Nic by nie szkodziło, gdybyście siedzieli spokojnie i rozmawiali, jak teraz na przykład. Nie wiem, co z tego wszystkiego wyniknie, ale dowiedziałam się, że pan Warren ma zamiar pomówić o tym z waszym ojcem. Deacon Hazard jest jego kuzynem.

— Lepiej, żeby tym ojcu głowy nie zawracali — szepnęła Una.

— Widzisz, wszyscy twierdzą, że ojciec powinien wam zwrócić uwagę. Ja także go nie rozumiem. W moim pojęciu jest to duży dzieciak i sam jeszcze potrzebowałby czyjejś opieki. Już dawno powinien pomyśleć o tym, co mu dopiero teraz do głowy wpadło, jeżeli to wszystko oczywiście jest prawdą.

— O czym mówisz? — zapytała Flora.

— Jak to, nic nie wiecie? — zdziwiła się Marysia.

— Nie.

— Same niewiniątka, daję słowo. Przecież wszyscy już o tym wiedzą. Wasz ojciec odwiedza często Rosemary West. Podobno ma zostać waszą macochą.

— Ja nie wierzę! — zawołała Una, czerwieniejąc nagle.

— Ja także nie wierzę. Powtarzam tylko to, co ludzie mówią. To by było wcale niezłe. Rosemary West dałaby wam szkołę, chociaż ma taką słodką twarz i uśmiecha się tak przyjemnie. Wszystkie macochy są takie, dopóki nie wlezą do domu. Jednak wam bezwarunkowo ktoś jest potrzebny, żeby was wychowywał. Unieszczęśliwiacie własnego ojca. Często o tym myślałam od owego wieczoru, kiedy rozmawiałam z nim w gabinecie. Od tego czasu ani razu nie zaklęłam i ani razu nie skłamałam. Chciałabym go widzieć szczęśliwym, zadowolonym, żeby miał zawsze wszystkie guziki przy surducie i żeby mu obiad smakował, ale wasza Marta na pierwszym planie stawia swojego kota. Trzeba ją było widzieć, jak spojrzała na jajka, które dzisiaj przyniosłam. „Mam nadzieję, że będą świeże" — wymamrotała. Dałabym dużo w tej chwili, żeby wszystkie jajka były do wyrzucenia. A wy myślicie tylko o tym, żebyście sami jedli, nie troszcząc się zupełnie o ojca. Pani Elliott te jajka specjalnie dla niego przysłała, ale ja do starej Marty nie mam zaufania. Gotowa uraczyć nimi swego kota.

Marysia zamilkła wreszcie i krótka cisza zapanowała na cmentarzu. Dzieci z plebanii nie były skłonne do rozmowy. Roztrząsały teraz w myśli to, o czym Marysia im powiedziała. Jerry i Karol byli nieco zaskoczeni. Właściwie, co im na tym zależało? Zresztą nie wiadomo, czy to była prawda. Jedna tylko Flora była zadowolona. Unę wiadomość ta przygnębiła. Pragnęła teraz nade wszystko uciec do domu i wypłakać się porządnie.

„Czy w mojej koronie świecić będą gwiazdy?" — śpiewał chór metodystów podczas nabożeństwa, które się właśnie odbywało w ich kościele.

— Ja chcę mieć trzy — rzekła Marysia, której wiedza teologiczna stała się bogatsza od chwili zamieszkania u pani Elliott. — Trzy gwiazdki błyszczące nad czołem jak diadem. Jedna duża w środku i dwie małe po bokach.

— Czy dusze ludzkie są rozmaitych rozmiarów? — zapytał nagle Karol.

— Naturalnie. Małe dzieci mają o wiele mniejsze duszyczki niż dorośli. No, robi się ciemno, muszę wyrywać do domu. Pani Elliott nie lubi, jak późno przychodzę. Pomyśleć tylko, że będąc u pani Wiley, nie odróżniałam nawet dnia od nocy. Zdaje mi się, że to było przed wiekami. Teraz, kiedy już wszystko wam powiedziałam, przypuszczam, że będziecie się zachowywali inaczej, chociażby ze względu na ojca. Za każdym razem będę wam to powtarzać, możecie być pewni. Pani Elliott powiada, że jeszcze nigdy nie widziała nikogo, kto by się tak troszczył o swych przyjaciół. Byłam nawet niegrzeczna wobec pani Aleksandrowej Davis i pani Elliott musiała mnie wyrzucić z pokoju. Uważała, że sama sobie z nią da radę. Wiem, że ogromnie nie lubi starej Kitty, a was darzy wielką sympatią.

Marysia odeszła majestatycznym krokiem, zadowolona z siebie, pozostawiając gromadkę w stanie duchowej depresji.

— Marysia Vance zawsze musi coś powiedzieć, żeby nam zrobić przykrość — wyszeptała Una w zamyśleniu.

— Lepiej ją było wtedy pozostawić w szopie, żeby umarła z głodu — rzekł Jerry mściwie.

— Och, Jerry, to byłoby podłe — oburzyła się Una.

— Gra byłaby warta świeczki — odparł Jerry bez odrobiny skruchy. — Jeżeli ludzie mówią już tak o nas, to bądźmy naprawdę źli.

— Nie możemy sprawić przykrości ojcu — szepnęła błagalnie Flora.

Jerry mruknął coś niechętnie; przecież on także ojca bardzo kochał.

Przez nie zasłonięte okno gabinetu widzieli pana Mereditha siedzącego przy biurku. Nie był w tej chwili zajęty czytaniem. Głowę wsparł na dłoniach i zatonął w pełnym rezygnacji rozmyślaniu. Dzieci wyczuły nagle, że był przygnębiony.

— Przysięgłabym, że ktoś mu już musiał o nas dzisiaj opowiedzieć — rzekła Flora. — Ach, żeby ci ludzie wreszcie przestali się nami zajmować. O! Kuba Blythe! Jak ty mnie przestraszyłeś!

Kuba Blythe wślizgnął się cichutko na cmentarz i usiadł obok dziewczynek. Długo krążył po Dolinie Tęczy i wreszcie udało mu się zebrać pęczek świeżo rozkwitłych pierwiosnków dla matki. W jego obecności dzieci z plebanii zamilkły. Kuba wyrósł jakoś z ich grona podczas tegorocznej wiosny. Przygotowywał się do egzaminów na Akademię Królewską i po szkole wraz ze starszymi uczniami odbywał specjalne lekcje. Toteż wieczorami był tak zajęty, że rzadko kiedy mógł wybiec do Doliny Tęczy. Zdawał się powoli wkraczać do świata dorosłych.

— Co wam się dzisiaj stało? — zapytał. — Nie jesteście w humorach.

— Nie bardzo — przyznała Flora ze skruchą. — I ty nie byłbyś w humorze, gdybyś wiedział, że hańbisz swego ojca i że ludzie mówią o tobie.

— A któż o was znów mówi?

— Wszyscy, tak twierdzi Marysia Vance — Flora postanowiła zwierzyć się ze swych zmartwień Kubie. — Widzisz — mówiła dalej z ubolewaniem — nie mamy nikogo, kto by nas wychowywał. Popełniamy ciągle błędy, a ludzie myślą, że jesteśmy tacy źli.

— Dlaczego sami się nie wychowujecie? — zapytał Kuba. — Zaraz wam powiem, co trzeba zrobić. Zorganizujcie Klub Dobrego Zachowania i karajcie się sami za każdym razem, ilekroć uczynicie coś złego.

— Doskonały pomysł! — zawołała Flora olśniona. — Jednak — dodała z powątpiewaniem — pewne rzeczy, które nam się wydają dobre, właśnie gorszą ludzi. Skąd będziemy wiedzieli? Nie możemy przecież za każdym razem zawracać głowy ojcu, on i tak ma dosyć.

— Musicie każdy swój czyn uprzednio obmyślić i zastanowić się, co by parafia na to powiedziała — rzekł Kuba. — Najgorsze to, że dotychczas czyniliście wszystko bezmyślnie. Mama twierdzi, że jesteście zbyt impulsywni, tak samo, jak ona była kiedyś. Klub Dobrego Zachowania pomoże wam myśleć, jeżeli sprawiedliwie będziecie się wzajemnie karać za naruszenie prawideł. Powinniście się karać w sposób naprawdę bolesny, bo inaczej nic z tego nie będzie.

— Więc trzeba bić tego, co zawini?

— Niekoniecznie. Można obmyślić rozmaite wymiary kary. Czytałem coś niecoś o takim klubie. Pożyczę wam tę książkę i będziecie wiedzieli, jak to zorganizować.

— Pożycz nam koniecznie — prosiła Flora, a gdy Kuba odszedł, wszyscy przystali na jego pomysł. — Jeżeli zrobimy coś złego, postaramy się to naprawić — rzekła Flora rezolutnie.

— Kuba ma słuszność — przyznał Jerry. — Klub ten będzie nas wychowywał. Za każde przewinienie członek klubu zostanie ukarany.

— Ale jak?

— To się wymyśli. Co wieczór na cmentarzu zwoływać będziemy posiedzenie klubu i omawiać to, cośmy robili przez cały dzień, zastanawiając się, czy to było dobre, czy złe. Kto uczyni coś złego, będzie za to odpowiadał i zostanie ukarany. Takie jest prawo. Wszyscy decydować będziemy o wymiarze kary, a ten, kto na nią zasłuży, musi ją znieść bez sarkania. Przy tym to wszystko będzie ogromnie zabawne — zakonkludował Jerry z uśmiechem.

— A co z tymi bańkami mydlanymi? — zagadnęła Flora.

— Tamto stało się jeszcze przed zorganizowaniem klubu — odparł Jerry pośpiesznie. — Kary obowiązują od dzisiejszego wieczoru.

— A co będzie, jeżeli się nie będziemy mogli zgodzić, co jest dobre, a co zasługuje na karę? Na przykład dwoje nas pomyśli tak, a dwoje znów inaczej. W klubie powinno być pięciu członków.

— Wtedy poprosimy Kubę Blythe'a, żeby nas rozsądził. To najrozumniejszy chłopiec w całym Glen St. Mary. Przypuszczam jednak, że potrafimy sami dać sobie radę. Zachowamy to w jak największej tajemnicy. Marysi Vance nie wolno pisnąć ani słówka. Chciałaby zaraz należeć do klubu i wychowywać nas.

— Według mnie — odezwała się Flora — nie należy każdego dnia obrzydzać wymiarem kary. Na ten cel trzeba wyznaczyć jakiś jeden dzień w tygodniu.

— Więc wybierzemy najlepiej sobotę, bo nie ma wtedy zajęć szkolnych — zaproponowała Una.

— I mamy sobie popsuć ten jeden wolny dzień w tygodniu? — oburzyła się Flora. — Nigdy w życiu! Wybierzemy piątek. To dzień postu, a my przecież ryby i tak nie lubimy. Niech ten dzień będzie najmniej miły pod każdym względem. W pozostałe możemy się doskonale bawić i być w dobrych humorach.

— Brednie! — zawołał Jerry tonem człowieka świadomego swego autorytetu. — Ta propozycja stanowczo przejść nie może. Karę należy wymierzać natychmiast. Więc wszyscy już rozumiecie? Stwarzamy Klub Dobrego Zachowania, który nas będzie wychowywał. Zgadzamy się na karę za złe sprawowanie, zgadzamy się na to, że wspólnie będziemy obmyślać każdy czyn, aby nie wyrządzać krzywdy ojcu, i nikt z nas nie będzie próbował unikać kary, bo w takim przypadku nie wolno mu będzie się już nigdy bawić w Dolinie Tęczy. Kuba Blythe w wypadkach, kiedy nie będziemy mogli dojść do porozumienia, musi być naszym sędzią. Od dzisiejszego dnia, Karolku, nie wolno ci zanosić żab do szkółki niedzielnej, zabronione jest publiczne żucie gumy, panno Floro!

— Nie wolno żartować, gdy starsi się modlą, nie wolno przychodzić na kościelne zebrania metodystów — dorzuciła Flora.

— W tym jeszcze nie ma nic złego, jak się przychodzi do metodystów na kościelne zebrania — zaprotestował Jerry.

— Pani Elliott twierdzi, że tego robić nie wolno. Powiada, że dzieci z plebanii powinny tylko zajmować się sprawami prezbiterian.

— Ja tam nie mam zamiaru wyrzec się tej przyjemności! — zawołał Jerry. — Zebrania metodystów są o wiele ciekawsze od naszych.

— Bluźnisz! — zawołała Flora. — Teraz ty musisz ponieść karę.

— Nie ma mowy o karze, dopóki nie mamy wszystkiego czarno na białym. Do tej pory zdążyliśmy tylko omówić to, co się tyczy naszego klubu. Nie jest on jeszcze formalnie zorganizowany, dopóki to wszystko nie zostało zapisane i podpisane przez członków. Tego wymaga prawo. Zresztą sama wiesz, że w tym nie ma nic złego, jak się idzie na zebranie kościelne.

— Ale karać należy nie tylko za złe czyny, lecz i za takie, które sprawiają przykrość ojcu.

— To nikomu nie sprawia przykrości. Wiesz, że pani Elliott jest zwariowana na punkcie metodystów. Nikt, oprócz niej, nie zwraca na to uwagi, zapytaj Kubę albo panią Blythe. Już z góry wiem, co odpowiedzą. Pójdę teraz po papier, przyniosę latarkę i wszystko spiszemy.

Kwadrans potem dokument został uroczyście podpisany na nagrobku Hezekiaha Pollocka, pośrodku którego stała dymiąca latarnia, a dzieci klęczały dokoła. W tej właśnie chwili obok cmentarza przechodziła pani Clow i nazajutrz całe Glen już wiedziało, że dzieci z plebanii urządziły jakąś nową niesamowitą zabawę wśród grobów, przy świetle latarni. Pogłoskę tę potwierdził jeszcze fakt, że istotnie po podpisaniu dokumentu Karol wziął latarnię i poszedł w głąb cmentarza, aby przyjrzeć się jeszcze raz swemu ukochanemu mrowisku. Reszta dzieci udała się spokojnie na spoczynek.

— Myślisz, że to prawda, że ojciec ma się ożenić z panną West? — spytała Una drżącym głosem Florę po odmówieniu wieczornego pacierza.

— Nie wiem, ale bardzo bym się z tego cieszyła — odparła Flora.

— Och, ja tam nie — szepnęła Una zdławionym głosem. — Ona jest wprawdzie bardzo miła, ale Marysia Vance mówi, że kobiety się zmieniają, jak zostają macochami. Stają się potem złe i zaczynają buntować ojca przeciwko dzieciom.

— Nie wierzę, żeby panna West miała się aż tak zmienić! — zawołała Flora.

— Marysia powiada, że wszystkie się zmieniają, a ona się zna na tym, Floro. Spotkała już setki macoch, a myśmy przecież żadnej nie miały. Och, ona mi dużo o tym opowiadała. Podobno widziała jedną taką, która biła córki swego męża do utraty przytomności, a potem zamykała je na całą noc w ciemnej piwnicy.

— Nie wierzę, żeby panna West mogła to uczynić. Uno, ty jej tak dobrze nie znasz jak ja. Weź chociażby tego ptaszka, którego mi przysłała. Kocham go nawet więcej niż Adama.

— Ale macochy muszą się zmienić. Marysia uważa, że to wcale nie jest ich wina. Już mniejsza o bicie, ale nie mogłabym znieść, żeby ojciec przestał nas kochać.

— To już byłoby zupełnie niemożliwe. Nie bądź głupia, Uno. Zaręczam ci, że nie ma się czym martwić. Zresztą, jeżeli zaczniemy przestrzegać prawideł naszego klubu i będziemy się dobrze sprawować, ojciec nawet nie pomyśli o małżeństwie. A gdyby koniecznie postanowił się ożenić, to jestem pewna, że panna West będzie dla nas dobra.

Lecz Una nie miała tej pewności i długo nie mogła zasnąć, płacząc cichutko z twarzyczką wtuloną w poduszkę.

LITOŚCIWY UCZYNEK

Przez dwa tygodnie wszystko szło jak z płatka w Klubie Dobrego Zachowania. Prace klubu postępowały naprzód w jak najlepszym porządku i nawet Kuba Blythe ani razu nie był powoływany na arbitra. W Glen ucichły opowiadania o dzieciach z plebanii. Za mniejsze przewinienie wymierzano sobie srogie kary, w rodzaju niepójścia do Doliny Tęczy na wesołą zabawę lub spędzenia pięknego wieczoru wiosennego w łóżku, kiedy każdy muskuł wypędzał cię z domu. Za szeptanie w szkółce niedzielnej Flora wyznaczyła sobie karę sama w postaci przymusowego milczenia przez cały dzień. Stało się tak, że akurat owego nieszczęsnego dnia przyszedł na plebanię w odwiedziny pan Baker zza portu i Flora musiała mu otworzyć drzwi. Na powitanie nie rzekła ani słowa, tylko w milczeniu udała się do gabinetu ojca i wezwała go do salonu. Pan Baker czuł się nieco urażony, a po powrocie do domu opowiedział żonie, że najstarsza córka pana Mereditha jest bardzo wstydliwym i dzikim stworzeniem i przy tym nie posiada ani odrobiny wychowania. Cała ta historia nie miała jednak dalszych skutków, a co najważniejsze nie wyrządziła nikomu żadnej krzywdy.

— Mam wrażenie, że wreszcie ludzie przekonają się o naszym dobrym sprawowaniu — wzdychała z ulgą Flora. — To nie jest jednak takie trudne, gdy człowiek się stara.

Obydwie z Uną siedziały na płycie nagrobnej Hezekiaha Pollocka. Był chłodny, wilgotny dzień wiosenny i o pójściu dziewczynek do Doliny Tęczy nie mogło być mowy, aczkolwiek chłopcy z plebanii i ze Złotego Brzegu łowili w dolinie ryby. Deszcz ustał, lecz wschodni wiatr dął ciągle od strony morza, przenikając chłodem aż do kości. Mimo wczesnej zapowiedzi wiosna rozpocząć się miała późno, gdzieniegdzie leżały jeszcze warstwy śniegu, a grube pokłady lodu spotykało się w północnej części cmentarza.

Lida Marsh, która przyniosła śledzie na plebanię, drżąc z zimna, wsunęła się przez uchyloną bramę. Pochodziła z rodziny rybackiej, zamieszkałej w porcie, a ojciec jej już od trzydziestu lat corocznie przysyłał pastorowi pierwszy połów śledzi. Nigdy nie przekroczył progu kościoła, był nieuleczalnym pijakiem i nie cieszył się zbyt dobrą opinią, uważał jednak, że swym śledziowym podarunkiem, o którym nie zapominał żadnej wiosny, przebłaga Boga, i przez cały rok będzie mógł pić na nowo. Poza tym był do tego stopnia przesądny, że wierzyłby święcie, iż następny połów się nie uda, gdyby raz jeden zapomniał o pierwszych wiosennych śledziach dla pastora.

Lida miała około dziesięciu lat, lecz wyglądała o wiele dziecinniej, bo była mała i drobna. Zawsze drżała z zimna i sprawiała wrażenie, jakby od urodzenia nie zdążyła się jeszcze ogrzać przy ogniu. Miała czerwoną twarzyczkę i wyblakłe, jasnoniebieskie oczy. Tak samo wyglądała i dzisiaj, gdy ukazała się na plebanii. Ubrana była biednie, z narzuconą podartą chustą na ramiona. Szła z portu aż trzy mile boso, choć droga była pokryta jeszcze śniegiem i rozmiękłym błotem. Nogi miała równie czerwone jak i twarz. Lida jednak nie zastanawiała się nad tym. Przywykła już do zimna, bo prawie przez cały rok chodziła boso, jak zresztą wszystkie dziewczęta z wioski rybackiej. Nie było w niej odrobiny rozżalenia, gdy usiadła na płycie kamiennej obok dziewcząt z plebanii. Uśmiechnęła się nawet wesoło do Flory i Uny, a siostry odpowiedziały jej takim samym uśmiechem. Mało znały Lidę, widziały ją dwa lub trzy razy zeszłego lata w porcie, gdy przyszły tam w towarzystwie Blythe'ów.

— Halo! — zawołała Lida. — Ale mamy wściekłą pogodę! Psa trudno wygnać w taki czas!

— To po coś wychodziła? — zapytała Flora.

— Ojciec kazał mi przynieść wam śledzie — odparła Lida. Drżała, kaszlała i rozcierała gołe stopy. Lida w tej chwili nie myślała zupełnie o sobie ani o swych zziębniętych nogach, nie liczyła również na współczucie. Unosiła nieco w górę nogi, aby uchronić je od mokrej trawy, rosnącej dookoła pomnika. Mimo to w duszach Flory i Uny zrodziła się nagle litość dla tej biednej dziewczyny. Była taka zziębnięta.

— Dlaczego jesteś boso w taki zimny dzień?! — zawołała Flora. — Przecież nogi ci chyba przemarzły?

— Prawie — odparła Lida z dumą. — Nieprzyjemnie było iść taką zamarzniętą drogą.

— Dlaczego nie włożyłaś pończoch i trzewików? — zapytała Una.

— Bo nie mam. Miałam, ale się już zupełnie zniszczyły — rzekła Lida obojętnie.

Florę na chwilę ogarnęło przerażenie. To przecież było okropne. Miała przed sobą małą dziewczynkę, na pół zmarzniętą, a wszystko dlatego, że biedactwo nie miało pończoch i trzewików i mimo zimna musiało chodzić boso. Flora nie mogła otrząsnąć się z tej przykrej myśli. Nie zastanawiając się dłużej, energicznym ruchem poczęła zdejmować własne buciki i pończochy.

— Włóż je natychmiast — rzekła, podając je zdziwionej Lidzie. — Tylko prędko. Gotowaś się zaziębić i umrzeć. Ja mam inne trzewiki. Włóż je natychmiast.

Lida odzyskała równowagę i z błyskiem radości w oczach spoglądała na nieoczekiwany podarunek. Oczywiście, że je włoży, i to jak najprędzej, nim jeszcze ktokolwiek zdąży przyjść i odebrać jej te skarby. W ciągu sekundy naciągnęła pończochy na swe małe stopy i wsunęła na nie buciki Flory.

— Jestem ci ogromnie wdzięczna — rzekła — ale czy nie będą się na ciebie gniewać?

— Nie, zresztą mnie to wcale nie obchodzi — odparła Flora. — Myślisz może, że mogę patrzeć, jak ktoś marznie? Powinnam pomagać ludziom, bo jestem przecież córką pastora.

— A potem będziesz mi je chciała odebrać? U nas w przystani dłużej trzymają mrozy niż tu u was — zauważyła Lida z rumieńcem na twarzy.

— Nie, możesz je sobie zatrzymać. Tak myślałam zresztą, dając ci te buciki. Mam jeszcze drugą parę i kilka par pończoch.

Lida zamierzała pozostać trochę dłużej, aby pogawędzić z dziewczynkami. Teraz jednak myślała, że lepiej będzie pójść już, zanim ktoś ze starszych się zjawi i odbierze jej buty. Pożegnała się pośpiesznie i cichaczem wysunęła się przez bramę cmentarną. Gdy już uszła spory kawał drogi i była pewna, że nikt z plebanii widzieć jej nie może, usiadła przy drodze, zdjęła buciki i pończochy i włożyła je do koszyka po śledziach. Nie mogła przecież w takich pięknych trzewikach iść zabłoconą drogą. Trzeba je schować na święto. Żadna z dziewcząt w porcie nie ma takich ślicznych, czarnych pończoch i takich zgrabnych, prawie nowych butów. Lida była już zaopatrzona na całe lata. Nie miała żadnych skrupułów. W jej pojęciu mieszkańcy plebanii byli ludźmi bardzo bogatymi, więc dziewczęta musiały mieć mnóstwo pończoch i butów.

Rozmyślając tak, Lida pobiegła w stronę Glen i tam przez godzinę bawiła się z chłopcami przed sklepem pana Flagga, obrzucając się wraz z nimi błotem, dopóki na ulicy nie ukazała się pani Elliott, która właśnie wracała do domu.

— Nie wiem, czy powinnaś była tak postąpić, Floro — szepnęła Una w zamyśleniu po odejściu Lidy. — Będziesz teraz musiała nosić na co dzień swoje najlepsze buty i oczywiście prędko je zniszczysz.

— Mniejsza o to! — zawołała Flora, przejęta jeszcze dobrym uczynkiem. — To nieładnie, żebym ja miała dwie pary butów, podczas gdy ta biedna Lida Marsh nie ma ani jednej. Teraz obydwie mamy po parze. Pamiętasz chyba, Uno, jak ojciec w niedzielnym kazaniu powiedział, że szczęście nie leży w braniu czy posiadaniu, tylko w dawaniu. To jest prawda. Czuję się teraz o wiele szczęśliwsza, niż byłam kiedykolwiek dotychczas. Pomyśl tylko o Lidzie, która wraca w tej chwili do domu i nogi jej już nie marzną.

— Wiesz, że nie masz drugich czarnych pończoch — rzekła Una. — Tamta para, którą miałaś, była już tak podarta, że ciotka Marta obcięła pięty i używa ich do czyszczenia pieca. Nie masz już innych pończoch oprócz dwóch par kolorowych, których nie lubisz.

Dobry nastrój opuścił nagle Florę. Zadowolenie z samej siebie prysnęło jak bańka mydlana. Przez kilka chwil siedziała w milczeniu w obliczu tych wszystkich konsekwencji, których przedtem nie przewidywała.

— Och, Uno, nie pomyślałam o tym — szepnęła ze skruchą. — W ogóle się nie zastanowiłam.

Kolorowe pończochy były grube i nieprzyjemne i Flora ich naprawdę bardzo nie lubiła. Po prostu trudno je było nosić. Ciotka Marta zrobiła je własnoręcznie na drutach zeszłej zimy i do tej pory nie noszone leżały w szufladzie.

— Będziesz je jednak musiała włożyć — rzekła Una. — Pomyśl, jak chłopcy w szkole będą się śmiać z ciebie. Pamiętasz, jak się śmiali z Maniusi Warren, gdy włożyła kolorowe pończochy?

— Ja ich nie włożę — zadecydowała Flora. — Mimo zimna pójdę do szkoły bez pończoch.

— Boso nie będziesz mogła udać się jutro do kościoła. Pomyśl, co by ludzie powiedzieli.

— Więc zostanę w domu.

— Nie możesz. Wiesz przecież, że ciotka Marta nigdy na to nie pozwoli.

Flora wiedziała o tym dobrze. Ciotka Marta nie zniosłaby myśli, że dziewczęta w niedzielę nie były w kościele. Wszystko jedno, jaka była pogoda, wszystko jedno, jak były ubrane. Do kościoła pójść musiały. Ciotkę Martę wychowywano w ten sposób przed siedemdziesięciu laty i ona tak samo wychowywała Florę i Unę.

— Uno, nie masz jakichś pończoch, które mogłabyś mi pożyczyć? — zapytała żałośnie Flora.

Una potrząsnęła głową.

— Wiesz, że mam tylko jedną parę czarnych, a te są takie ciasne, że ledwo je mogę wciągnąć na nogi. Na ciebie na pewno nie będą pasować. Tak samo i te szare będą za obcisłe. Poza tym u dołu są zupełnie podarte.

— Kolorowych pończoch nie włożę — powtórzyła Flora z uporem. — W dotyku są jeszcze bardziej nieprzyjemne niż z wyglądu. Nogi mam w nich grube jak baryłki, a przy tym okropnie drapią.

— Ja sama nie mam pojęcia, co zrobić.

— Gdyby ojciec był w domu, poprosiłabym go, żeby mi kupił pończochy, nim jeszcze zamkną sklepy, ale on pewnie dzisiaj późno wróci. Zrobię to w poniedziałek, a jutro nie pójdę do kościoła. Powiem, że jestem chora, i ciotka Marta pozwoli mi zostać w domu.

— To byłoby kłamstwo, Floro! — zawołała Una. — Nie możesz tego zrobić. Wiesz, że to byłoby straszne. Co by ojciec na to powiedział? Pamiętasz, jak mówił po śmierci mamy, że musimy zawsze mówić tylko prawdę? Powtarzał, że nigdy nam nie wolno kłamać, bo on sam straciłby do nas zaufanie. Nie wolno ci tego zrobić, Floro. Już lepiej weź kolorowe pończochy. Tylko ten jeden raz je włożysz, nikt w kościele nie zauważy. Przecież to nie szkoła. A przy tym twoja nowa brązowa suknia jest tak długa, że pończoch wcale nie będzie widać. Widzisz, jakie szczęście, że ciotka Marta zrobiła ci taką długą suknię. Będziesz miała na wyrost, a tak jej nienawidziłaś, jak ją włożyłaś pierwszy raz.

— Ja tych pończoch nie chcę — powtórzyła Flora. Zsunęła nogi z kamiennej płyty i zrezygnowana szła po mokrej trawie, kierując się w stronę sterty śniegu. Zacisnąwszy wargi, wspięła się na stertę i stanęła.

— Co ty robisz? — zawołała Una w przerażeniu. — Zaziębisz się i umrzesz, Floro.

— Właśnie o to mi idzie — odparła. — Chcę się zaziębić, żeby jutro strasznie zachorować. Wtedy nie trzeba już będzie kłamać. Będę tu stała dopóty, dopóki zdołam wytrzymać.

— Ależ, Floro, ty naprawdę możesz umrzeć albo nabawisz się zapalenia płuc. Proszę cię, nie rób tego. Chodźmy do domu, może coś wymyślimy. O, idzie Jerry. Dzięki Bogu! Jerry, każ Florce zejść z tego śniegu. Spójrz na jej nogi.

— Na miłość boską, Floro! Co ty robisz? — zawołał Jerry. — Oszalałaś?

— Nie. Wynoś się stąd! — krzyknęła Flora.

— Czy to jest kara za coś? Jeżeli tak, to bardzo nierozsądna. Rozchorujesz się.

— Ja właśnie chcę się rozchorować. Nie myśl, że kara. Odejdź stąd.

— Gdzie ona ma buty i pończochy? — zwrócił się Jerry do Uny.

— Oddała je Lidzie Marsh.

— Lidzie Marsh? Po co?

— Bo Lida nie miała bucików i marzły jej nogi. A teraz Flora chce zachorować, żeby jutro nie pójść do kościoła w kolorowych pończochach. Ona gotowa umrzeć, Jerry.

— Flora — zawołał Jerry — złaź z tego śniegu, bo cię sam stamtąd ściągnę!

— Ściągaj — mruknęła Flora.

Jerry skoczył naprzód i chwycił ją za ramiona. Dziewczynka zaczęła się wyrywać, lecz Una podbiegła z tyłu i zepchnęła ją na dół. Flora i Jerry wszczęli kłótnię, Una płakała. Zrobił się straszny hałas na cmentarzu właśnie w pobliżu drogi, którą przechodzili w tej chwili państwo Warren. Oczywiście słyszeli całą awanturę.

Wkrótce potem rozniosło się po Glen, że dzieci z plebanii biją się na cmentarzu, używając przy tym bardzo nieparlamentarnych słów. Tymczasem Flora pozwoliła się ściągnąć ze sterty śniegu, bo nogi już ją tak bolały, że na pewno nie wytrzymałaby dłużej. Wkrótce pogodzono się i udano na spoczynek. Flora spała jak anioł, a nazajutrz obudziła się zupełnie zdrowa. Czuła teraz, że nie może udawać choroby, bo nie wolno jej kłamać po tym, co kiedyś mówił ojciec. Upierała się jednak ciągle, że nie pójdzie w kolorowych pończochach do kościoła.

NOWY SKANDAL I NOWE WYZNANIE

Flora zjawiła się wcześnie w szkółce niedzielnej i przed przyjściem innych zajęła miejsce w kącie ławki. Cała historia wyjaśniła się dopiero wtedy, gdy Flora po lekcjach wyszła ze szkoły i udała się do kościoła. Kościół był prawie pełny i wszyscy siedzący w pobliżu bocznej nawy zauważyli, że córka pastora miała na nogach buty, lecz nie miała pończoch!

Nowa brązowa suknia Flory, którą ciotka Marta uszyła ze staroświeckiej narzuty, była co prawda bardzo długa, lecz nie sięgała cholewek trzewików. Spod sukni widać było dokładnie gołe łydki.

W ławce pastora siedziała tylko Flora i Karol. Jerry poszedł na galerię, gdzie usadowił się jeden z jego kolegów, a dziewczynki Blythe'ów zabrały ze sobą Unę. Młodzi Meredithowie często podczas nabożeństwa przesiadywali na galerii ku ogólnemu zgorszeniu parafian. Na galerii można było swobodnie szeptać i żuć tytoń, lecz stanowczo było to nieodpowiednie miejsce dla dzieci z plebanii. Jerry jednak najgorzej się czuł w ławce pastora, wysuniętej najbardziej do przodu, którą dokładnie obserwować mógł Abraham

Clow i cała jego rodzina. Toteż, gdy tylko mógł, wymykał się stamtąd i cichaczem biegł na górę.

Karol był tak zaabsorbowany pająkiem, snującym pajęczynę na oknie, że nie zwrócił uwagi na nogi Flory. Po opuszczeniu kościoła wracała do domu z ojcem, lecz i on nic dziwnego nie zauważył. Przed powrotem Jerry'ego i Uny Flora wciągnęła na nogi kolorowe pończochy, będąc pewna, że nikt w kościele nie dostrzegł jej gołych nóg.

Lecz wszyscy już o tym wiedzieli. Ci, co widzieli, opowiadali innym. Po południu w całym Glen St. Mary mówiono tylko o tym. Pani Aleksandrowa Davis twierdziła, że była na to przygotowana i że spodziewa się wkrótce ujrzeć w kościele dzieci pastora w bieliźnie. Prezeska Stowarzyszenia Kobiet postanowiła wnieść tę sprawę na następne posiedzenie i złożyć energiczny protest. Panna Kornelia zapowiedziała, że stanowczo uchyli się od głosu. Nawet pani doktorowa Blythe była nieco zaskoczona, choć zazwyczaj umiała przebaczać Florze. Zuzanna postanowiła zrobić dla Flory pończochy, a nie mogąc zacząć ich w niedzielę, wzięła się do pracy nazajutrz z samego rana, jak jeszcze wszyscy w Złotym Brzegu spali.

— To tylko wina starej Marty, droga pani doktorowo — mówiła z oburzeniem do Ani. — Jestem pewna, że to biedactwo nie ma porządnych pończoch. Prawdopodobnie wszystkie są podarte i uważam, że panie ze Stowarzyszenia zrobiłyby lepiej, gdyby sprawiły Florze pończochy zamiast tego nowego dywanu do sali obrad. Nie należę do Stowarzyszenia, a jednak postanowiłam sama zrobić dwie pary pończoch dla Flory z tej czarnej przędzy. Nigdy nie zapomnę wrażenia, jakie odniosłam, gdy ujrzałam córkę pastora idącą przez kościół bez pończoch.

— A w kościele pełno było metodystów — ubolewała panna Kornelia, która załatwiała jakieś sprawunki w Glen i wstąpiła na chwilę do Złotego Brzegu. — Nie wiem dlaczego, ale zazwyczaj kiedy dzieci z plebanii wywołają jakiś skandal, muszą być wówczas w kościele metodyści. Myślałam, że pani Hazard oczy na wierzch wylezą. Po wyjściu z kościoła rzekła do mnie: „A to było przedstawienie! Żal mi ogromnie prezbiterian". I my musimy to znosić. Przecież nikt nie mógł na to odpowiedzieć.

— Ja tam znalazłabym odpowiedź, pani Elliott, gdyby się do mnie pani Hazard zwróciła — rzekła Zuzanna ponuro. — Powiedziałabym tylko jedno, że w moim pojęciu lepiej patrzeć na czyste nagie nogi niż na dziurawe pończochy. Poza tym prezbiterianie nie potrzebują niczyjej litości, bo mają chociaż księdza, który potrafi się modlić, a metodyści — zwykłego idiotę. Już ja dałabym nauczkę pani Hazard, pani Elliott.

— Wolałabym, żeby pan Meredith był gorszym kaznodzieją, ale za to więcej dbał o swoją rodzinę — odrzekła panna Kornelia. — Mógłby przecież zwrócić uwagę na dzieci, zanim wyjdą do kościoła. Zmęczona już jestem tym, że muszę go ciągle tłumaczyć przed parafianami, wierzcie mi.

Tymczasem Flora przechodziła straszliwe katusze w Dolinie Tęczy. Zjawiła się tam Marysia Vance, jak zwykle w swoim mentorskim nastroju. Dała do zrozumienia Florze, że zhańbiła swego ojca i że ona, Marysia Vance, także to potępia. „Wszyscy" mówili o tym, „wszyscy" się śmiali.

— Widzę, że nie będę mogła się z tobą dłużej przyjaźnić — rzekła.

— Ale za to my się z nią będziemy przyjaźnić! — zawołała Nan Blythe. Nan w duchu uważała, że Flora popełniła rzecz straszną, lecz nie mogła przecież dopuścić do tego, aby taka Marysia Vance triumfowała. — Możesz więcej nie przychodzić do Doliny Tęczy, panno Vance.

Nan i Di otoczyły pochlipującą Florę ramionami, spoglądając wyzywająco w stronę Marysi. Nagle Marysia przysiadła na kamieniu i wybuchnęła głośnym płaczem.

— Ja nie to chciałam powiedzieć — szlochała. — Nie mogę już słuchać tego wszystkiego, co opowiadają o Florze. Nie mogę znieść, żeby i o mnie podobnie mówiono. Jestem teraz w szanowanym miejscu i staram się zostać damą. Nawet w dawnych czasach nie przychodziłam nigdy boso do kościoła. Zerwanie z Florą nie przyszłoby mi na myśl, żeby nie ta wstrętna stara Kitty. Słyszałam, jak mówiła, że Flora zmieniła się od chwili, gdy ja przybyłam na plebanię. Mówi, że Kornelia Elliott gorzko pożałuje, że mnie przyjęła. To mnie boli. Jednak najbardziej żal mi pana Mereditha.

— O pana Mereditha możesz się nie martwić — rzekła Di z przekąsem. — To zupełnie zbyteczne. A ty, Floro, przestań płakać i opowiedz nam, jak to było.

Flora opowiedziała wszystko ze łzami w oczach. Dziewczynki Blythe'ów współczuły jej i nawet Marysia Vance przyznała, że sytuacja była naprawdę bez wyjścia. Tylko Jerry nie mógł się z tym zgodzić. Po powrocie ze szkoły zwołano zebranie Klubu Dobrego Zachowania, aby wyznaczyć karę Florze za jej przewinienie.

— Nie wiem, czy to było takie złe — broniła się Flora. — Tylko kawałek nóg było mi widać. Przecież nikomu nie wyrządziłam tym krzywdy.

— Wyrządziłaś krzywdę ojcu. Wiesz, że ludzie mają do niego urazę, jak my popełnimy jakieś głupstwo.

— Nie myślałam o tym — wyszeptała Flora.

— O to właśnie idzie. Nie myślałaś, a powinnaś była myśleć. Przecież po to zawiązaliśmy nasz klub. Obiecaliśmy, że każdy czyn będzie uprzednio obmyślany. Zasłużyłaś na karę, Floro, i to na surową karę. Przez cały tydzień będziesz przychodziła do szkoły w swoich kolorowych pończochach.

— Och, Jerry! Może wystarczy, jak przyjdę przez dwa dni? Nie cały tydzień!

— Tak, musisz je nosić przez cały tydzień — rzekł Jerry nieugiętym tonem. — Jak się nie zgadzasz, to Kuba Blythe to rozsądzi.

Flora wolałaby raczej zapaść się pod ziemię, niż pytać o to Kubę Blythe'a. Zorientowała się teraz, że przewinienie jej naprawdę było karygodne.

— Niech i tak będzie — wyszeptała, pochylając głowę. — Przyjmuję karę.

— Czyn twój zostanie jednak czynem — rzekł Jerry z powagą. — Niestety, ta kara nie pomoże ojcu. Ludzie stale będą mieli do niego pretensje. Nie możemy przecież wszystkim tego wyjaśniać.

Słowa te zapadły głęboko w duszyczkę Flory. Mogła znieść ze spokojem własną hańbę, ale hańba ojca sprawiała jej zbyt dotkliwy ból. Gdyby parafianie znali całą prawdę, z pewnością nie mieliby do ojca urazy. Ale w jaki sposób wytłumaczyć to całej wsi? Flora wiedziała od Marysi Vance, że na poprzednie jej wystąpienie patrzono ze zgrozą. Przez kilka dni Flora na próżno szukała rady. Wreszcie wpadła na pomysł i natychmiast wzięła się do dzieła.

Cały wieczór spędziła na poddaszu z grubym zeszytem, w którym pisała coś z płonącymi policzkami i błyszczącymi oczami. Tak, to była jedyna rada! Jak dobrze, że wpadła na ten pomysł! Wszystko wreszcie będzie wyjaśnione, a jednocześnie nie wywoła nowego skandalu. Dochodziła już jedenasta, gdy Flora zgasiła lampę na poddaszu i bardzo zmęczona, lecz szczęśliwa, wsunęła się pod ciepłą kołdrę.

Parę dni potem mały tygodnik, wychodzący w Glen pod nazwą „Journal", przyniósł mieszkańcom nową sensację. Na pierwszej stronie widniał list otwarty z podpisem „Flora Meredith" i brzmiał, jak następuje:

DO WSZYSTKICH, KOGO TO OBCHODZI

Pragnę wyjaśnić wszystkim, jak to się stało, że przyszłam do kościoła bez pończoch, bo nie chcę, aby ktokolwiek winił o to mego ojca i aby rozgłaszał nieprawdziwe plotki. Jedyną parę pończoch czarnych oddałam Lidzie Marsh, gdyż marzła biedaczka, a mnie się jej zrobiło żal. Dając jej pończochy, zapomniałam zupełnie, że sama mam tylko jedną parę, ale teraz jestem już z tego zadowolona, bo Lida Marsh ma chociaż ciepło. Dopiero po jej odejściu przypomniałam sobie, że zostały mi tylko paskudne kolorowe pończochy, które ciotka Marta zrobiła zeszłej zimy. W tych pończochach w kościele nie mogłam się pokazać.

Postanowiłam nawet przeziębić się, żeby zachorować i nie pójść do kościoła. Stanęłam więc na stercie śniegu boso, ale i tak mi się nie udało. Przykro mi bardzo, że te moje bose nogi wywołały w kościele taki skandal i że mój ojciec z tego powodu musi cierpieć. Długo myślałam, jak tę sprawę załatwić, aż wreszcie postanowiłam napisać do „Journalu". Za karę noszę moje wstrętne kolorowe pończochy i będę je nosiła przez cały tydzień, chociaż ojciec kupił mi śliczne dwie pary czarnych.

Jeszcze jedną rzecz pragnę wyjaśnić, nim zakończę ten list. Marysia Vance opowiadała, że pan Evan Boyd posądza Leona Baxtera o kradzież kartofli z pola. Nikt z rodziny Baxterów tych kartofli nie tknął. Baxterowie są bardzo biedni, ale uczciwi. Myśmy te kartofle zabrali, to znaczy Jerry i ja, bo Uny wtedy z nami nie było. Nie myśleliśmy, że to jest kradzież. Chcieliśmy upiec sobie kartofle na ogniu w Dolinie Tęczy i zjeść je razem ze smażonym pstrągiem. Pole pana Boyda było najbliżej, więc postanowiliśmy wziąć kartofle. Walter i Di Blythe'owie pomogli nam je zjeść, lecz nie wiedzieli, skąd kartofle pochodzą, więc właściwie w tej całej sprawie nie ma ich winy, tylko nasza. Bardzo nam przykro, że się to nazywa kra-

dzież, i na pewno zapłacimy panu Boydowi, jeżeli zechce poczekać, aż dorośniemy. Teraz nie mamy pieniędzy, bo zarobić nie potrafimy, a ojca prosić nie możemy, bo on i tak ma dużo zmartwień. Ale niech pan Boyd nie obwinia Baxterów, bo oni są zupełnie niewinni.

Z poważaniem

Flora Meredith

NOWY POGLĄD PANNY KORNELII

— Jak umrę, Zuzanno, zawsze będę wracała na ziemię, gdy złotogłowy rozkwitną w naszym ogrodzie — mówiła Ania w zamyśleniu. — Nikt mnie nie ujrzy, choć będę tak blisko. Przyfrunę wieczorem lub o świcie, niby wietrzyk wiosenny, szemrzący w listkach drzew.

— Na pewno po śmierci nie będzie pani myślała o tak ziemskich rzeczach jak złotogłowy, droga pani doktorowo — uśmiechnęła się Zuzanna. — Ja tam nie wierzę w duchy widzialne czy niewidzialne.

— Ach, Zuzanno, je nie będę duchem! Ten wyraz tak okropnie brzmi. Będę tylko sobą. Przypłynę tutaj na skrzydłach wiatru i zajrzę do wszystkich zakątków, które kocham. Pamiętasz, Zuzanno, jak się źle czułam, gdy musiałam opuścić nasz mały Wymarzony Domek? Myślałam, że nigdy nie zdołam pokochać Złotego Brzegu. A jednak pokochałam. Kocham każdą piędź ziemi, każdy kamień i drzewo.

— Ja także lubię to miejsce — rzekła Zuzanna, która umarłaby chyba, gdyby miała się rozstać ze Złotym Brzegiem. — Ale nie powinniśmy zbyt wielkim uczuciem darzyć dóbr ziemskich, droga pani doktorowo. Istnieją przecież takie żywioły, jak pożar i trzęsienie ziemi. Musimy być na wszystko przygotowani. Zagroda Toma MacAllistera za przystanią spłonęła przed trzema dniami. Niektórzy mówią, że MacAllister sam podłożył ogień, aby mu wypłacili ubezpieczenie. Możliwe to i niemożliwe zarazem. Radziłabym jednak panu doktorowi zająć się uporządkowaniem naszych kominów. Trzeba być przezornym. O, pani Elliott idzie właśnie w naszą stronę, wygląda dzisiaj, jakby przynosiła nieoczekiwane nowiny.

— Aniu, kochanie, czy widziałaś dzisiejszy „Journal"?

Głos panny Kornelii drżał trochę z emocji, a trochę z pośpiechu, bo szła tak szybko, że chwilami traciła zupełnie oddech.

Ania pochyliła się nad pękiem złotogłowów, pragnąc ukryć rozbawienie. Obydwoje z Gilbertem uśmiali się serdecznie na widok pierwszej strony dzisiejszego „Journala", lecz Ania wiedziała, że dla panny Kornelii było to tragedią, i nie chciała ranić jej uczuć okazywaniem swej wesołości.

— Czyż to nie straszne? I jaka na to rada? — pytała panna Kornelia z rozpaczą.

Ania skierowała się w stronę werandy, gdzie Zuzanna siedziała z Shirleyem i Rillą, zajęta szydełkowaniem drugiej pary pończoch dla Flory. Zuzanna nigdy zbytnio nie przejmowała się biedną ludzkością. Robiła, co mogła, by jej ulżyć, a resztę pogodnie pozostawiała siłom wyższym.

„Kornelia Elliott ma wrażenie, że cały świat do niej należy, droga pani doktorowo — powiedziała niegdyś Zuzanna do Ani — dlatego też każde zdarzenie tak ją przejmuje. Ja tam jestem obojętna i patrzę zimno na wszystko. Nie znaczy to, że świat nie mógłby być trochę lepiej urządzony, ale cóż my, biedne robaki, możemy poradzić?"

— Nie wiem, jaka jest na to rada — rzekła Ania, podsuwając pannie Kornelii wygodny, miękki fotel. — Ale jak pan Vickers mógł taki list wydrukować?

— On wyjechał, moja Aniu, wyjechał na tydzień do Nowego Brunszwiku. Młody Joe Vickers zastępuje go w redakcji. Pan Vickers nigdy by tego nie uczynił, chociaż jest metodystą, lecz Joe nade wszystko uwielbia kawały. Masz słuszność, że nie widzisz na to żadnej rady, trzeba przejść nad tym do porządku dziennego. Jak tylko spotkam Joego, dam mu odpowiednią nauczkę. Chciałam nawet wykreślić swoje nazwisko z listy prenumeratorów „Journalu", lecz Marshall roześmiał się, twierdząc, że właśnie dzisiejszy numer jest dopiero godny czytania. Ten człowiek nie potrafi nic brać na serio, to prawdziwie po męsku. Tak samo Evan Boyd. Przyjął to jako żart i śmiał się do rozpuku. Jestem pewna, że pani Burr przestanie przychodzić do kościoła. Dla nas co prawda nie będzie to wielka strata. Metodyści przyjmą ją z otwartymi ramionami. Najgorsze to, że już teraz nie znajduję żadnej rady. Dopóki pan Meredith odwiedzał Rosemary West, miałam jeszcze nadzieję, że na plebanii wkrótce się coś zmieni. Ale teraz i to minęło. Sądzę, że nie przyjęła jego oświadczyn ze względu na dzieci. Wszyscy tak utrzymują.

— Wątpię, czy jej kiedykolwiek proponował małżeństwo — wtrąciła Zuzanna, której się nie mogło pomieścić w głowie, żeby jakaś niewiasta nie przyjęła oświadczyn pastora.

— Nikt właściwie nie wie o tym nic pewnego. To jedno jest pewne, że pan Meredith już tam nie bywa. Rosemary zmizerniała jakoś tej wiosny. Mam nadzieję, że dobrze jej zrobi pobyt w Kingsport. Wyjechała na miesiąc, ale prawdopodobnie zostanie dłużej. Od lat nigdzie nie wyjeżdżała. Nigdy nie rozstawały się z Ellen, lecz przypuszczam, że do tego wyjazdu właśnie ona ją skłoniła. Tymczasem Ellen i Norman Douglas odgrzewają dawne wspomnienia.

— Naprawdę? — zapytała Ania ze śmiechem. — Słyszałam coś o tym, ale nie chciało mi się wierzyć.

— To jest szczera prawda, moja Aniu. Norman Douglas nigdy się nie kryje ze swymi zamiarami. Zawsze zalecał się publicznie. Powiedział Marshallowi, że w ciągu ostatnich lat wcale o Ellen nie myślał, lecz gdy ją znowu po raz pierwszy po tak długiej przerwie zobaczył w kościele, miłość do niej wróciła. Powiada, że zapomniał już o jej dawnej piękności. Musisz wiedzieć, że przez dwadzieścia lat ani razu jej nie widział, bo do kościoła nie chodził, a Ellen, z wyjątkiem kościoła, nigdzie nie bywała. Ciekawa jestem, czy z tego coś będzie?

— Już raz ją zwiódł, lecz widocznie niektórym ludziom wybacza się takie rzeczy, droga pani doktorowo — zauważyła Zuzanna z przekąsem.

— Zwiódł ją w przystępie zdenerwowania i potem pokutował za to przez całe życie — rzekła panna Kornelia. — Co do mnie, to nigdy nie potępiałam Normana, jak czynili to wszyscy. Ciekawa jestem tylko, co go skłoniło do powrotu na łono Kościoła, bo nie chce mi się wierzyć w tę historię opowiadaną przez panią Wilson, że to Flora Meredith wywarła na niego swój wpływ. Chciałam już kilkakrotnie Florę o to zapytać, lecz za każdym razem zapominam, gdy ją widzę. Jakiż wpływ mogłaby mieć Flora na Normana Douglasa? Właśnie przed chwilą spotkałam go w sklepie. Śmiał się na widok listu w „Journalu". „Dzielna z niej dziewczyna! — zawołał. — Niejeden dorosły mężczyzna nie zdobyłby się na to". Potem wybuchnął znowu śmiechem, że aż ściany trzeszczały.

— Pan Douglas znowu zaczął płacić pensję pastorowi — wtrąciła Zuzanna.

— Och, Norman potrafi być szczodry. Chętnie i bez mrugnięcia okiem ofiarowałby nawet cały tysiąc, ale gdyby ktoś próbował go oszukać, powiedzmy, na pięć centów, ryknąłby nań zaraz, niczym Byk Baszanu*. Poza tym, on ceni sobie kazania pana Mereditha. Norman Douglas zawsze

---

* Byk Baszanu, zob. Psalm 22, 12–13 (przyp. red.).

chętnie wykładał na stół pieniądze, gdy się do czegoś zapalił. W rzeczywistości z niego taki chrześcijanin, jak z czarnego, skąpo odzianego mieszkańca Afryki — i takim poganinem już pewnie pozostanie. No, ale z drugiej strony trzeba przyznać, że Norman jest bystry, oczytany i potrafi oceniać kazania tak, jakby analizował czyjeś wykłady. W każdym razie dobrze, że pan Meredith i jego dzieci znaleźli w nim orędownika, bo po ostatniej aferze przyjaźń i wsparcie będą im potrzebne bardziej niż kiedykolwiek. Ja jestem już zmęczona ciągłym usprawiedliwianiem ich postępków, możecie mi wierzyć.

— Chce pani znać moje zdanie, droga panno Kornelio? — poważnym głosem odezwała się Ania. — Wydaje mi się, że to ciągłe tłumaczenie się trwa już nazbyt długo i do niczego mądrego nie prowadzi. Powinnyśmy z tym skończyć. Powiem pani, co chciałabym zrobić. Oczywiście, nigdy się na to nie odważę — dorzuciła szybko, dostrzegając w oczach Zuzanny niepokój. — Z pewnością byłby to dość niekonwencjonalny krok, a w pewnym wieku, jak wiadomo, trzeba za wszelką cenę trzymać się konwenansów, bo inaczej odsądzą nas od czci i wiary. Niemniej jednak chciałabym to zrobić. Zwołać wielkie zebranie, w którym uczestniczyłyby panie z Koła Pomocy, Stowarzyszenia Kobiet, jak również członkinie Kółka Krawieckiego. Zaprosiłabym również tych wszystkich metodystów, którzy krytykowali rodzinę Johna Mereditha, aczkolwiek jestem przekonana, że gdyby nasi współbracia prezbiterianie przestali robić wokół mieszkańców plebanii tyle szumu, przedstawiciele innych wyznań w ogóle nie zaprzątaliby sobie nimi głowy. Zwróciłabym się do nich tak: „Drodzy bracia w wierze, chrześcijanie! (Ze szczególnym naciskiem na słowo «chrześcijanie»!) Chciałabym Wam dzisiaj przekazać coś ważnego i prosić was, byście ponieśli to przesłanie dalej, do swoich domów i rodzin.

Obecnych tu metodystów proszę, by przestali się nad nami litować, a prezbiterianom chciałam uzmysłowić, że nie mamy powodu, by wciąż wylewać żale. Najwyższy czas przestać bić się w piersi. Chcielibyśmy odważnie i zgodnie z prawdą oznajmić, zarówno wszystkim krytykom, jak i sympatykom rodziny Meredithów, że jesteśmy dumni z naszego pastora i jego rodziny. Pan Meredith jest najlepszym kaznodzieją, jakiego kiedykolwiek mieliśmy w kościele w Glen St. Mary. Co więcej, nasz pastor jest szczerym i żarliwym głosicielem prawdy i orędownikiem miłosierdzia. Pod każdym względem spełnia nasze oczekiwania — jest oddanym przyjacielem, duchownym podejmującym wyważone i roztropne decyzje we wszystkich zasadniczych sprawach, a ponadto wykształconym, kulturalnym człowiekiem. Również jego rodzina zasługuje na szacunek i uznanie. Gerald Meredith jest najzdolniejszym uczniem w całej szkole i pan Hazard twierdzi, że tego chłopca czeka wielka kariera. To dzielny, honorowy i prawdomówny młody człowiek. Flora Meredith jest nie tylko piękna, ale posiada również bogatą osobowość. Nie ma w niej nic pospolitego. Pozostałe dziewczęta z Glen razem wzięte nie mają tyle zapału, poczucia humoru, wesołości i werwy, co ona. Wszyscy ją lubią, z wszystkimi jest w komitywie. O ilu dzieciach, czy nawet dorosłych osobach, można by rzec coś takiego? Una Meredith, z kolei, to sama słodycz. Wyrośnie na wspaniałą, pełną uroku kobietę. Karolek Meredith, który uwielbia mrówki, żaby i pająki, z pewnością zostanie kiedyś słynnym przyrodnikiem, przynosząc chlubę Kanadzie, i nie tylko Kanadzie — całemu światu. Czy znacie jakąś inną rodzinę, w samym Glen lub poza nim, o której można by powiedzieć tyle dobrych rzeczy? Skończmy wreszcie z tym ciągłym tłumaczeniem się i przepraszaniem. Cieszymy się, że Bóg obdarzył nas takim pastorem i jego wspaniałą rodziną!"

— Droga Aniu, chciałabym, żebyś rzeczywiście zwołała
to zebranie i w ten właśnie sposób wyłożyła całą sprawę!
Muszę przyznać, że mnie zawstydziłaś, i na pewno nie będę
się starała tego ukryć. Bez wątpienia tak właśnie powinniśmy o tym rozmawiać — zwłaszcza z metodystami. Każde twoje słowo jest jak najbardziej prawdziwe, absolutnie
każde. Nie dostrzegaliśmy tego co ważne, za to skupialiś-
my się na nieistotnych błahostkach. Och, droga Aniu, czasami prawda dociera do mnie dopiero wówczas, gdy ktoś
wbije mi ją do głowy. Postanowiłam, że przestanę się uspra-
wiedliwiać! Zamierzam chodzić z podniesionym czołem,
możecie mi wierzyć. Zastrzegam jednak, że może się tak
zdarzyć, iż skuszę się na małą pogawędkę w waszym gronie, żeby choć trochę sobie ulżyć, jeżeli Meredithowie znowu coś zmalują. A jeśli idzie o ten list do gazety, który tak
mnie zdenerwował — przecież można było całą tę sprawę
obrócić w żart, tak jak zrobił Norman. W końcu niewiele
dziewcząt zdobyłoby się na coś takiego. W dodatku w liście
nie było najmniejszego błędu interpunkcyjnego ani ortogra-
ficznego. Niech no tylko usłyszę jakąś krytykę z ust meto-
dysty w tej sprawie — ale i tak nigdy nie wybaczę Joemu
Vickersowi, możecie mi wierzyć! A cóż porabiają twoje pociechy, Aniu?

— Walter i bliźniaczki są jak zwykle w Dolinie Tęczy.
Kuba uczy się na poddaszu.

— Oszaleli na punkcie tej Doliny Tęczy. Marysia Vance
twierdzi, że to jest jedyne przyjemne miejsce na świecie.
Chętnie przychodziłaby tutaj co wieczór, gdybym jej na to
pozwalała. Nie chcę jej zbytnio rozpieszczać. Nigdy nie przy-
puszczałabym, że się tak potrafię przywiązać do tej dziewczyny. Oczywiście widzę dokładnie wszystkie jej wady i staram się je za wszelką cenę wykorzenić. Muszę przyznać, że
jeszcze nigdy nie słyszałam z jej ust słowa skargi, a przy

tym Marysia jest dla mnie ogromną wyręką, bo, mówiąc między nami, moja Aniu, nie jestem już taka młoda i trudno mi samej wszystkiemu podołać. W tym roku skończyłam pięćdziesiąt dziewięć lat. Nie czuję ich wprawdzie, ale nie można oszukać natury.

UROCZYSTY KONCERT

Pomimo zmiany poglądu panna Kornelia była znowu zaskoczona nowym wystąpieniem dzieci z plebanii. Wobec ludzi stała twardo na stanowisku, lecz znalazłszy się sam na sam z Anią, pozwoliła sobie na wyrażenie swego świętego oburzenia.

— Wyobraź sobie, moja Aniu, że urządzili znów koncert na cmentarzu w zeszły czwartek wieczorem, podczas kościelnego zebrania metodystów. Rozsiedli się na grobie Hezekiaha Pollocka i śpiewali dobrą godzinę. Z początku pieśni kościelne, lecz zakończyli jakąś skoczną piosenką akurat w chwili, gdy Deacon Baxter rozpoczynał nabożeństwo.

— Byłam tam tego wieczoru — wtrąciła Zuzanna — nie chciałam nic wspominać o tym, droga pani doktorowo, lecz przykro mi było, że dzieciaki wybrały właśnie ten wieczór. Krew krzepła w żyłach, gdy się słyszało, jak śpiewali skoczne piosenki, profanując pamięć umarłych.

— A co Zuzanna robiła na kościelnym zebraniu metodystów? — zapytała panna Kornelia z przekąsem.

— Jakoś do tej pory nie słyszałam, żeby metodyzm był zaraźliwy — z urazą w głosie odrzekła Zuzanna. — Chciałam właśnie wyjaśnić — ale nie pozwolono mi dojść do słowa — że nie wybrałam się tam dlatego, iż nagle zmieniłam wyznanie. Gdy z kościoła wyszła pani Baxter, zaraz rzuciła odpowiednio zgryźliwy komentarz: „Cóż to za haniebne zachowanie!". Na to ja odpowiedziałam, patrząc jej prosto w oczy: „Przynajmniej mają piękne głosy, a jeśli idzie o wasz chór, pani Baxter, to jak widać, jego członkowie wcale się nie kwapią, by uczestniczyć w spotkaniach modlitewnych. Widocznie śpiewać czysto potrafią tylko w niedziele!". Zaraz spotulniała i czułam, że dałam jej nieźle popalić. Mogłabym jeszcze bardziej utrzeć jej nosa, ale hamował mnie fakt, że te dzieciaki na koniec swojego występu odśpiewały zupełnie niestosowną w tym miejscu piosenkę: *Polly Wolly Doodle*. Aż strach pomyśleć, że zrobiły to na cmentarzu.

— Prawdopodobnie niejeden z nieboszczyków lubił za życia skoczne piosenki, Zuzanno. Może miło mu było usłyszeć je teraz, po śmierci — zauważył Gilbert.

Panna Kornelia spojrzała na doktora wzrokiem pełnym nagany i postanowiła przy pierwszej okazji zgromić go za te słowa. Takie zdania mogą zaważyć na jego praktyce, bo ludzie gotowi pomyśleć, że jest poganinem. Co prawda, Marshall Elliott potrafił wyrażać się jeszcze gorzej, ale on nie jest człowiekiem tak popularnym jak doktor Blythe.

— Wiem, że pastor przebywał wówczas w swym gabinecie przy otwartym oknie, lecz wcale nie zwracał uwagi na to, co robią jego dzieci. Jak zwykle siedział zaczytany. Wczoraj wspomniałam mu coś o tym.

— Jak się pani odważyła, pani Elliott?! — zawołała z przerażeniem Zuzanna.

— Przecież ktoś się musi zdobyć na odwagę. Parafianie twierdzą, że pan Meredith nic nie wie o liście Flory wydrukowanym w „Journalu", bo nikt nie odważył się pokazać mu gazety. Moim zdaniem pastor powinien wiedzieć o wszystkim, aby zapobiec dalszym skandalom. Obiecał mi, że pomówi z dzieciakami, jestem jednak pewna, że zaraz po moim wyjściu o tym zapomniał. Ten człowiek jest zupełnie nieprzytomny, wierz mi, Aniu. W zeszłą niedzielę nauczał parafian, jak trzeba wychowywać dzieci. Kazanie było naprawdę prześliczne, ale wszyscy obecni w kościele pomyśleli: „Dlaczego nie potrafi zastosować swoich słów w praktyce?”.

Panna Kornelia myliła się, sądząc, że pan Meredith zapomniał o wszystkim, gdy tylko się z nim pożegnała. Natychmiast po powrocie dzieci z Doliny Tęczy pastor zawołał je do swego gabinetu, nie bacząc na to, że godzina była już późna.

Weszli posłusznie, zdjęci lękiem. Ojciec nigdy ich do siebie nie wzywał. Co miał im dzisiaj do powiedzenia? Zaczęli przypominać sobie ważniejsze zdarzenia ostatnich dni i własne drobne przewinienia. Co prawda wczoraj wieczorem Karolek splamił nową jedwabną suknię pani Piotrowej Flagg, gdy ciotka Marta zatrzymała ją na kolacji. Pan Meredith nie widział tego, a pani Flagg, niewiasta posiadająca gołębie serce, na pewno pastorowi nic o tym nie wspomniała. Poza tym Karol został ukarany w ten sposób, że przez resztę wieczoru musiał chodzić po pokojach w sukience Uny.

Unie przyszło nagle na myśl, że może chce im powiedzieć o zamiarze poślubienia panny West. Serce zaczęło jej bić mocno i nogi pod nią zadrżały. Dostrzegła jednak, że ojciec był bardzo poważny i nieco zasmucony. Nie, to musiał być jakiś inny powód.

— Dzieci — zaczął pan Meredith przyciszonym głosem — doszło moich uszu coś, co mnie bardzo zabolało. Czy to prawda, że w zeszły czwartek wieczorem śpiewaliście na cmentarzu skoczne piosenki, w czasie gdy w kościele metodystów odbywało się uroczyste zebranie?

— Boże wielki, tato, zapomnieliśmy zupełnie, że tego wieczoru ma się odbyć zebranie kościelne! — zawołał Jerry z przerażeniem.

— Więc to prawda?

— Nie wiem, tato, dlaczego mówisz o skocznych piosenkach. Śpiewaliśmy hymny kościelne. Postanowiliśmy urządzić religijny koncert. Komu to przeszkadzało? O zebraniu kościelnym metodystów nie mieliśmy pojęcia. Przecież zawsze zbierają się we wtorek, a trudno było przewidzieć, że przenieśli w tym tygodniu tę uroczystość na czwartek!

— Więc śpiewaliście tylko hymny?

— Tak — wyszeptał Jerry, rumieniąc się nagle — potem *Polly* na zakończenie. Flora prosiła, żeby zaśpiewać coś wesołego, ale nie mieliśmy zamiaru przecież tym nikogo obrażać.

— Ten cały koncert był moim pomysłem, tato — wyznała Flora, lękając się, że cała wina spadnie na Jerry'ego. — Wiesz przecież, że dopiero trzy dni temu metodyści również urządzili koncert religijny w swoim kościele. Pomyślałam, że dobrze ich będzie naśladować. Tylko że oni odprawili na początku nabożeństwo, a myśmy tego zaniechali, pamiętając, jakie to kiedyś wywołało zgorszenie. Sam siedziałeś przy otwartym oknie i nie powiedziałeś nam ani słowa...

— Nie zwróciłem na to uwagi i dlatego w tym wszystkim jest właściwie tylko moja wina. Dlaczego jednak na zakończenie śpiewaliście taką głupią piosenkę?

— Zagapiliśmy się — mruknął Jerry, obmyślając już odpowiednią karę dla Flory. — Bardzo nam przykro, tato, naprawdę bardzo nam przykro. Ukaraj nas srogo, bo na to istotnie zasłużyliśmy.

Pan Meredith nie myślał w tej chwili o karze. Usiadł przy biurku i zaczął gorąco przemawiać do swych pociech. Po godzinnej rozmowie dzieci ze skruchą przyrzekły, że więcej już takie rzeczy się nie powtórzą.

— Sami musimy się odpowiednio ukarać — szepnął Jerry, gdy wchodzili na górę. — Jutro zwołamy zebranie klubu i zadecydujemy o wszystkim. Nigdy jeszcze nie widziałem ojca tak zrozpaczonego. Właściwie największa w tym wina metodystów, bo mogliby wyznaczyć sobie jeden dzień w tygodniu na zebrania kościelne i nie zawracać porządnym ludziom głowy.

— W każdym razie jestem bardzo zadowolona, że ojciec nie mówił o tym, czego się tak lękałam — szepnęła Una do siebie.

Pan Meredith po wyjściu dzieci został w swym gabinecie i z rozpaczą ukrył twarz w dłoniach.

— Boże, przebacz! — zawołał. — Jestem złym ojcem. Och, Rosemary! Gdybyś ty chciała się tym wszystkim zająć!

DZIEŃ POSTU

Nazajutrz rano przed pójściem do szkoły zwołano walne zebranie Klubu Dobrego Zachowania. Po długich rozmyślaniach wszyscy doszli do wniosku, że jedyną odpowiednią karą byłoby zaprojektowanie dnia postu.

— Przez cały dzień nic nam nie wolno będzie jeść — powiedział Jerry. — Jestem ciekaw, jak człowiek się czuje, gdy cały dzień pości. Teraz będę miał okazję się przekonać.

— Jaki dzień wyznaczamy? — zapytała Una, której przyszło na myśl, że właściwie wyznaczono karę zupełnie łatwą, i dziwiła się, że Jerry i Flora nie pomyśleli o czymś bardziej srogim.

— Poniedziałek — rzekła Flora. — W niedzielę jest zawsze sutszy obiad, a w poniedziałek i tak ciotce Marcie nie chce się gotować.

— Właśnie o to chodzi — zawołał Jerry — że nie powinniśmy wybierać najłatwiejszego dnia, tylko najtrudniejszy, na przykład niedzielę, bo przeważnie wtedy dostajemy na obiad rostbef zamiast zimnej baraniny. Niejedzenie baraniny nie byłoby znów tak wielką karą. Wyznaczmy sobie przyszłą niedzielę. Będzie nam wygodnie, bo ojciec wyjeżdża do Lowbridge, a tutaj ma go zastępować inny ksiądz. Jak ciotka Marta zapyta, co się stało, to jej wytłumaczymy, że postanowiliśmy pościć dla zbawienia duszy, a wówczas już na pewno nie będzie się temu sprzeciwiać.

Istotnie ciotka Marta nie przejęła się tym zbytnio. Mruknęła tylko: „Co ci smarkacze znowu wyrabiają?" i wkrótce zapomniała o wszystkim. Pan Meredith wyjechał z samego rana, gdy dzieci jeszcze spały. Wyszedł z domu bez śniadania, co zresztą zdarzało się dość często. Oczywiście potem zapomniał o nim zupełnie, a nie było komu przypomnieć mu, że nic nie jadł. Ranne posiłki ciotki Marty nie grzeszyły zbytnim urozmaiceniem. Nawet głodni „smarkacze" z niezbyt wielkim trudem wyrzekli się dzisiaj „grudkowatej owsianki i skisłego mleka", o których z takim przekąsem wyrażała się Marysia Vance. Gorzej jednak było, gdy nadeszła pora obiadu. Cała czwórka była wściekle głodna, a po wszystkich pokojach plebanii rozniosła się smakowita woń rostbefu. Dzieci z rozpaczą wybiegły na cmentarz, gdzie już nie dochodził zapach pieczonego mięsa. Una jednak nie mogła oderwać wzroku od okna jadalni, przez które widziała księdza z Lowbridge, zajadającego z apetytem obiad.

— Gdybym mogła dostać choć taki maciupeńki kawałek — wzdychała.

— Przestań o tym myśleć! — zawołał Jerry. — Ciężko jest nie jeść, ale trzeba znieść karę. Ja zjadłbym w tej chwili wołu z kopytami, lecz muszę wytrwać. Myślmy lepiej o czymś innym.

Gdy nadeszła pora kolacji, dzieci nie odczuwały już tak boleśnie głodu jak podczas obiadu.

— Widocznie już przywykliśmy — rzekła Flora. — Czuję osłabienie, ale nie mogę powiedzieć, żebym była głodna.

— Głowa mi dziwnie ciąży — narzekała Una. — Wszystko mi się kręci przed oczami.

Mimo to jednak z wesołym uśmiechem Una poszła wraz ze wszystkimi do kościoła. Gdyby pan Meredith nie był tak zagłębiony w swych rozmyślaniach, na pewno dostrzegłby w pierwszej ławce bladą twarzyczkę i błyszczące niezdrowo oczy. Lecz on nic nie zauważył, a kazanie jego było dzisiaj dłuższe niż zazwyczaj. Gdy chór zaintonował hymn na cześć Wszechmocnego, Una Meredith zsunęła się z ławki i zemdlona padła na podłogę.

Pierwsza podbiegła do niej pani Abrahamowa Clow. Wyrwała wątłe ciało dziewczynki z ramion trupio bladej, przerażonej Flory i przeniosła je do zakrystii. Pan Meredith zapomniał o skończeniu nabożeństwa i nieprzytomny pobiegł za nią. Wśród parafian rozległ się szmer niepokoju.

— Och, pani Clow — szeptała Flora — czy Una nie żyje? Więc zabiliśmy ją?

— Co się stało memu dziecku? — indagował śmiertelnie blady ojciec.

— Sądzę, że tylko zemdlała — odparła pani Clow. — Dzięki Bogu jest w kościele doktor Blythe.

Z wielkim trudem udało się Gilbertowi doprowadzić Unę do przytomności. Męczył się dość długo, nim dziewczynka otworzyła oczy. Potem przeniósł ją na plebanię, a za nim szła Flora, szlochając histerycznie.

— Ona jest głodna, przez cały dzień nic nie jadła... Pościliśmy wszyscy.

— Pościliście! — wyszeptał pan Meredith.

— Pościliście? — powtórzył doktor.

— Tak, to była kara za to, że śpiewaliśmy na cmentarzu *Polly* — szlochała Flora.

— Moje dziecko, nie chciałem, abyście się sami karali za to — powiedział pan Meredith bezradnie. — Dałem wam lekcję, lecz wszystkim wam przebaczyłem.

— Tak, ale musieliśmy się ukarać — wyjaśniła Flora. — Takie jest prawo naszego Klubu Dobrego Zachowania, że jeżeli uczynimy coś złego lub coś takiego, co zaszkodzić może ojcu w parafii, musimy się sami ukarać. Postanowiliśmy się sami wychowywać, bo nie mamy nikogo, kto by się nami zajął.

Pan Meredith westchnął głęboko, a doktor z uczuciem ulgi odszedł od łóżka, na którym leżała Una.

— Dziecko zemdlało z głodu. Trzeba jej teraz dać trochę pożywienia — rzekł. — Pani Clow, będzie pani łaskawa się tym zająć? Sądząc z opowiadania Flory, całej czwórce przydałaby się dobra kolacja, bo gotowi wszyscy zemdleć nam naraz.

— Właściwie Una nie powinna była pościć — rzekła Flora w zamyśleniu. — Przecież tylko obydwoje z Jerrym zasłużyliśmy na karę. To my rozpoczęliśmy ów nieszczęsny koncert, a poza tym jesteśmy najstarsi.

— Ja tak samo śpiewałam *Polly* jak i wszyscy — wtrąciła Una słabiutkim głosem — więc i mnie się słusznie kara należała.

Pani Clow wróciła ze szklanką ciepłego mleka, Flora, Jerry i Karol wymknęli się do spiżarni, a John Meredith wyszedł do gabinetu, gdzie przez dłuższy czas siedział w ciemnościach, tonąc w gorzkiej zadumie. Więc jego dzieci wychowywały się same, bo nie miały nikogo, kto by się tym zajął? Ciągle w uszach dźwięczało mu to wyznanie Flory. Nie było nikogo, kto zwracałby na nie uwagę, kto koiłby te biedne małe duszyczki, kto dbałby o zdrowie tych niewinnych stworzeń. Jak bledziutko wyglądała Una, gdy leżała na białej poduszce po zemdleniu! Jaką bladą miała twarzyczkę i szczupłe rączki! Zdawało się, że duszyczka jej uleci za chwilę ku niebu, duszyczka tej biednej, małej Uny, o którą Cecylia tak bardzo się lękała. Od śmierci żony John Meredith ani razu nie odczuwał takiego lęku jak wtedy, gdy się pochylał nad swą małą, nieprzytomną córeczką. Musi coś uczynić, ale co? Czy ma zaproponować małżeństwo Elżbiecie Kirk? Elżbieta jest dobrą kobietą, na pewno będzie też dobrą opiekunką dla dzieci. Uczyniłby to już dawno, gdyby nie kochał Rosemary West. Jednak z chwilą gdy uczucie to zapłonęło w jego sercu, nie mógł myśleć o poślubieniu innej kobiety. O Rosemary nie umiał zapomnieć, usiłował, ale na próżno. Dziś wieczorem Rosemary po raz pierwszy była w kościele od chwili powrotu z Kingsport. Uchwycił jej spojrzenie, gdy wraz z innymi opuszczała świątynię po skończonym nabożeństwie. W sercu uczuł dotkliwy ból. Gdy chór zaintonował hymn uroczysty, on stał z pochyloną na piersi głową i czuł, że cała krew spłynęła mu do serca. Nie widział jej od tego wieczoru, kiedy prosił, żeby została jego żoną. Potem zemdlenie Uny sprawiło, że zapomniał o wszystkim. Dopiero teraz w ciemnym gabinecie począł znowu zastanawiać się nad tym. Rosemary była dlań jedyną kobietą na świecie. Nie mógł myśleć o innej żonie, nawet gdyby się miał ożenić dla dobra swych dzieci. Musi swój ciężar sam dźwigać dalej, musi stać się lepszym, bardziej czułym ojcem, musi wytłumaczyć dzieciom, że powinny mu się zwierzać ze wszystkich swych trosk i w każdym wypadku pytać o radę. Zapalił lampę i wyciągnął z biblioteki grubą książkę. Postanowił przeczytać choć jeden rozdział. Pięć minut potem zatonął zupełnie w lekturze, zapominając o całym świecie i o troskach, które go tak gnębiły.

ZŁOWIESZCZA HISTORIA

Wieczory czerwcowe w Dolinie Tęczy miały swój specyficzny urok. Dzieci upajały się tym czarem, zasłuchane w dźwięk dzwoneczków zawieszonych przy Leśnych Kochankach i zapatrzone w opuszczone warkocze Białej Pani. Wiatr śmiał się i gwizdał nad ich uszami niby serdeczny, wesoły towarzysz. Wszędzie było zielono i radośnie. Dzikie wiśnie, rosnące na skraju doliny, okryte były bielą kwiecia. Wiosna rozkwitła w całej pełni, a podczas wiosny wszystko co żyje raduje się zapowiedzią nowego szczęścia. Toteż wszyscy byli weseli w Dolinie Tęczy tego wieczoru, dopóki Marysia Vance nie zmroziła ich opowieścią o duchu Henryka Warrena.

Kuby w dolinie nie było. Spędzał teraz wszystkie wieczory na poddaszu w Złotym Brzegu, wkuwając do egzaminów wstępnych. Jerry łowił pstrągi w sadzawce, Walter zaś czytał poezje Longfellowa słuchającym go w zachwycie przyjaciołom. Później mówiono o tym, kto czym zostanie, jak dorośnie, dokąd pojedzie i co zobaczy. Nan i Di pragnęły wyjechać do Europy. Walter tęsknił za błękitnym Nilem płynącym wśród piasków Egiptu i za spojrzeniem Sfinksa. Flora twierdziła, że zostanie misjonarką i wyjedzie do Indii lub Chin. Serce Karolka wyrywało się w kierunku dżungli afrykańskich. Tylko Una milczała. Myślała, że najlepiej będzie zostać w domu. Przecież tu jest piękniej niż gdziekolwiek indziej na świecie. Jakże to będzie strasznie, gdy wszyscy dorosną i pewnego dnia rozjadą się w różne strony! Na samą myśl o tym Una odczuwała już teraz samotność i tęsknotę za rodzinnym domem.

Każdy tonął w swych marzeniach, dopóki nie ukazała się w dolinie Marysia Vance i nie rozwiała tych marzeń jedną swą głupią historią.

— Boże, oddechu złapać nie mogę! — zawołała. — Jak szalona biegłam tutaj. A to się najadłam strachu przy domostwie starego Baileya!

— Cóż cię tak przeraziło? — zapytała Di.

— Wlazłam do ogródka, żeby zobaczyć, czy nie rosną tam konwalie. Ciemno było jak w kominie i nagle ujrzałam coś poruszającego się w krzakach czereśni. Było to coś białego. Powiadam wam, przeskoczyłam szybko przez parkan i uciekłam. Jestem pewna, że to był duch Henryka Warrena.

— A któż to jest Henryk Warren? — zapytała Di.

— I dlaczego to miał być jego duch? — dorzuciła Nan.

— Nie słyszeliście tej historii? I wy jesteście wychowani w Glen? Czekajcie chwilę, jak odpocznę, to wam opowiem.

Walter zadrżał radośnie. Szalenie lubił historie o duchach. Poezje Longfellowa stały się nagle bezbarwne i nieciekawe. Odrzucił książkę na bok i ulokował się wygodnie na trawie, przygotowany do słuchania, z oczami utkwionymi w twarzy Marysi Vance. Marysia bardzo lubiła, jak tak na nią patrzył. Wiedziała, że każdą historię potrafi wówczas o wiele lepiej i ciekawiej opowiedzieć.

— Wiecie chyba — zaczęła po chwili — że przed trzydziestu laty w tym opuszczonym domu mieszkał stary Tomasz Bailey ze swoją żoną. Był to prawdziwy stary potwór, jak mówią, a jego żona także nie była lepsza. Nie mieli własnych dzieci, lecz siostra starego Tomasza umarła i pozostawiła małego chłopca, którego Baileyowie wzięli do siebie. Właśnie to był Henryk Warren. Gdy przybył do Baileyów, miał dopiero dwanaście lat i był bardzo wrażliwy i delikatny. Podobno Tomasz i jego żona od razu wzięli się odpowiednio do dzieciaka, zaczęli go bić i głodzić. Ludzie opowiadają, że chcieli, żeby jak najprędzej umarł, aby oni mogli zagarnąć pieniądze, które matka pozostawiła małemu. Henryk jednak nie umarł, tylko zaczął chorować. Miał jakieś epilepsje, jak powiadają, i dorósł tak do lat osiemnastu. Wuj bił go właśnie zawsze w tym ogrodzie, bo wiedział, że tutaj nikt go nie zobaczy. Jednak ludzie wszystko widzą i podobno nieraz słyszeli, jak biedny Henryk prosił wuja, żeby go nie zabijał. Nikt jednak nie wtrącał się, bo nikt nie chciał zaczynać ze starym Tomaszem. Podobno podpalił kiedyś stodołę jednemu gospodarzowi w porcie, za to, że go tamten obraził. Wreszcie Henryk umarł, a Baileyowie opowiedzieli wszystkim, że zmarł wskutek choroby. Mówiono jednak, że wuj zdołał go w końcu zabić. A po pewnym czasie Henryk zaczął tu spacerować. Spacerował co noc po starym ogrodzie. Niektórzy słyszeli, jak jęczał i płakał. Stary Tomasz z żoną wynieśli się na zachód i nigdy już nie wrócili, lecz nikt po ich wyjeździe nie chciał kupić tego domu ani go wydzierżawić. Wszyscy się bali. Dlatego dom został już na zawsze nie zamieszkany. Było to trzydzieści lat temu, ale duch Henryka Warrena jeszcze dotychczas spaceruje po ogrodzie.

— I ty w to wierzysz? — zapytała Nan z ironicznym uśmiechem. — Bo ja nie.

— Opowiadali mi tacy, którzy sami widzieli i słyszeli — odparła Marysia. — Mówią, że duch ukazuje się w nocy, chwyta ludzi za nogi i jęczy tak samo jak wtedy, kiedy Henryk jeszcze żył. Zaraz też przyszło mi to na myśl, jak zobaczyłam tę białą postać w krzakach, i oczywiście natychmiast uciekłam. Możliwe jednak, że się omyliłam, ale strasznie bałam się zostać w ogrodzie.

— To na pewno było białe cielę pani Stimson — zaśmiała się Di. — Kilka razy widziałam, jak pasło się w ogrodzie starego Baileya.

— Możliwe, ale ja już do domu tamtędy nie wrócę. O, idzie Jerry z pstrągami. Dzisiaj ja mam je smażyć. Kuba i Jerry twierdzą, że jestem najlepszą kucharką w całym Glen. Kornelia dała mi dla was trochę ciastek, ale zgubiłam je, jak ujrzałam ducha Henryka Warrena.

Jerry śmiał się głośno, gdy Marysia zajęta smażeniem ryby powtórzyła mu ową niesamowitą historię. Walter pomagał Florze w nakrywaniu do stołu. Na Jerrym historia o duchu nie wywarła specjalnego wrażenia, lecz Flora, Una i Karol w głębi duszy odczuwali dziwny lęk, choć za nic w świecie nie wyznaliby tego przed nikim.

Wszystko było dobrze, dopóki razem siedzieli w dolinie, lecz gdy uczta miała się ku końcowi i mrok począł zapadać, nasza mała trójka zaczęła znowu myśleć o duchach. Jerry wraz z Blythe'ami poszedł do Złotego Brzegu, aby się zobaczyć z Kubą, Marysia Vance pobiegła do domu. Radzi nieradzi, Flora, Una i Karol musieli sami wracać na plebanię. Starali się iść inną drogą, aby okrążyć nieszczęsny ogród starego Baileya, bo chociaż nie wierzyli w ukazywanie się ducha, to jednak przejęci byli jakimś dziwnym, niemal panicznym strachem.

DUCH NA GROBLI

Z jakiegoś powodu Flora, Karolek i Una w żaden sposób nie mogli wymazać z pamięci historii o duchu Henryka Warrena. Nigdy nie wierzyli w istnienie duchów. Wiele razy słuchali przecież podobnych historii i byli z nimi oswojeni — Marysia Vance często raczyła ich mrożącymi krew w żyłach opowieściami, znacznie bardziej przerażającymi niż ta o Henryku. Jednakże wszystkie te niesamowite historie mówiły o duchach, które nie były stąd — dotyczyły odległych miejsc i osób. Czasami, owszem, ciarki przechodziły im po plecach, byli jednak tyleż przestraszeni, co podekscytowani i opowieści te nie zapadały im tak bardzo w pamięć. Tym razem było inaczej. Stary ogród Bailey'ów rozciągał się przecież zaraz za ich domem, niemal graniczył z ukochaną Doliną Tęczy. Ciągle przez ten ogród przechodzili, szukali w nim kwiatów, biegali tamtędy na skróty, by jak najszybciej dostać się do swojej ulubionej doliny. Teraz jednak nigdy się już na to nie odważą! Odkąd Marysia opowiedziała im tę makabryczną historię, omijali ogród Bailey'ów z daleka. Nie zbliżyliby się do niego, nawet gdyby ktoś groził im śmiercią. Śmiercią! A czymże jest śmierć w porównaniu z tą grozą, jaką budził w nich czający się gdzieś w ogrodzie duch Henryka Warrena, w każdej chwili gotowy pochwycić ich w swe szpony?

Pewnego ciepłego lipcowego wieczoru Flora, Una i Karolek siedzieli u stóp Leśnych Kochanków. Doskwierała im samotność. Nikt do Doliny Tęczy nie przyszedł. Kuba Blythe wyjechał do Charlottetown na egzaminy wstępne, Jerry i Walter Blythe wybrali się do portu ze starym kapitanem Crawfordem, a Nan, Di, Rilla i Shirley poszli w odwiedziny do państwa Fordów, którzy przyjechali na pewien czas do starego Wymarzonego Domku. Nan proponowała nawet Florze, aby wybrała się tam także, ale Flora odmówiła. Była nieco zazdrosna o Persis Ford, o której piękności i inteligencji tyle słyszała. Nie ma zamiaru pójść tam, aby pozostawać na drugim planie. Obydwie więc z Uną zabrały książki do Doliny Tęczy i czytały zawzięcie, podczas gdy Karolek zajęty był odszukiwaniem jakiegoś nowego gatunku robaków na brzegu strumyka. Wszyscy troje czuli się całkiem dobrze do chwili, gdy nagle zorientowali się, że zmrok już zapada i znajdują się w pobliżu ogrodu starego Baileya. Karol wrócił znad strumyka i usiadł tuż obok dziewcząt. Żałowali teraz, że nie wrócili wcześniej do domu, lecz żadne głośno tego nie wyjawiło.

Ciężkie, aksamitne chmury, zabarwione purpurą zachodu, zawisły nad doliną. Wiatr ucichł i dookoła panowała martwa cisza. W powietrzu wirowało tysiące muszek i komarów, które zaczynały coraz bardziej dzieciom dokuczać.

Flora spojrzała bojaźliwie w stronę domostwa Baileya i nagle krew jej zakrzepła w żyłach. Spojrzenia Karolka i Uny skierowały się również w tę stronę i obydwoje uczuli nagle zimny dreszczyk biegnący przez plecy.

Bo oto pod rozłożystym dębem, na grobli porośniętej gęstą trawą w pobliżu ogrodu starego Baileya, ujrzeli coś białego, co zdawało się jeszcze bielsze w pomroce wieczoru. Młodzi Meredithowie skamienieli.

— To... to... jest cielę — szepnęła Una wreszcie.

— Za... duże... na cielę — odpowiedziała szeptem Flora. Miała w tej chwili wargi tak zaschnięte, że z trudem wymawiała pojedyncze słowa.

Karolek nagle otworzył szeroko usta.

— Idzie do nas — wyjąkał.

Dziewczynki przerażone spojrzały raz jeszcze w tym kierunku. Tak, biała postać czołgała się po grobli, a przecież cielę tak się czołgać nie potrafi. Całą trójkę ogarnęła szalona panika. Przez chwilę wszyscy przekonani byli, że to nie mogło być nic innego, tylko duch Henryka Warrena. Karol porwał się na równe nogi i rzucił się do ucieczki. Z głośnym okrzykiem dziewczęta poszły za jego przykładem. Niby oszalałe stado, poczęli biec wszyscy troje w stronę plebanii. Gdy wychodzili, ciotka Marta siedziała w kuchni, zajęta szyciem. Teraz jej tam nie było. Rzucili się do gabinetu. Panowały tam ciemności i również nie było żywej duszy. Gnani szalonym przestrachem wybiegli z mieszkania i takim samym pędem pomknęli przez Dolinę Tęczy w stronę Złotego Brzegu. Lecieli jak na skrzydłach przez szeroką ulicę Glen. Karol biegł na przedzie, a Una zamykała ten dziwaczny wyścig. Nikt ich nie zatrzymywał, chociaż wszyscy przyglądali się ze zdziwieniem, sądząc, że dzieci z plebanii szykują jakieś nowe przedsięwzięcie. W bramie ogrodu w Złotym Brzegu wpadli na pannę Rosemary West, która właśnie stamtąd wychodziła.

Natychmiast dostrzegła pobladłe twarzyczki i błyszczące niesamowicie oczy. Domyśliła się, iż dzieci zagnał tutaj strach, lecz nie wiedziała, co było tego przyczyną. Jednym ramieniem objęła Karola, a drugim przytuliła do siebie Florę. Una stała na uboczu, przejęta rozpaczą.

— Dzieci drogie, co wam się stało? — zapytała panna Rosemary. — Co was tak przeraziło?

— Duch Henryka Warrena — odparł Karol, szczękając zębami.

— Duch Henryka Warrena? — powtórzyła zdziwiona Rosemary, która nie znała wcale tej historii.

— Tak — szlochała histerycznie Flora. — On jest tam... na grobli Baileyów... widzieliśmy go... szedł w naszą stronę.

Panna Rosemary zaprowadziła dzieci na werandę. Gilberta i Ani nie było w domu, gdyż również poszli w odwiedziny do Wymarzonego Domku, lecz wkrótce na progu ukazała się Zuzanna, jak zwykle trzeźwa i nie wierząca w duchy.

— O co robicie taki krzyk? — indagowała.

Dzieci po raz drugi zaczęły opowiadać straszną historię, podczas gdy panna Rosemary tuliła je do siebie i uspokajała najczulszymi słowami.

— To na pewno sowa — oświadczyła Zuzanna obojętnym tonem.

Sowa! Młodzi Meredithowie od tej chwili utracili wszelkie zaufanie do inteligencji Zuzanny!

— To było większe od miliona sów — rzekł Karol, szlochając (och, jakże potem był zawstydzony, gdy się cała historia wyjaśniła) — i jęczało tak samo, jak Marysia nam opowiadała. I czołgało się w naszą stronę. Czy sowy się czołgają?

Panna Rosemary spojrzała na Zuzannę.

— Jednak musiało tam coś być, co ich tak przeraziło — rzekła.

— Pójdę zobaczyć — odpowiedziała chłodno Zuzanna. — Uspokójcie się, dzieci. Zaręczam wam, że to nie był duch. Co do biednego Henryka Warrena, to jestem pewna, że zadowolony jest z tego, iż może spokojnie spoczywać w mogile. Na pewno by tu już więcej nie wrócił. Niech im to pani wytłumaczy, panno West, a ja tymczasem postaram się czegoś dowiedzieć.

Zuzanna odeszła w stronę Doliny Tęczy, uzbroiwszy się w widły, które znalazła na łączce. Co prawda widły nie są najlepszą bronią na duchy, ale są niewątpliwie uspokajającą bronią. Zuzanna niczego nie dostrzegła w Dolinie Tęczy, żadnych białych postaci. Dokładnie przeszukała całą dolinę i wreszcie widłami zapukała w drzwi domku po drugiej stronie ogrodu Baileya, a należącego do pani Stimson i jej dwu córek.

Po kwadransie pannie Rosemary udało się nieco uspokoić przerażone dzieci. Popłakiwały jeszcze po cichu, lecz zaczynały rozsądnie myśleć i podejrzewać, że ten cały strach był tylko przywidzeniem. Podejrzenia te przeistoczyły się w zupełną pewność po powrocie Zuzanny.

— Już wiem, kto był tym waszym duchem — rzekła ze śmiechem, siadając na werandzie i wachlując się chusteczką. — Stara pani Stimson kupiła kilka lnianych prześcieradeł, które bieli na słońcu od tygodnia w ogrodzie Baileyów. Rozwiesiła je na grobli pod rozłożystym dębem, bo trawa jest tam gładka i sucha. Dzisiejszego wieczoru postanowiła je zabrać do domu. Udała się tam z szydełkową robotą i mając ręce zajęte, przewiesiła prześcieradła przez ramię. Nagle wypadło jej z rąk szydełko i na nieszczęście w żaden sposób nie mogła go znaleźć. Poczęła więc czołgać się na kolanach, gdy nagle usłyszała przeraźliwy krzyk w dolinie i ujrzała troje dzieci biegnących w stronę pagórka w panicznym przerażeniu. Była pewna, że je ktoś goni, i serce jej tak mocno zabiło, że nie mogła ruszyć się z miejsca ani wymówić słowa i dopiero oprzytomniała, gdy dzieci zniknęły jej sprzed oczu. Z trudem dostała się do domu, lecz jeszcze do tej pory nie może się uspokoić. Powiada, że nigdy w życiu nie najadła się tyle strachu, co dzisiaj.

Twarzyczki młodych Meredithów spłonęły rumieńcem wstydu i nawet czułe słowa panny Rosemary nie mogły ich uspokoić. Wszyscy troje wymknęli się do domu, a spotkawszy Jerry'ego w bramie plebanii, zwierzyli mu się ze swej przygody. Umówiono się, że nazajutrz rano zwołane zostanie walne zebranie Klubu Dobrego Zachowania.

— Czy panna West nie była dzisiaj dla nas sympatyczna? — szepnęła Flora, znalazłszy się już w łóżku.

— Owszem — przyznała Una. — Szkoda tylko, że musiałaby się zmienić, gdyby została macochą.

— Ja tam w to nie wierzę — odparła Flora sennym głosem.

KAROL ODBYWA KARĘ

— Nie rozumiem, dlaczego mamy być ukarani — rzekła Flora w zamyśleniu. — Nic złego nie zrobiliśmy, nie mogliśmy tylko opanować strachu, a przecież ojcu nie wyrządziło to żadnej krzywdy. Był to po prostu zwykły przypadek.

— Okazaliście się tchórzami — odparł Jerry tonem sędziego. — Za to powinniście być ukarani. Wszyscy będą się z was śmiać i przyniesiecie hańbę rodzinie.

— Gdybyś wiedział, jakie to było straszne — szepnęła Flora, drżąc na całym ciele — przekonałbyś się, że i tak już zostaliśmy srodze ukarani. Nie chciałabym przeżyć tego po raz drugi za nic w świecie.

— Jestem pewny, że i ty byś uciekł, gdybyś tam był z nami — mruknął Karol.

— Uważasz, że przestraszyłbym się starej baby w białym prześcieradle? — szydził Jerry. — Cha, cha, cha!

— To wcale nie wyglądało jak stara baba! — zawołała Flora. — Było takie duże, białe i czołgało się do nas tak, jak Marysia Vance mówiła o Henryku Warrenie. Łatwo ci się teraz śmiać, Jerry, ale na pewno nie śmiałbyś się, gdybyś tam był z nami. W jaki sposób mamy być ukarani? Wszelką karę uważam za niesłuszną, ale powiedz nam, co obmyśliłeś, wielki sędzio!

— Według mnie — oświadczył Jerry, marszcząc brwi — najwięcej w tym wszystkim jest winy Karola. On pierwszy zaczął uciekać. Poza tym, jako mężczyzna, powinien był bronić was, kiedy zbliżało się niebezpieczeństwo. Sam wiesz o tym, Karolu, prawda?

— Wiem — odparł Karolek zawstydzony.

— Otóż właśnie. Zasłużyłeś na karę. Dziś wieczorem będziesz siedział na grobie Hezekiaha Pollocka sam jeden aż do godziny dwunastej.

Karol uczuł nagle zimny dreszcz. Cmentarz był nie tak daleko od ogrodu starego Baileya. Ciężką mu dano karę, lecz Karol lękał się, żeby go po raz drugi nie nazwano tchórzem.

— Dobrze — zgodził się wreszcie. — Ale skąd będę wiedział, że już jest dwunasta?

— Okna gabinetu są otwarte, więc usłyszysz, jak wybije zegar. Pamiętaj, nie wolno ci wychodzić z cmentarza, dopóki zegar nie przestanie bić. Dziewczęta za karę przez cały tydzień nie będą jadły na kolację marmolady.

Flora i Una pobladły. Przyszło im na myśl, że nawet kara nałożona na Karolka była lżejsza do zniesienia. Przez cały tydzień miały jeść suchy chleb, wówczas gdy marmolada będzie stała na stole! Lecz prawa klubu przestrzegane były surowo. Dziewczynki na pozór spokojnie przyjęły wyrok.

Tego wieczoru wszyscy o dziesiątej udali się na spoczynek, z wyjątkiem Karola, który odsiadywał już swą karę na płycie nagrobnej. Una wymknęła się jeszcze na chwilę, aby mu dodać otuchy. Jej serduszko przepełnione było współczuciem.

— Karolku, bardzo się boisz? — szepnęła.

— Ani trochę — odparł obojętnie.

— Postaram się nie spać do dwunastej — rzekła Una. — Jak ci będzie bardzo przykro, to spójrz w okno naszego pokoju i przypomnij sobie, że ja tam leżę i myślę o tobie. Zawsze będzie ci raźniej, prawda?

— Bądź spokojna. Nie martw się o mnie — uspokajał ją Karol.

Mimo tej chwilowej odwagi Karol odczuł dopiero swą samotność, gdy na plebanii wszystkie światła pogasły. Pocieszał się nadzieją, że ojciec dość długo będzie siedział w swym gabinecie, jak to zwykł był czynić prawie codziennie. Wówczas chłopiec nie czułby się tak samotny. Jednak tego wieczoru pan Meredith wezwany został do wsi rybackiej, do jednego z umierających mieszkańców. Na pewno wróci dopiero po północy. Karol musi znieść swą karę w zupełnej samotności.

Drogą obok cmentarza szedł ktoś z przyćmioną latarnią. Jasna smuga światła padła na aleję cmentarną i cienie pomników zdawały się pochylać to w jedną, to w drugą stronę. Potem znowu wszędzie zapanowała ciemność. Co chwila gasło jakieś światło w pobliskich domkach Glen. Noc była ciemna, niebo zachmurzone i zerwał się nagle silny wicher. Z daleka na horyzoncie majaczył blask świateł elektrycznych w Charlottetown. Wiatr szumiał coraz głośniej w gałęziach starych drzew. Najwyższy ze wszystkich pomników był pomnik Aleksandra Davisa, otoczony niejako rozłożystymi konarami rosnącej w pobliżu wierzby. W pewnej chwili zdawało się Karolkowi, że pomnik się nagle poruszył.

Karolek skurczył się na swej płycie kamiennej i nogi podwinął pod siebie. Było mu dosyć twardo i niewygodnie. Zdawało mu się, że nogami i rękami dotyka zwłok nieboszczyka Pollocka i odczuwa zimno uścisku zmarłego. Tak kiedyś powiedziała Marysia Vance, gdy wszyscy siedzieli na tej płycie. Teraz słowa jej przyszły nagle na myśl chłopcu. Nie wierzył w to co prawda, jak zresztą nie wierzył również w ducha Henryka Warrena. Co do nieboszczyka Pollocka, to umarł on przecież sześćdziesiąt lat temu i na pewno nic go nie obchodziło, kto siedział teraz na jego grobie. Jednak przykro jest czuwać, gdy cały świat wokoło tonie w uśpieniu. Człowiek jest zupełnie sam z własnym lękiem, a przeciwko sobie ma tylko tę potworną ciemność. Karol miał zaledwie dziesięć lat i po raz pierwszy znalazł się w nocy wśród tylu umarłych. Jakże pragnął, żeby już zegar nareszcie wybił dwunastą! Czy ta dwunasta nigdy nie nadejdzie? Może ciotka Marta zapomniała nakręcić zegar?

I nagle wybiła jedenasta — dopiero jedenasta! Musi jeszcze pozostać całą godzinę na cmentarzu. Żeby chociaż świeciły gwiazdy! Panowały tak straszne ciemności, że nie sposób było cokolwiek zobaczyć. Zdawało się Karolkowi, że słyszy odgłos czyichś kroków na cmentarzu. Zadrżał trochę z przestrachu, a trochę z zimna.

Nagle począł padać deszcz, zimne krople przenikały aż do kości. Cienka wełniana bluza Karolka wkrótce przemokła. Zapomniał o strachu, przejęty fizycznym bólem. Musi tu zostać do dwunastej, musi tu zostać, aby uratować swój honor. Podczas wyroku nie przewidziano deszczu, chyba to jednak nie sprawia żadnej różnicy. Gdy zegar w gabinecie wybił wreszcie dwunastą, mała, skurczona postać zsunęła się ostatnim wysiłkiem z nagrobnej płyty Hezekiaha Pollocka i wolnym krokiem weszła do mieszkania. Karolek drżał na całym ciele. Miał wrażenie, że już nigdy w życiu nie będzie mu naprawdę ciepło.

Ciepło mu było jednak nazajutrz rano. Jerry spojrzał na rozpaloną twarzyczkę brata i pośpiesznie przywołał ojca. Pan Meredith wszedł do pokoju, blady po nocy spędzonej przy łożu chorego. Wrócił do domu dopiero o świcie. Pochylił się niespokojnie nad rozgorączkowanym synem.

— Karolku, chory jesteś? — zapytał.

— Ten... pomnik... tam — bredził Karol. — On się rusza... idzie do mnie... trzymajcie go... proszę...

Pan Meredith pośpieszył do telefonu. Dziesięć minut potem na plebanię przybył doktor Blythe, a po półgodzinie zatelegrafowano do miasta po pielęgniarkę i wszyscy w Glen już wiedzieli, że Karol Meredith zachorował na ciężkie zapalenie płuc i że doktor Blythe już tylko kiwał nad nim głową.

Gilbert niejednokrotnie kiwał głową w ciągu następnych dwóch tygodni. Karol naprawdę przechodził bardzo ciężkie zapalenie płuc. Podczas jednej nocy pan Meredith nie usiadł ani na chwilę, tylko spacerował niespokojnie po gabinecie. Flora i Una, zamknięte w swym pokoju, płakały cicho, a Jerry całą noc spędził w hallu pod drzwiami pokoju, w którym leżał Karol. Doktor Blythe i pielęgniarka nie odchodzili od łóżka chorego. Postanowili walczyć z nieubłaganą śmiercią i wreszcie odnieśli zwycięstwo. Karol przezwyciężył kryzys i powoli wracał do zdrowia. Dopiero teraz mieszkańcy Glen przekonali się, jak bardzo kochali swego proboszcza i jego dzieci.

— Ani jednej nocy spokojnie nie przespałam od czasu, jak dowiedziałam się, że dziecko jest chore — mówiła panna Kornelia do Ani. — Marysia Vance przez cały czas płakała, bałam się, że ta dziewczyna wypłacze sobie oczy. Czy to prawda, że Karol nabawił się tej choroby, bo przez upór w deszczową noc chciał zostać na cmentarzu?

— Nie. Został tam za karę, bo okazał się tchórzem podczas tej całej historii z duchem Warrena. Podobno dzieciaki założyły klub i wyznaczają sobie same karę, gdy któreś z nich coś złego zrobi. Jerry opowiedział o wszystkim panu Meredithowi.

— Biedactwa! — westchnęła panna Kornelia.

Karol powracał szybko do zdrowia dzięki parafianom, którzy przynosili na plebanię dużo dobrych i pożywnych rzeczy. Norman Douglas przyjeżdżał co wieczór z mendlem świeżych jajek i dzbankiem kremowej śmietany. Czasami zostawał na godzinę, aby pogawędzić z panem Meredithem, częściej jednak śpieszył się do szarego domu Westów, wznoszącego się na wzgórzu ponad Glen.

Gdy pewnego dnia Karol mógł już zejść na dół, pan Meredith zwołał wszystkie dzieci do biblioteki prosząc, aby nie wyznaczały sobie już nigdy więcej kary bez uprzedniego porozumienia się z ojcem.

— Ale ciotka Marta zawsze mówi, że nie wolno tatusiowi przeszkadzać — odezwała się Flora.

— Mniejsza o to. Pamiętajcie, co wam mówię, dzieci. Wasz klub bardzo mi się podoba, lecz pozwólcie, żebym ja był waszym sędzią.

Gdy doktor pozwolił Karolowi pójść po raz pierwszy do Doliny Tęczy, urządzono na jego cześć specjalną uroczystą ucztę, urozmaiconą fajerwerkami. Marysia Vance również przyszła, lecz nie opowiadała już historii o duchach. Panna Kornelia zabroniła jej rozmawiać z dziećmi na takie tematy.

UPARCI

Rosemary West wstąpiła na chwilę do Doliny Tęczy, wracając z lekcji ze Złotego Brzegu. Przez całe lato nie była w dolinie, a przecież tyle wspomnień łączyło ją z ukrytym źródełkiem. Naumyślnie nie przychodziła tutaj, bo wspomnienia pierwszej miłości zagasły jakoś w jej duszy, a wspomnienia związane z Johnem Meredithem były jeszcze teraz zbyt bolesne. Tym razem również nie zajrzałaby, gdyby nie to, że spostrzegła z daleka Normana Douglasa, idącego wolno przez groblę koło domu Baileya, i miała wrażenie, iż kieruje się on w stronę pagórka. Gdyby ją spotkał, musiałaby wraz z nim wracać do domu, a nie miała na to specjalnej ochoty. Ukryła się więc poza wysokimi klonami rosnącymi dokoła źródełka, mając nadzieję, że Norman jej nie zauważył.

Jednak Norman widział ją i co najważniejsze, właśnie na nią tu czekał. Od dłuższego już czasu chciał pomówić w cztery oczy z Rosemary, lecz ona wyraźnie go unikała. Rosemary nigdy nie darzyła specjalną sympatią Normana Douglasa. Jego hałaśliwe usposobienie, żywiołowy temperament, krzykliwa wesołość zawsze ją denerwowały. W dawnych latach niejednokrotnie dziwiła się, jak Norman mógł podobać się Ellen. On znów ze swej strony odczuwał tę jej antypatię, lecz nie przejmował się nią zbytnio, jak w ogóle nie przejmował się tym, że mało kto go lubił. Rosemary mu się podobała i chciał być dla niej najlepszym szwagrem. Ale, aby być jej szwagrem, musiał z nią odbyć pewną rozmowę, toteż gdy tylko zobaczył ją wychodzącą ze Złotego Brzegu, natychmiast skręcił w Dolinę Tęczy, aby wyjść jej naprzeciw.

Rosemary usiadła pod tym samym klonem, pod którym siedziała podczas pamiętnego spotkania z Johnem Meredithem, a od tego czasu minął już prawie rok. Woda tryskająca ze źródełka szemrała cichutko, zapalając się złocistymi refleksami zachodzącego słońca. W pewnej chwili stanął przed nią Norman Douglas i zdawał się swą potężną postacią zakrywać przed jej oczami to całe piękno, które ją otaczało.

— Dobry wieczór — rzekła chłodno Rosemary, podnosząc się z miejsca.

— Dobry wieczór, mała. Nie przeszkadzaj sobie, siadaj, chciałem z tobą chwilkę pomówić. Dlaczego tak dziwnie patrzysz na mnie? Nie mam zamiaru cię połknąć, jestem już po kolacji. Siadaj i uzbrój się w odrobinę cierpliwości.

— Mogę wysłuchać pana, stojąc — rzekła panna West.

— Wiem, że możesz, jeżeli zechcesz nastawić uszu. Wolałbym jednak, żeby ci było wygodniej. Ja także usiądę.

Norman usiadł właśnie na tym miejscu, gdzie niegdyś siedział John Meredith. Wspomnienie to w tej chwili było tak silne i kontrast tak rażący, że Rosemary omal nie wybuchnęła głośnym, histerycznym śmiechem.

Norman położył kapelusz na pniu drzewa i wsparł swe czerwone dłonie na kolanach.

— Nie bądź ze mną taka sztywna — rzekł przymilnie. Kiedy chciał, potrafił być bardzo miły. — Pragnąłem pomówić z tobą po przyjacielsku. Chciałem cię o coś prosić. Ellen powiedziała, że to tylko ja zdołam przeprowadzić.

Rosemary spoglądała na źródełko, które szemrało spokojnie dalej. Norman patrzył na nią z rozpaczą.

— Ty jedna możesz mi pomóc! — wybuchnął po chwili.

— Czego pan ode mnie żąda? — zapytała Rosemary z przekąsem.

— Wiesz tak samo dobrze jak i ja. Nie owijajmy rzeczy w bawełnę. Nic dziwnego, że Ellen bała ci się to zaproponować. Widzisz, chcieliśmy się pobrać z twoją siostrą. To całkiem proste, prawda? Ale Ellen powiada, że nie może się zgodzić, dopóki nie zwolnisz jej z jakiegoś głupiego przyrzeczenia. Czy zechcesz to uczynić?

— Tak — odparła Rosemary.

Norman pochylił się i ujął jej rękę.

— Doskonale! Wiedziałem, że to uczynisz, mówiłem Ellen. Teraz idź do domu, powiedz jej o tym, a za dwa tygodnie będziemy mieli ślub. Ty oczywiście zamieszkasz z nami. Nie bój się, nie zostawimy cię samej. Wiem, że mnie nie znosisz, ale to mi sprawia jeszcze większą frajdę, że będziesz mieszkała w moim domu. Zawsze to trochę rozmaitości.

Rosemary nie chciała mu w tej chwili wyznać, że za nic w świecie nie zamieszkałaby u niego. Pożegnała go i wolno poczęła iść w stronę domu. Po powrocie z Kingsport zorientowała się, że coś się musiało nawiązać między Normanem i Ellen, bo Norman był już na wzgórzu codziennym gościem. Ani razu między siostrami nie padło jego imię, ale milczenie to było bardzo wymowne. Była grzeczna dla Normana i nie zmieniła się zupełnie w stosunku do Ellen. To Ellen w obecności młodszej siostry stawała się chwilami ogromnie zażenowana.

Gdy Rosemary wróciła do domu, zastała Ellen w ogrodzie w towarzystwie nie odstępującego jej George'a. Obydwie siostry spotkały się na werandzie. George usiadł między nimi, kładąc na ziemi swój lśniący ogon i liżąc białe łapy, jak przystało na kota dobrze karmionego i jeszcze lepiej wychowanego.

— Czy widziałaś kiedy takie dalie? — zapytała Ellen z dumą. — W tym roku piękniejsze są niż kiedykolwiek.

Rosemary nigdy specjalnie nie zachwycała się daliami ku wielkiemu zgorszeniu Ellen. W tej chwili wskazała jedną dalię, najwyższą, purpurowożółtą, królującą ponad wszystkimi siostrzycami.

— Ta dalia — odrzekła — przypomina mi Normana Douglasa. Mogłaby być jego bliźniaczą siostrą.

Śniada twarz Ellen spłonęła krwawym rumieńcem. Lubiła ogromnie dalie, lecz wiedziała, że Rosemary nie użyła w tej chwili tego porównania w formie komplementu. Poza tym po raz pierwszy wspomniała o Normanie. Widocznie miało to jakieś szczególne znaczenie.

— Spotkałam w dolinie Normana Douglasa — powiedziała Rosemary, spoglądając prosto w oczy siostrze — mówił, że chcecie się pobrać i czekacie tylko na moje zezwolenie.

— Tak? A coś ty mu powiedziała? — zapytała niespokojnie Ellen, usiłując mówić głosem naturalnym, który mimo wszystko nieco drżał. Nie mogła znieść wzroku Rosemary. Patrzyła teraz na aksamitny grzbiet swego ulubionego George'a, przejęta panicznym lękiem.

Rosemary nie odpowiedziała od razu, dopiero po chwili potrząsnęła głową i rzekła:

— Powiedziałam mu, że daję ci zupełną swobodę działania. Możesz wyjść za mąż, za kogo tylko będziesz chciała.

— Dziękuję ci — wyszeptała Ellen, patrząc jeszcze ciągle na George'a.

Twarz Rosemary złagodniała.

— Mam nadzieję, że będziecie szczęśliwi, Ellen — rzekła nieco czulej.

— Och, Rosemary — Ellen patrzyła na nią z przerażeniem. — Ja się tak wstydzę. Nie zasłużyłam na to po tym, jak sama postąpiłam.

— Nie mówmy o tym — rzekła Rosemary pośpiesznie, lecz stanowczo.

— Ale... ale — dorzuciła Ellen — i ty jesteś teraz wolna, a przecież sprawa z Johnem Meredithem nie jest jeszcze spóźniona...

— Ellen! — Oczy Rosemary zapłonęły gniewem. — Czyś zupełnie postradała zmysły? Przypuszczasz, że pójdę teraz do Johna Mereditha i powiem mu: „Zmieniłam mój zamiar, ale sądzę, że pańskie uczucia w stosunku do mnie pozostały te same"? Więc tego ode mnie żądasz?

— Nie... nie... tylko trochę zachęty, a na pewno sam wróci.

— Nigdy! On mną pogardza i ma słuszność. Nie mówmy o tym, Ellen. Masz zupełną swobodę, lecz proszę cię, nie wtrącaj się w moje sprawy.

— Więc będziesz mieszkała ze mną — rzekła Ellen. — Ja cię tutaj samej nie zostawię.

— Czy naprawdę przypuszczasz, że zgodziłabym się zamieszkać w domu Normana Douglasa?

— Dlaczegóż by nie? — zawołała Ellen trochę gniewnie. Rosemary wybuchnęła głośnym śmiechem.

— Myślałam, że masz większe poczucie humoru. Czy sobie wyobrażasz mnie w takiej sytuacji?

— Nie wiem, dlaczego nie miałabyś tak zrobić. Dom jego jest dość obszerny i on na pewno nie będzie miał nic przeciwko temu.

— Ellen, o tym nie może być mowy. Nie mówmy już lepiej na ten temat.

— Wobec tego — rzekła zimno Ellen po chwili namysłu — ja za niego nie wyjdę. Nie zostawię cię tutaj samej. To wszystko, co ci miałam do powiedzenia.

— Bredzisz, moja droga.

— Wcale nie bredzę. To moja ostateczna decyzja. Nie można przecież zostawić cię tutaj samej na zupełnym bezludziu. Skoro nie chcesz przenieść się do mnie, ja muszę pozostać przy tobie. Wszelka dyskusja jest zbyteczna.

— Może Norman zdoła cię przekonać — dodała Rosemary.

— I Normanowi to się nie uda. Ja bym go raczej przekonać mogła. Sama nigdy bym cię nie prosiła o zwolnienie z przysięgi. Powiedziałam tylko Normanowi, dlaczego nie mogę zostać jego żoną, i on postanowił cię o to poprosić. Nie mogłam mu zabronić. Wierz mi, że do tej pory nigdy nie myślałam o małżeństwie i o pozostawieniu cię samej. Przekonasz się, że potrafię być równie nieugięta, jeżeli idzie o moje własne szczęście.

Rosemary weszła do mieszkania, wzruszając ramionami. Ellen spojrzała na George'a, który nawet okiem nie mrugnął podczas całej tej rozmowy.

— Przyznaję, George, że świat byłby jeszcze nudniejszy bez mężczyzn, ale niepotrzebnie stają oni na drodze kobiet, które przedtem i bez nich były zupełnie szczęśliwe. John Meredith rozpoczął kampanię, a Norman Douglas ją skończył. Norman jest jedynym człowiekiem, który zgadza się ze mną, że cesarz niemiecki jest najbardziej niebezpiecznym człowiekiem na ziemi. Mimo to jednak nie mogę poślubić Normana, bo moja siostra jest uparta, a ja także nie grzeszę brakiem uporu. Zapamiętaj sobie moje słowa, George, pastor wróciłby na jedno kiwnięcie palca Rosemary. Jednak ona tego nie zrobi, choćby nawet umrzeć miała z tęsknoty. Tak, tak, rozpacz jest wolnością, a nadzieja niewolą. Chodźmy do domu, George, dostaniesz spodeczek świeżej śmietanki i chociaż jedna istota będzie szczęśliwa w domu na wzgórzu.

KAROLKA NIE ZBITO

— Wiem coś takiego, co chciałabym wam powiedzieć — rzekła tajemniczo Marysia Vance.

Marysia, Flora i Una szły przez wieś ramię przy ramieniu. Una i Flora zamieniły z sobą spojrzenia, jakby chciały powiedzieć: „Znowu będzie coś nieprzyjemnego". Bo ilekroć Marysia Vance miała coś do powiedzenia, to na pewno to coś nie miało sprawić przyjemności dziewczętom. Często zastanawiały się nad tym, dlaczego właściwie ją lubią, bo lubiły mimo wszystko. Prawda — była bardzo miłą i wesołą towarzyszką zabaw, ale żeby tylko nie miała ciągle czegoś do powiedzenia!

— Wiecie, że Rosemary West nie chce wyjść za waszego ojca tylko dlatego, że wy jesteście tacy niesforni? Lęka się, że nie da sobie z wami rady.

Serduszko Uny zabiło radośnie. Przyjemnie jej było słyszeć, że Rosemary West nie chce zostać żoną pastora. Za to Flora była bardzo rozczarowana.

— Skąd wiesz? — zapytała.

— O, wszyscy o tym mówią. Słyszałam, jak pani Elliott rozmawiała o tym z doktorową. Zawsze podczas takich spotkań nastawiam uszu. Pani Elliott twierdzi, że Rosemary boi się matkować dzieciom, które mają taką opinię. Wasz ojciec nie przychodzi już do Westów. Również Norman Douglas przestał tam chodzić. Ludzie mówią, że Ellen zwiodła go tak samo, jak on zwiódł ją przed laty. Norman jednak uparł się, że musi ją zdobyć. Uważam, że zepsuliście partię waszemu ojcu, bo na pewno Rosemary West byłaby dla niego bardzo odpowiednią żoną.

— Sama mówiłaś, że macochy są złe i męczą swych pasierbów — wtrąciła Una.

— No... tak — przyznała Marysia, nieco zmieszana — przeważnie są bardzo złe. Ale Rosemary West jest inna. Ręczę wam, że jeżeli ojciec zdecyduje się poślubić Ewelinę Drew, to będziecie żałowały, że nie ożenił się z Rosemary. Straszna jest ta wasza opinia i przez nią żadna porządna kobieta nie zechce zostać żoną waszego ojca. Oczywiście w tym, co o was mówią, jest połowa prawdy. Wczoraj dopiero słyszałam, jak opowiadali, że Jerry i Karol rzucali kamieniami w okno pani Stimson, chociaż to byli Boydowie. Boję się, że to jednak Karol wsunął węgorza do koszyka starej pani Carr, chociaż z początku utrzymywałam, że w to nie wierzę.

— Co Karol znowu zrobił?! — zawołała Flora.

— Opowiadają, uprzedzam, że powtarzam tylko to, co słyszałam, więc opowiadają, że Karol wraz z innymi chłopcami łowił pewnego wieczoru węgorze. Pani Carr przejeżdżała tamtędy w swym powoziku i Karol wrzucił jej do koszyka wielkiego węgorza. Gdy pani Carr dojechała już do Złotego Brzegu, węgorz zaplątał jej się dokoła nóg. Była pewna, że to wąż, i zaczęła strasznie krzyczeć. Wyskoczyła z powozu i zwichnęła sobie nogę.

Flora i Una spojrzały po sobie. Tę sprawę załatwić mógł tylko Klub Dobrego Zachowania, ale Marysi nie wolno było nic o tym wspominać.

— O, idzie wasz ojciec! — zawołała Marysia, dostrzegłszy z daleka pana Mereditha. — Na pewno nas nie zobaczy, bo jak zwykle chodzi po wsi w zamyśleniu.

Pan Meredith istotnie nie dostrzegł dzieci, lecz tym razem nie tonął w swych abstrakcyjnych rozmyślaniach. Przed chwilą pani Aleksandrowa Davis opowiedziała mu historię o węgorzu Karolka. Wyraziła swoje najgłębsze oburzenie. Stara pani Carr była jej kuzynką w trzeciej linii. Pan Meredith był również oburzony, lecz nie przypuszczał, aby Karolek mógł się zdobyć na taki czyn. Natychmiast po powrocie do domu zawołał syna do swego gabinetu i zapytał, czy historia opowiedziana przez panią Davis była prawdą.

— Tak — odparł Karol, rumieniąc się, lecz nie unikając wzroku ojca. Pan Meredith jęknął. Jeszcze do tej chwili pocieszał się myślą, że to była tylko plotka.

— Opowiedz mi tę całą historię — rozkazał.

— Chłopcy łowili pod mostem węgorze — opowiadał Karol. — Leon Drew złapał największego, takiego węgorza, jakiego nigdy w życiu nie widziałem. Położył go w koszyku i węgorz leżał sobie spokojnie. Byłem pewny, że już dawno zdechł, daję słowo, że tak myślałem. Nagle ujrzeliśmy przejeżdżającą przez most panią Carr. Nazwała nas łobuzami i zaczęła krzyczeć, żebyśmy poszli do domu. Nie odpowiedzieliśmy jej ani słowem. Ale gdy wracała ze sklepu, chłopcy namówili mnie, żebym jej wrzucił tego wielkiego węgorza do koszyka. Myślałem, że węgorz i tak nie żyje, więc nie wyrządzi jej żadnej krzywdy. Węgorz jednak ożył na wzgórzu i z daleka usłyszeliśmy głośny krzyk, a potem zobaczyliśmy, że pani Carr wyskakuje z powozu. Strasznie mi było przykro. To wszystko, tatusiu.

Sprawa nie przedstawiała się znowu tak źle, jak sobie pan Meredith wyobrażał. W każdym razie należało jakoś na to zareagować.

— Karolu, muszę cię ukarać — rzekł po chwili ze smutkiem.

— Wiem, tato.

— Muszę cię zbić.

Karol zadrżał. Nigdy dotychczas ojciec go nie bił, ale spojrzawszy na smutną twarz pastora, zawołał wesoło:

— Dobrze, tatusiu!

Pan Meredith nie zrozumiał tej wesołości chłopaka, kazał mu przyjść do gabinetu po kolacji, a gdy Karol zniknął za drzwiami, pastor z głośnym jękiem padł na fotel. Cierpiał tego wieczoru więcej niż Karol. Biedak nie wiedział nawet, jak się zabrać do ukarania syna.

Karol tymczasem opowiedział o wszystkim Florze i Unie, które przed chwilą wróciły do domu. Były przerażone tym, że ojciec, który ich nigdy nie karał, zamierzał teraz zbić Karolka. Zgodnie jednak przyznały, że miał słuszność.

— Sam wiesz, że to było straszne — westchnęła Flora. — Tego by ci w klubie nigdy nie darowano.

— Zapomniałem — tłumaczył się chłopiec. — Zresztą nie myślałem, że to komukolwiek wyrządzi krzywdę. Nie przypuszczałem, że pani Carr zwichnie nogę. Ojciec mnie zbije i wszystko będzie w porządku.

— Czy to będzie bardzo bolało? — zapytała Una, ściskając mocno dłoń brata.

— Myślę, że nie bardzo — odparł. — W każdym razie nie mam zamiaru płakać, choćby nawet najbardziej bolało. Sprawiłbym tym ból ojcu, a on i tak jest bardzo smutny. Wolałbym sam się zbić, żeby jemu tego oszczędzić.

Po kolacji, której Karol prawie wcale nie jadł, a pan Meredith nie tknął zupełnie, obaj wyszli, milcząc, do gabinetu. Na stole leżała rózga. Znalezienie odpowiedniej witki zajęło panu Meredithowi sporo czasu. Czuł się przy tym okropnie. Ułamał jedną z gałązek, lecz po chwili doszedł do wniosku, że jest zbyt cienka i nie nadaje się. Postępek Karolka był doprawdy niewybaczalny. Po chwili wyciął kolejną, która okazała się za gruba. No tak, ale Karolek myślał przecież, że węgorz jest martwy. Trzecia witka z początku wydawała się odpowiednia, teraz jednak, gdy wziął ją ponownie do ręki, uznał, że jest gruba i ciężka — bardziej przypomina kij niż rózgę.

— Podnieś rękę — powiedział ojciec.

Karol odrzucił w tył głowę i podniósł rękę z powagą. Był jednak jeszcze tak młody, że nie mógł ukryć wyrazu przestrachu, który czaił się teraz w jego oczach. Pan Meredith spojrzał w te oczy i przypomniały mu one nagle oczy zmarłej Cecylii. Miały taki sam wyraz, gdy Cecylia się czegoś lękała.

John Meredith odrzucił na bok rózgę.

— Idź — wyszeptał cicho. — Nie mogę cię zbić.

Karol wybiegł na cmentarz z przekonaniem, że spojrzenie ojca było czymś o wiele gorszym niż samo bicie.

— Tak prędko po wszystkim? — zapytała Flora. Obydwie z Uną siedziały w przykrym oczekiwaniu na płycie nagrobnej Hezekiaha Pollocka.

— On... on mnie wcale nie zbił — rzekł Karol z głuchym szlochem. — A wolałbym, żeby to zrobił, niż miał tak dziwnie na mnie patrzeć.

Una wymknęła się. Czuła, że może być teraz potrzebna ojcu. Bezszelestnie otworzyła drzwi do gabinetu i wsunęła się do środka. W pokoju panował półmrok. Ojciec siedział przy biurku, zwrócony do niej plecami, z twarzą ukrytą w dłoniach. Mówił do siebie drżącym głosem, wypowiadał cicho słowa, lecz Una je słyszała i pojęła intuicją małej kobietki. Tak samo bezszelestnie jak weszła, cofnęła się po chwili i zamknęła za sobą drzwi.

NOWE PRZEDSIĘWZIĘCIE UNY

Karol i Flora pobiegli do Doliny Tęczy, gdzie spotkać się mieli z Blythe'ami. Una wolała zostać w domu, pragnęła pobyć samotnie w swym pokoiku i nareszcie swobodnie się wypłakać. Nie chciała, aby ktokolwiek zajął miejsce jej zmarłej matki, nie chciała macochy, która by mogła zbuntować przeciwko niej ojca. Jednak ojciec był tak nieszczęśliwy, że Una postanowiła uczynić wszystko, aby tylko czuł się nieco lepiej.

Mogła zrobić tylko jedno, a uświadomiła sobie to już w owej chwili, kiedy wychodziła z jego gabinetu.

Wypłakawszy się po cichu, otarła łzy i zeszła na dół do gościnnego pokoju, który tonął w mroku, bo zasłony tamowały dostęp światła i okna już od dłuższego czasu nie były otwierane. Ciotka Marta nie odczuwała potrzeby świeżego powietrza. Gościnny pokój wietrzyło się tylko wtedy, gdy jakiś obcy ksiądz przyjeżdżał w odwiedziny na plebanię.

Znajdowała się tam duża szafa, a w niej wisiała popielata, jedwabna suknia. Una zbliżyła się do szafy, otworzyła ją, przyklękła i przywarła zapłakaną twarzą do fałd miękkiej, jedwabnej materii. Była to ślubna suknia jej matki — jeszcze do dzisiaj przesiąknięta wonią dawnych perfum.

Tchnęło z tych fałd serdecznym macierzyńskim uczuciem. Una miała wrażenie, że klęczy u nóg matki i głowę kładzie jej na kolana. Zawsze zaglądała do tej szafy, ilekroć miała jakieś wielkie zmartwienie.

— Mamo — szeptała, tuląc się do szarej, jedwabnej sukni — ja cię nigdy nie zapomnę, mamo, i zawsze będę cię kochać najbardziej. Ale muszę to uczynić, bo tatuś jest bardzo nieszczęśliwy. Wiem, że ty chciałaś widzieć go szczęśliwym. Będę dla niej dobra, mamo, postaram się ją pokochać, nawet gdyby była taka, jak mówi Marysia Vance.

Ostatnim wysiłkiem Una podniosła się z klęczek i cichutko przeszła do swego pokoju. Spała spokojnie tej nocy, choć twarzyczka jej mokra była od łez.

Nazajutrz po południu włożyła swą najlepszą sukienkę i najlepszy kapelusz. I kapelusz, i sukienka były wystarczająco nędzne. Wszystkie dziewczęta w Glen z wyjątkiem Flory i Uny miały nowe sukienki tego lata. Marysia Vance również dostała ładną sukienkę z haftowanym szlakiem i rękawkami. Jednak dzisiaj Una nie myślała o tym. Chciała tylko być bardzo schludna. Umyła porządnie twarz, przygładziła włosy, zawiązała dokładnie sznurowadła u butów, zacerowawszy uprzednio dwie wielkie dziury w swych pończochach. Chciała nawet oczyścić buty, lecz nie mogła znaleźć czarnej pasty. Wreszcie wyszła z plebanii, kierując się przez Dolinę Tęczy na szeroką drogę, która biegła do domu panien West. Droga była dość długa i Una odczuwała coraz większe zmęczenie z powodu dokuczliwego upału.

Rosemary West zastała w ogrodzie pod rozłożystym drzewem. Na kolanach Rosemary leżała książka, lecz ona nie czytała jej, tylko spoglądała w dal na przystań, zatopiona w myślach. Życie w domu panien West ostatnimi czasy nie było zbyt przyjemne. Ellen wprawdzie starała się zachować równowagę, lecz w atmosferze wyczuwało się coś, o czym obydwie kobiety milczały. To wszystko, co niegdyś było miłe i pociągające, stało się nagle przesiąknięte goryczą. Norman Douglas ustawicznie namawiał Ellen, aby zmieniła swój zamiar, i Rosemary była pewna, że prędzej czy później siostra ulegnie jego namowom. W głębi duszy czuła, iż właściwie z takiego obrotu rzeczy byłaby bardzo zadowolona. Nie lubiła co prawda samotności, ale wolała już to niż tę ciągle podminowaną atmosferę.

Zbudziło ją z zadumy delikatne dotknięcie dziecięcej rączki. Odwróciła się i ujrzała przed sobą Unę Meredith.

— Przyszłaś tutaj w taki upał?

— Tak — wyszeptała Una. — Przyszłam... przyszłam...

Nie mogła jakoś powiedzieć, po co tu przyszła. Głos jej odmawiał posłuszeństwa, a oczy napełniły się łzami.

— Co się stało, maleńka? Powiedz mi szczerze.

Rosemary otoczyła ramieniem małe, drżące ciałko i przytuliła dziecko do siebie. Oczy jej były w tej chwili tak piękne, a uścisk tak serdeczny, że Una nagle odzyskała odwagę.

— Przyszłam... prosić panią... żeby pani wyszła za mąż za tatusia — wyjąkała.

Rosemary milczała przez chwilę jak rażona piorunem, po czym spojrzała na Unę zmieszana.

— O, proszę się nie gniewać, droga panno West — rzekła Una błagalnie. — Wszyscy mówią, że pani dlatego nie chce być żoną tatusia, że my jesteśmy tacy źli. A on przez to jest strasznie nieszczęśliwy. Pomyślałam więc, że najlepiej będzie, jak przyjdę tutaj i powiem pani, że my właściwie tacy źli nie jesteśmy. Jak pani tylko wyjdzie za tatusia, postaramy się być dobrymi i będziemy robić to wszystko, co nam pani każe. Jestem pewna, że nie będzie pani miała z nami żadnego kłopotu. My bardzo prosimy, panno West.

Przez umysł Rosemary przebiegły pośpieszne myśli. Wskutek głupich plotek takie dziwne przekonanie utwierdziało się w małej główce Uny. Należy być z tym dzieckiem zupełnie szczerą.

— Kochanie — rzekła Rosemary miękko. — To nie przez was nie mogę zostać żoną waszego tatusia. O tym nigdy nie myślałam. Nigdy nie uważałam, że jesteście źli. Tu była zupełnie inna przyczyna, Uno.

— Więc pani nie lubi tatusia? — zapytała Una, wznosząc pełne wyrzutu spojrzenie ku górze. — Och, panno West, pani wcale nie wie, jaki on jest dobry. Jestem pewna, że byłby dla pani najlepszym mężem.

Pomimo smutku, który spotęgował się jeszcze wskutek tej rozmowy, Rosemary nie mogła się powstrzymać od uśmiechu.

— O, proszę się nie śmiać, panno West! — zawołała Una z namiętnym zapałem. — Tatuś jest bardzo nieszczęśliwy.

— Myślę, że jesteś w błędzie, kochanie — rzekła Rosemary.

— Ja się nie mylę. Jestem pewna, że się nie mylę. Tatuś wczoraj miał zbić Karolka, bo Karolek znowu coś spsocił, ale tatuś nie mógł, bo nigdy jeszcze nikogo z nas nie bił. Więc jak Karol przyszedł i powiedział nam, że tatuś się źle czuje, wsunęłam się do gabinetu, bo myślałam, że będę mu potrzebna. Tatuś nie zauważył, jak wchodziłam, a ja słyszałam, co mówił do siebie. Mogę to pani powtórzyć, panno West, ale tylko na ucho.

Una wspięła się na palce i wyszeptała swą tajemnicę. Twarz Rosemary spłonęła rumieńcem. Więc John Meredith jeszcze o niej myślał. Uczucia jego nie uległy zmianie. Siedziała przez chwilę w milczeniu, głaszcząc odruchowo lśniące włosy Uny.

Wreszcie pochyliła głowę i zapytała:

— Uno, czy zechciałabyś zabrać krótki liścik do tatusia?

— Więc pani jednak za niego wyjdzie, panno West? — zapytała Una uszczęśliwiona.

— Możliwe, jeżeli on się zgodzi — odparła Rosemary, rumieniąc się znowu.

— Strasznie się cieszę, strasznie się cieszę! — zawołała Una. Potem spojrzała na pannę West i wargi jej zadrżały. — Panno West, ale pani nie będzie buntować tatusia przeciwko nam, nie będzie pani chciała, żeby nas znienawidził? — wyszeptała błagalnie.

Rosemary spojrzała na nią zdziwiona.

— Uno, czy sądzisz, że byłabym zdolna do tego? Kto ci podsunął ten pomysł?

— Marysia Vance mówiła, że wszystkie macochy są takie, że nienawidzą swych pasierbów i pragną, aby ojciec ich znienawidził. Podobno to nie jest wina tych pań, tylko macochy muszą już być takie.

— Biedne maleństwo! I mimo to przyszłaś tutaj z tą prośbą, bo chciałaś, żeby twój ojciec był szczęśliwy? Jesteś prawdziwą bohaterką, maleńka. Teraz posłuchaj mnie uważnie. Marysia Vance jest głupiutką dziewczynką, która właściwie nic nie wie i przeważnie mylnie pojmuje niektóre rzeczy. Nigdy nie myślałam o tym, aby ojca buntować przeciwko wam. Będę was kochać tak samo, jak i on was kocha. Nie chcę zastępować wam matki, bo ona na zawsze powinna zostać w waszych sercach. Nie chcę również być dla was macochą. Chcę być waszą przyjaciółką i towarzyszką. Myślisz, że to będzie źle, Uno, jeżeli Flora, Karol i Jerry uważać mnie będą za starszą siostrę?

— Och, to będzie cudowne! — zawołała Una z rozjaśnioną twarzyczką. Zarzuciła ramiona na szyję panny Rosemary. Była teraz naprawdę bardzo szczęśliwa.

— Wytłumacz tamtym, wytłumacz Florze i chłopcom, że nie chcę być dla nich macochą.

— Flora nigdy nie wierzyła Marysi Vance. Tylko ja byłam taka głupia, że jej wierzyłam. Flora nawet już panią kocha, pokochała panią wtedy, kiedy zabito tego biednego Adama. Jerry i Karol także bardzo panią lubią. A jak pani będzie już mieszkać z nami, to nauczy mnie pani gotować, szyć i wielu innych ciekawych rzeczy? Mnie jest bardzo przykro, że nic jeszcze nie umiem.

— Kochanie, nauczę cię wszystkiego, czego tylko będę mogła. Tymczasem nie mów o tym nikomu, nawet Florze, dopóki ojciec sam ci o wszystkim nie powie. Chodź ze mną do mieszkania, napijemy się herbaty.

— O, dziękuję pani, ale myślę, że będzie lepiej, gdy zaraz odniosę list tatusiowi — zaniepokoiła się Una. — Chciałabym, żeby jak najwcześniej otrzymał tę wiadomość.

Rosemary weszła do pokoju, napisała kilka słów i oddała je Unie. Gdy mała wysłanniczka biegła w stronę plebanii z mocno bijącym serduszkiem, Rosemary udała się do Ellen, która zajęta była łuskaniem grochu na jednym z bocznych ganków.

— Ellen — zwróciła się do siostry. — Przed chwilą była tu Una Meredith i prosiła mnie, abym została żoną jej ojca.

Ellen podniosła głowę i utkwiła spojrzenie w twarzy młodszej siostry.

— A ty jaki masz zamiar? — zapytała.

— Chyba sama rozumiesz.

Ellen przez chwilę łuskała groch w milczeniu. Potem nagle ukryła twarz w dłoniach. Po jej śniadych policzkach płynęły łzy.

— Myślę, że wszyscy będziemy szczęśliwi — wyszeptała, płacząc i śmiejąc się na przemian.

Na plebanii tymczasem Una Meredith wkroczyła triumfującym krokiem do gabinetu ojca i w milczeniu położyła przed nim na biurku liścik. Blada twarz pastora zarumieniła się nagle na widok dobrze znanego pisma na kopercie. Otworzył list. Był bardzo krótki, lecz pan Meredith musiał go przeczytać kilkakrotnie, aby dokładnie zrozumieć jego treść. Rosemary pytała, czy może się z nią spotkać dziś wieczorem przy ukrytym źródełku w Dolinie Tęczy.

„NIECH TYLKO ZJAWI SIĘ KOBZIARZ"

— No i będziemy mieli podwójne wesele w połowie miesiąca — oświadczyła panna Kornelia.

W powietrzu czuło się już lekki chłód wrześniowego wieczoru, dlatego Ania rozniecila ogień na kominku w bawialni i wraz z panną Kornelią rozkoszowały się migocącym płomieniem.

— Tak się cieszę, zwłaszcza ze względu na pana Mereditha i Rosemary — powiedziała Ania. — Jestem taka szczęśliwa jak wtedy, kiedy sama wychodziłam za mąż. Czułam się jak narzeczona, kiedy poszłam obejrzeć wyprawę Rosemary.

— Podobno ma wspaniałą wyprawę, jak księżniczka — wtrąciła Zuzanna z kąta, gdzie pieściła „małego Murzynka". — Zaproszono mnie również, abym ją obejrzała, i wybieram się któregoś wieczoru. Słyszałam, że Rosemary ma mieć białą, jedwabną suknię i welon, a Ellen niebieską. Niewątpliwie, droga pani doktorowo, to bardzo taktownie z jej strony, chociaż gdybym ja miała ślub, wolałabym być w bieli i welonie, żeby bardziej wyglądać na pannę młodą.

Wizja Zuzanny „w bieli i welonie" — to było już za wiele dla Ani.

— Co się tyczy pastora — mówiła panna Kornelia — to zaręczyny zrobiły z niego całkiem innego człowieka. Nawet w połowie nie jest już taki senny i nieprzytomny, możesz mi wierzyć, Aniu. Z ogromną ulgą przyjęłam wiadomość, że na czas swego miodowego miesiąca zamierza zamknąć plebanię i wysłać dzieci z domu. Przecież gdyby je miał zostawić z tą starą Martą, moglibyśmy któregoś pięknego poranka po przebudzeniu zobaczyć same zgliszcza.

— Ciotka Marta i Jerry przyjdą do nas — powiedziała Ania. — Karolek będzie u państwa Clow. Nie wiem tylko, dokąd pójdą dziewczynki.

— Och, ja je zabieram do siebie — oświadczyła panna Kornelia. — Byłabym to i tak zrobiła, ale głównie Marysia nie dawała mi spokoju. Stowarzyszenie Kobiet ma wyszorować plebanię od góry do dołu podczas nieobecności młodej pary, a Norman Douglas zaopatrzył piwnice we wszelkie warzywa. Nikt w życiu nie słyszał i nie widział niczego podobnego, co wyprawia Norman Douglas. Ostatnio, możesz mi wierzyć, Aniu, zachowuje się jak wariat z radości, że poślubia wreszcie Ellen West, której pragnął całe życie. Gdybym ja była Ellen... no, ale nie jestem, i skoro tylko ona jest zadowolona, niech jej będzie. Słyszałam przed laty, jak mówiła w szkole, że nie chce za męża pantoflarza. Możesz mi wierzyć, że Norman nie będzie pantoflarzem.

Słońce zachodziło nad Doliną Tęczy. Staw pokryła malownicza zasłona purpury, złota i zieleni. Bladoniebieski cień zasnuł wschodnie wzgórza, nad którymi ukazał się wielki, blady, okrągły księżyc, niby srebrna bańka mydlana.

Na małej polance zebrali się wszyscy — Flora i Una, Jerry i Karolek, Kuba i Walter, Nan, Di i Marysia Vance. Święcili właśnie małą uroczystość, ponieważ był to ostatni wieczór Kuby w Dolinie Tęczy. Rankiem wyjeżdżał do

Charlottetown, do Królewskiej Akademii. Zaczarowany krąg miał być złamany. Mimo więc radości z powodu zabawy, we wszystkich sercach zagnieździł się cień smutku.

— Widzicie nad zachodem wielki złoty pałac — wskazał palcem Walter. — Patrzcie na błyszczące wieże i czerwone na nich sztandary. Może to wraca do domu zwycięzca i zawieszono chorągwie na jego cześć.

— Och, jakbym chciał, żeby wróciły dawne czasy! — wykrzyknął Kuba. — Tak bym pragnął być żołnierzem; sławnym, zwycięskim generałem. Dałbym wszystko za to, aby zobaczyć prawdziwą walkę.

Marzenie jego miało się ziścić. Kubie dane było zostać żołnierzem i zobaczyć prawdziwą walkę, największą na świecie. Ale to miało się stać w przyszłości. Matka, której był synem pierworodnym, patrząc na swych synów dziękowała Bogu, że „dobre dawne czasy", za którymi tęsknił Kuba, na zawsze minęły i że nigdy już synowie Kanady nie będą musieli wyruszać na wojnę.

Nic nie zwiastowało na razie cienia Wielkiej Wojny. Młodzi chłopcy — którzy w przyszłości mieli walczyć i może paść na polach Francji, Flandrii i Palestyny — byli wciąż jeszcze rozbrykanymi uczniami, pełni nadziei na radosną przyszłość. Dziewczęta, których serca miały być złamane, były wciąż jeszcze pełne marzeń i nadziei.

Sztandary na grodzie słonecznym traciły z wolna swe złote i purpurowe barwy; parada zwycięstwa zanikała powoli. Dolinę spowił półmrok i dzieci siedziały w milczeniu. Walter czytał im tego dnia znowu swą ukochaną książkę o mitach i przypomniał Srokatego Kobziarza, który miał nadejść z doliny pewnego wieczoru.

Zaczął snuć senną opowieść na poły dlatego, że chciał oszołomić trochę swych słuchaczy, na poły zaś dlatego, że jakaś niewidzialna siła zmuszała go do mówienia.

— Kobziarz zbliża się — mówił — zbliża się o wiele bardziej niż tego dnia, kiedy go widziałem. Jego długi, ciemny płaszcz powiewa wokół jego postaci. Gra... gra... i my musimy iść za nim — Kuba i Karol, i Jerry, i ja — na kraniec świata. Słuchajcie... czy słyszycie jego dziką muzykę?

Dziewczynki zadrżały.

— Bredzisz — oburzyła się Marysia Vance — a ja tego nie chcę. W twoim opowiadaniu wszystko wydaje się zbyt prawdziwe. Nienawidzę tego twojego Kobziarza.

Kuba zerwał się z głośnym śmiechem. Stał na małym wzgórku, wysoki i zgrabny, z myślącym czołem i śmiałymi oczami. Takich jak on było w tym kraju tysiące.

— Niech tylko zjawi się Kobziarz — zawołał, dając powitalny znak ręką — ja z radością pójdę za nim na kraniec świata!

SPIS ROZDZIAŁÓW

Redaktor prowadzący
Jolanta Korkuć

Opracowanie redakcyjne na podstawie tłumaczenia
Paweł Ciemniewski, Agnieszka Kuc

Korekta
Anna Rudnicka, Urszula Srokosz-Martiuk,
Barbara Wojtanowicz

Projekt okładki i stron tytułowych
Dymitr Szewionkow-Kismiełow

Ilustracja na okładce
Aleksandra Kucharska-Cybuch

Opracowanie komputerowe okładki
Robert Oleś

Redaktor techniczny
Bożena Korbut

Printed in Poland
Wydawnictwo Literackie Sp. z o.o., 2007
ul. Długa 1, 31-147 Kraków
Skład i łamanie: Infomarket
Druk i oprawa: Drukarnia Narodowa S.A. Kraków

Seria o Ani

Ania z Zielonego Wzgórza

Kiedy Maryla i Mateusz Cuthbertowie przygarniają z sierocińca rudowłosą Anię Shirley, ich spokojne życie w Avonlea zmienia się całkowicie. Ania to istny wulkan energii. Z równym powodzeniem zjednuje sobie przyjaciół i pakuje się w kolejne kłopoty. A wszystko dlatego, że dziewczynka rozpaczliwie potrzebuje kogoś, kogo mogłaby kochać i kto pokochałby jej rude włosy, wybujałą wyobraźnię i niewyparzony język.

OPRAWA BROSZUROWA
ISBN 83-08-03722-4, CENA 14,90
OPRAWA TWARDA
ISBN 83-08-03723-2, CENA 22,90

Ania z Avonlea

Ania Shirley rozpoczyna pracę w szkole w Avonlea. Posada nauczycielki okaże się dla niej nie lada wyzwaniem. Trudno jednak skupić się na czymkolwiek, gdy myśli coraz częściej zaprząta przystojny Gilbert. Przed Anią prawdziwy sprawdzian dojrzałości.

OPRAWA BROSZUROWA
ISBN 83-08-03741-0, CENA 14,90
OPRAWA TWARDA
ISBN 83-08-03744-5, CENA 22,90

Ania na uniwersytecie

Wraz ze wstąpieniem na uniwersytet życie Ani zmienia się całkowicie. Jednak dziewczyna szybko przekonuje się, że w dojrzewaniu nie ma nic złego. Nie trzeba rezygnować z marzeń, przyjaciół i miłości. W związku z miłością panna Shirley będzie miała zresztą poważne problemy.

OPRAWA BROSZUROWA
ISBN 83-08-03742-9, CENA 14,90
OPRAWA TWARDA
ISBN 83-08-03745-3 , CENA 22,90

Ania z Szumiących Topoli

Rozpoczyna się nowy rozdział w życiu Ani. Po ukończeniu studiów otrzymuje posadę nauczycielki w szkole średniej w Summerside. Na miejscu okazuje się, że Ania będzie musiała zjednać sobie nie tylko serca swoich uczniów, ale i rodziny Pringle'ów, która już od pierwszej chwili pała nienawiścią do rudowłosej nauczycielki.

OPRAWA BROSZUROWA
ISBN 83-08-03769-0, CENA 14,90
OPRAWA TWARDA
ISBN 83-08-03770-4, CENA 22,90

Wymarzony dom Ani

Ania i Gilbert pobierają się! Młoda para wyrusza na mgliste wybrzeże Przystani Czterech Wiatrów, gdzie Gilbert ma objąć posadę lekarza. Na Anię czekają zaś nowi przyjaciele, nowe przygody i tajemnice, a także wymarzony dom.

OPRAWA BROSZUROWA
ISBN 83-08-03761-5, CENA 14,90

OPRAWA TWARDA
ISBN 83-08-03762-3, CENA 22,90

Ania ze Złotego Brzegu

Ania Blythe jest już dojrzałą kobieta, matką pięciorga dzieci, ale nie stała się bynajmniej stateczną matroną. A w Złotym Brzegu nieustannie coś się dzieje: pani Blythe znowu zachodzi w ciążę, swoją wizytę zapowiada upiorna, wścibska ciotka, a jakby tego było mało – Ania zaczyna podejrzewać, że Gilbert przestał ją kochać...

OPRAWA BROSZUROWA
ISBN 83-08-03790-9, CENA 14,90

OPRAWA TWARDA
ISBN 83-08-03791-7, CENA 22,90

Dolina Tęczy

W tajemniczym, magicznym miejscu, zwanym Doliną Tęczy, dzieci Ani Blythe bawią się i odkrywają, czym jest prawdziwa przyjaźń, poświęcenie i pasja. Nie mogą narzekać na nudę, tym bardziej, że do wioski sprowadza się nowy pastor z czwórką dzieci, a do wesołej gromadki dołącza wkrótce niesforna Marysia Vance…

OPRAWA BROSZUROWA
ISBN 83-08-03803-4, CENA 14,90

OPRAWA TWARDA
ISBN 83-08-03804-2, CENA 22,90

Rilla ze Złotego Brzegu

Dzieci Ani i Gilberta są już dojrzałe: kształcą się, zaręczają, przygotowują do podjęcia pracy. Z wyjątkiem ślicznej Rilli, która myśli jedynie o rozrywkach i wiedzie beztroskie życie w Złotym Brzegu. Ale i Rilla będzie musiała zmierzyć się z odpowiedzialnością, gdy świat pogrąży się w wojnie, jej bracia i ukochany Kenneth wyruszą na front, a Rilli wypadnie zaopiekować się pewnym niemowlakiem.

OPRAWA BROSZUROWA
ISBN 83-08-03809-3, CENA 14,90

OPRAWA TWARDA
ISBN 83-08-03810-7, CENA 22,90

Opowiadania z Avonlea

Opowieści z Avonlea

Prawdziwy duch, perski kot, wyimaginowany kochanek i półkrwi indianka – to nowi bohaterowie pełnych uroku i tajemnicy opowiadań, które rozgrywają się na Wyspie Księcia Edwarda.

OPRAWA BROSZUROWA
ISBN 83-08-03835-2, CENA 14,90

OPRAWA TWARDA
ISBN 83-08-03836-0, CENA 22,90

Pożegnanie z Avonlea

Kolejny tom opowiadań, rozgrywających się na uroczej Wyspie Księcia Edwarda. Poznajemy zupełnie nowych bohaterów, którzy zauroczą nas barwnymi osobowościami, poczuciem humoru i wdziękiem.

OPRAWA BROSZUROWA
ISBN 83-08-03858-1, CENA 14,90

OPRAWA TWARDA
ISBN 83-08-03859-X, CENA 22,90

Seria o Emilce

Emilka z Księżycowego Nowiu

Emilka, po śmierci ukochanego ojca, zamieszkuje w Księżycowym Nowiu ze snobistycznymi krewnymi. Na szczęście jednak nowo poznani przyjaciele i niezliczone przygody sprawią, że dziewczynka pokocha Księżycowy Nów i okolice.

OPRAWA BROSZUROWA
ISBN 83-08-03877-8, CENA 26,00

OPRAWA TWARDA
ISBN 83-08-03881-6, CENA 32,00

Emilka szuka swojej gwiazdy

Wydana na pastwę losu i ciotki Elżbiety, Emilka czułaby się fatalnie, gdyby nie pisanie, któremu oddaje się z prawdziwą przyjemnością. Ciotka nie jest jednak zadowolona z artystycznych zapędów Emilki. Stawia jej twardy warunek: dziewczyna będzie mogła nadal spotykać się z przyjaciółmi, jeśli zarzuci pisanie...

OPRAWA BROSZUROWA
ISBN 83-08-03878-6, CENA 26,00

OPRAWA TWARDA
ISBN 83-08-03879-4, CENA 32,00

Dorosłe życie Emilki

Emilka wie już, że tylko zawód pisarki przyniesie jej szczęście. Nie może również zapomnieć o ukochanym Tedzie - miłości jej życia. Ale gdy Ted opuszcza Emilkę, by studiować w Montrealu, dziewczyna decyduje się wyjść za mąż za człowieka, którego w ogóle nie kocha…

OPRAWA BROSZUROWA
ISBN 83-08-03873-5, CENA 26,00

OPRAWA TWARDA
ISBN 83-08-03880-8, CENA 32,00

Seria o Pat

Pat ze Srebrnego Gaju

Wydawałoby się, że nic nie może zaskoczyć Patricii Gardiner, która całe swe życie spędziła w ukochanym rodzinnym Srebrnym Gaju. A jednak... Gdy na Pat zwali się cała lawina niespodziewanych zdarzeń, charakter dziewczynki zostanie wystawiony na ciężką próbę. Na szczęście Pat zawsze będzie mogła liczyć na swoich przyjaciół.

OPRAWA BROSZUROWA
ISBN 83-08-03916-2, CENA 26,00

OPRAWA TWARDA
ISBN 83-08-03917-0, CENA 32,00

Miłość Pat

Kontynuacja przygód Pat ze Srebrnego Gaju. Tym razem bohaterka stanie przed trudnym wyborem: czy korzystać z uroków mieszkania w Srebrnym Gaju, gdzie panuje spokój i gdzie można się rozkoszować pięknymi widokami, czy też opuścić miejsce, w którym spędziła tyle lat, zaryzykować i wyruszyć na spotkanie prawdziwej miłości?

OPRAWA BROSZUROWA
ISBN 83-08-03918-9, CENA 26,00

OPRAWA TWARDA
ISBN 83-08-03919-7, CENA 32,00